ROME
et
L'EMPIRE ROMAIN

À Alice et Victor à Paris,
à Jordane en Ariège,
à Aliki à Thasos.
F. D.

Remerciements

Je tiens à remercier tout particulièrement pour leur aide chaleureuse :

Mmes Béatrice Cauuet (CNRS), Christine Dieulafait (Service régional de l'archéologie Midi-Pyrénées), Marie-Thérèse Marty (CNRS), Hélène Montardre, Catherine Petit, Marie-Pierre Ruas (CNRS), Évelyne Ugaglia (conservateur au musée Saint-Raymond de Toulouse), Nathaële Vogel.
MM. Alain Canu (site Internet http://www.noctes-gallicanae.org) ; René Cuybanes et toute son équipe ; Claude Domergue (université de Toulouse) ; Philippe Elsen (Fond Jean Elsen s.a. Numismates, Bruxelles) ; Vincent Geneviève (Institut national de recherches archéologiques préventives), François Leyge (conservateur du Musée de Millau) ; Jean-Marie Pailler (université de Toulouse) ; Pierre Planès (Service régional de l'archéologie Midi-Pyrénées) ; Christian Rico (université de Toulouse) ; Robert Sablayrolles (université de Toulouse).

Direction d'ouvrage : Hélène Montardre
Conception graphique et montage : Jean-Paul Espaignet
Correction : Claire Debout
Photogravure : Graphocoop 47 Agen

LES ENCYCLOPES

ROME et L'EMPIRE ROMAIN

Francis Dieulafait

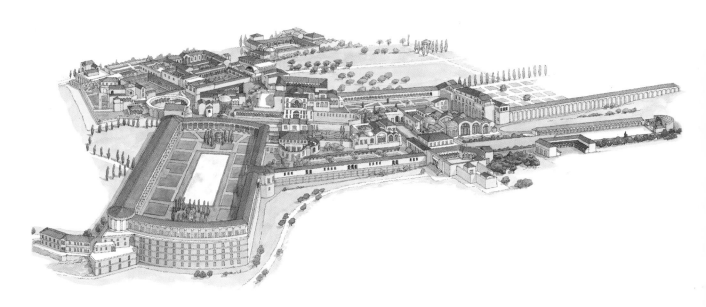

Illustrations :

Nathaële Vogel, Christian Verdun, Mati,

Hélène Appel-Mertiny, Jean-Paul Espaignet, Anne Eydoux,

Frédéric Pillot, Alexandre Roane.

MILAN

Sommaire

8 Chapitre 1 :
DES COLLINES À L'EMPIRE

10   Les origines
12   Les premiers rois
14   Les rois étrusques
16   Les voisins
20   La République
24   Les conquêtes
30   Auguste, premier empereur
32   Le Forum romain
34   Les conquêtes de l'Empire

36 Chapitre 2 :
AMÉNAGER LE TERRITOIRE

38   Fonder une nouvelle ville
40   La vie publique
42   Les temples de la ville
44   Les lieux publics
46   Que d'eau, que d'eau !
48   Dedans dehors
50   Circulez, circulez !
52   En voyage !

54 Chapitre 3 : LES ROMAINS

56   Les citoyens
58   La femme romaine
60   Les non-citoyens
62   Spartacus
64   Le nom romain
66   L'enfance
68   Le mariage
70   La mort

72 Chapitre 4 :
AU JOUR LE JOUR

74   Par ici la monnaie
76   C'est des histoires !
78   La valeur des choses
80   Les repas
82   À table
84   En amphore...
86   Nos amies les bêtes
88   Nourriture ou loisir ?
90   Se distraire
92   Les vêtements
94   De pied en cap
96   Bijoux et parfums
98   Le latin et les autres...
100   Parler latin
102   Écrire le latin
104   Santé et médecine

106 Chapitre 5 : LA VIE ROMAINE

108   Au théâtre
110   Rire ou pleurer
112   Arrête ton char...
114   Courir... et gagner !
116   Du pain et des jeux
118   *Morituri te salutant*
120   Les gladiateurs
122   Piscine pour tous
126   Habiter un immeuble
128   Vivre en ville
130   Habiter une *domus*
132   La *domus* impériale
134   Habiter une *villa*
136   Une *villa* impériale

138 Chapitre 6 :
LES DIEUX ET LE TEMPS

140   Nom d'un dieu !
142   Par Jupiter !
146   Le culte domestique
148   Sacrifices et malédictions
150   Les prêtres
152   Cultes d'ailleurs
154   Le christianisme
156   Sacré temps
160   On fait la fête

162 Chapitre 7 : ARTS ET MÉTIERS

164   Le commerce
166   Un port : Ostie
168   Les ressources de la terre
170   Une rue romaine
172   Les artisans
174   Musique et magie
178   Métiers du bâtiment
180   Comment construire
182   Construire un mur
184   La sécurité
186   Néron et les arts
188   Le Panthéon
190   La sculpture
192   Les fresques
194   La mosaïque

196 Chapitre 8 : L'ARMÉE

198   Engagez-vous !
200   Qui c'est qui commande ?
202   En tenue de combat
204   Enseignes et médailles
206   Camper et marcher
208   Une colonne d'Histoire
210   État de siège
212   Combat et religion
214   Batailles navales
216   Le triomphe

218 Chapitre 9 :
L'EMPIRE ROMAIN

220   Administrer et protéger
222   L'Italie
226   Les îles
228   L'Hispanie
230   La Bretagne
232   Les Gaules
236   Les Germanies
238   *Le limes danubien*
240   La Grèce
242   L'Asie Mineure
244   L'Orient
246   L'Égypte et la Cyrénaïque
248   Afrique et Numidie
252   Les Maurétanies
254   La fin de l'Empire romain

256 Chapitre 10 :
POUR EN SAVOIR PLUS

257   Chronologie
258   Les hommes politiques
260   Le calendrier
261   Les mesures
262   Personnages célèbres
264   Des légendes pour l'Histoire
266   Index

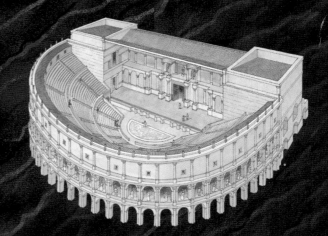

Des collines à l'Empire

16
Les voisins

20
La République

14
Les rois étrusques

12
Les premiers rois

10
Les origines

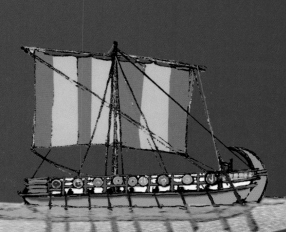

Rome ne s'est pas bâtie en un jour… Il y a 2 800 ans, plusieurs peuples, grands et petits, vivaient en Italie. De toutes les cités, c'est Rome qui devint au fil des siècles la capitale d'un pays unifié, puis d'un des plus grands empires de l'histoire.

24
Les conquêtes

30
Auguste, premier empereur

32
Le Forum romain

34
Les conquêtes de l'Empire

Les origines

Les historiens
romains qui racontent
la fondation de Rome
ont écrit leurs textes
plus de 500 ans
après les faits.
Ils ont créé une
histoire remplie
de personnages
héroïques
où se mêlent
fiction et réalité.

DATE OFFICIELLE
Les Romains dataient
la fondation de Rome
en 753 av. J.-C.
Chaque année, ils
organisaient une fête
commémorative
le 21 avril.

Au IXe siècle av. J.-C., les
premiers habitants des
collines mettaient les
cendres des morts
dans des urnes
semblables
à leurs
maisons.

POUR EN SAVOIR PLUS

sur les **Albains**, les **Latins**,
voir p. 12-13, 24-25
sur **Rhéa Silvia** et **Romulus**, voir p. 12-13, 28-29
sur la **fondation d'une ville**, voir p. 38-39
sur les **vestales**, voir p. 150-151
sur **Mars**, voir p. 144-145

Romulus et Rémus

Il y a bien longtemps, Amulius vola le trône de la ville d'Albe à son frère. Ce dernier avait une fille, Rhéa Silvia. Amulius la nomma vestale, ce qui lui interdisait d'avoir des enfants qui pourraient, un jour, venir revendiquer le trône. Mais le dieu Mars tomba amoureux de Rhéa Silvia et deux jumeaux naquirent de leur union : Romulus et Rémus. Amulius, furieux, donna l'ordre de noyer les nourrissons, qui furent abandonnés sur le Tibre, près d'un figuier proche d'une grotte au pied du Palatin. Une louve, attirée par leurs pleurs, les allaita, puis le berger Faustulus et sa femme les recueillirent.

La fondation de Rome

Devenus adultes, Romulus et Rémus décidèrent de construire une ville et demandèrent aux dieux un signe pour déterminer lequel des deux serait roi. Rémus aperçut six vautours ; puis Romulus en aperçut douze. Il se déclara vainqueur. Pour marquer la limite sacrée (le *pomoerium*) de sa ville, il creusa un sillon que nul étranger, ou citoyen en armes, n'avait le droit de franchir. Quand Rémus sauta par-dessus pour provoquer son frère, il fut aussitôt tué pour cet acte sacrilège.

Les fouilles archéologiques ont permis de reconstituer les premières cabanes en terre.

Une version archéologique

Trois peuples vivaient sur les collines. Des Latins venus d'Albe habitaient autour du Palatin ; les Sabins habitaient sur le Capitole et le Quirinal, et des Étrusques de la ville de Véies vivaient sur le Janicule, sur l'autre rive du Tibre. Vers 750 av. J.-C., les villages latins et sabins se regroupèrent pour former sur le Palatin un seul village entouré d'un mur et, à 15 mètres devant, d'une palissade de bois. Cette palissade constitue peut-être le *pomoerium* décrit dans la légende.

UN LIEU INTÉRESSANT

Sept collines, un fleuve, une île : l'endroit idéal pour installer une ville. Les sept collines sont le Capitole, le Palatin, le Viminal, l'Esquilin, le Quirinal, l'Aventin et le Caelius. Elles sont hautes de 40 à 50 m, permettent de se défendre et d'échapper aux moustiques des marais qui transmettent la malaria (*mal aria* = « mauvais air » en italien). Et il est facile de traverser le Tibre ici, car son coude rend le courant moins fort.

LE SITE DE ROME AU IXᵉ SIÈCLE AVANT J.-C.

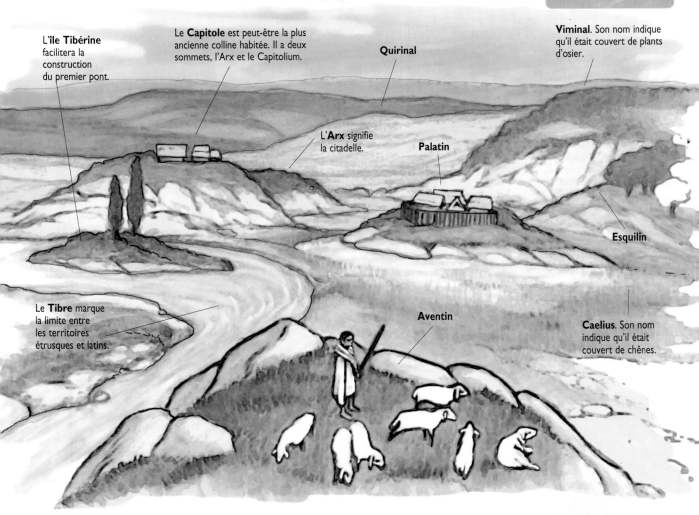

L'île Tibérine facilitera la construction du premier pont.

Le **Capitole** est peut-être la plus ancienne colline habitée. Il a deux sommets, l'Arx et le Capitolium.

Quirinal

Viminal. Son nom indique qu'il était couvert de plants d'osier.

L'**Arx** signifie la citadelle.

Palatin

Esquilin

Le **Tibre** marque la limite entre les territoires étrusques et latins.

Aventin

Caelius. Son nom indique qu'il était couvert de chênes.

Les premiers rois

L'enlèvement des Sabines est une scène qui a souvent été représentée. Ici, tableau de David, peint en 1799.

D'après la tradition, les premiers dirigeants de Rome sont des rois. Romulus est le premier d'entre eux, en 753 av. J.-C. La royauté va durer 244 années et finir en 509 av. J.-C.

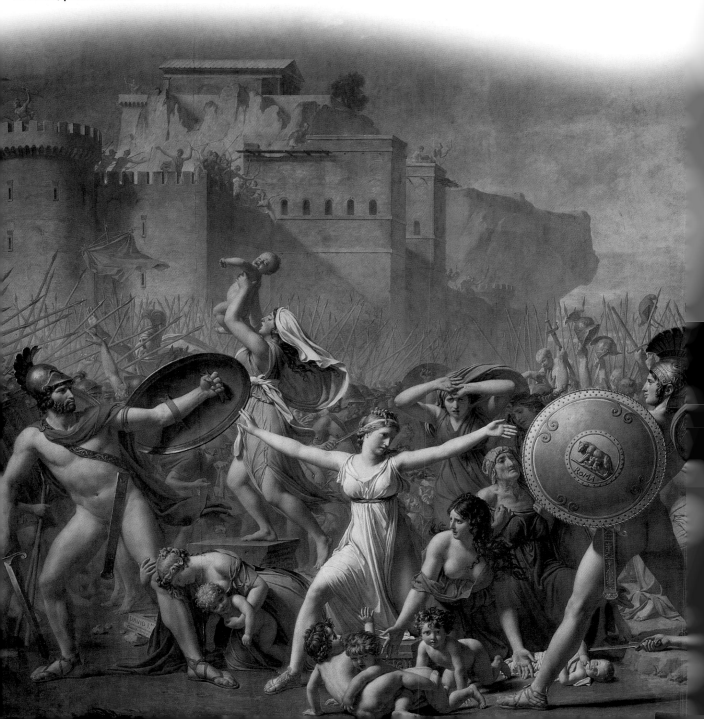

L'enlèvement des Sabines

Au début, seuls vivaient à Rome quelques bergers et aventuriers, et il y avait peu de femmes pour assurer la descendance des habitants. Pour résoudre ce problème, Romulus organisa des jeux et y invita les peuples voisins. Les Sabins vinrent nombreux, avec femmes et enfants. Les Romains enlevèrent les jeunes filles et chassèrent les hommes. Les Sabins, furieux, revinrent pour les libérer. Ils s'emparèrent de la citadelle grâce à la trahison d'une jeune Romaine, Tarpéia, qui leur ouvrit les portes. Mais les Sabines s'interposèrent entre les deux armées : elles refusaient de voir mourir un père, un frère ou un époux. Sabins et Romains firent la paix et devinrent un seul peuple : les Quirites.

Tarpéia, la jeune Romaine qui ouvrit les portes aux Sabins, fut en récompense écrasée par leurs boucliers.

Rois latins et rois sabins

Romulus, le roi fondateur de Rome, disparut mystérieusement lors d'un orage. **Numa Pompilius** lui succéda. Ce roi d'origine sabine, réputé pieux et pacifique, créa à Rome le culte de Vesta, celui de Janus, et les 12 mois du calendrier.

Tullus Hostilius, d'origine latine, était un roi belliqueux. Il déclara et gagna la guerre contre Albe. Il construisit la Curie pour les réunions du Sénat.

Ancus Marcius, petit-fils de Numa Pompilius, fit construire le pont Sublicius sur le Tibre, et le premier port d'Ostie.

LES HORACES ET LES CURIACES

Pendant le règne de Tullus, Rome et Albe se déclarèrent la guerre. Mais pour éviter qu'il y ait trop de morts, les deux camps décidèrent d'opposer trois champions de chaque ville. Les Romains choisirent les trois frères Horaces, et les Albains les trois frères Curiaces. Dès le début du combat, deux Romains furent tués et trois Albains blessés. Le dernier des Horaces feignit de fuir, et se laissa rattraper par un des Curiaces qu'il tua. Puis il reprit sa course, se laissa rattraper par un deuxième Curiace qu'il tua aussi. Enfin, il gagna son troisième combat contre le dernier Curiace.

HOULA ! ILS M'ONT L'AIR CORIACES CES CURIACES !

IL VA FALLOIR RUSER !

Les rois étrusques

LES FONCTIONS DU ROI

Le roi (*rex*) est le chef du peuple. Il est désigné par les sénateurs après consultation des dieux. Le roi possède, pour toute sa vie, tous ses pouvoirs. Il a le pouvoir de consulter les dieux pour connaître leur volonté, il fait les sacrifices pour Rome, fixe les dates des fêtes religieuses, et nomme les grands prêtres (*flamines*). Il possède le pouvoir de commandement (*imperium*) sur tout le monde, et nomme les officiers de l'armée. Malgré tous ses pouvoirs, le roi ne peut intervenir dans les querelles privées.

Après les quatre premiers rois légendaires, les auteurs antiques mentionnent trois rois d'origine étrusque, ce qui atteste l'occupation de Rome par ce peuple.

Ce disque de marbre, de plus de 1,50 m de diamètre, représente une divinité fluviale. C'est certainement une des plaques des anciens égouts de Rome.

📖 POUR EN SAVOIR PLUS

sur les **flamines**, voir p. 150-151
sur les **magistrats**, voir p. 22-23
sur l'**imperium**, voir p. 20 à 23
sur les **insignes**, voir p. 22-23

EN ÉTRUSQUE

Lucumon est un mot étrusque *lauchume* qui signifie « chef ».

Le premier roi étrusque

Lucumon, un riche émigré étrusque originaire de la ville de Tarquinia, s'installa à Rome sous le nom de Lucius Tarquin. Le roi Ancus le remarqua pour ses grandes qualités et le désigna par testament comme tuteur de ses enfants. À la mort d'Ancus, Tarquin fut désigné roi par le peuple. La tradition lui attribue le début de la construction du Grand Cirque, du système des égouts et du grand temple de Jupiter sur le Capitole. Il fit aussi assécher les marais.

Le deuxième roi étrusque

Servius Tullius succéda à Tarquin l'Ancien. Il fit entourer les sept collines d'une enceinte, appelée aujourd'hui muraille servienne. Il divisa la population en cinq centuries selon leur richesse et en quatre tribus selon leur origine. Il fut assassiné par sa propre fille et son gendre : Tarquin le Superbe, fils de Tarquin l'Ancien.

Rome et la muraille attribuée à Servius Tullius

Le troisième roi étrusque

Tarquin le Superbe (*superbus* = orgueilleux) acheva les travaux de son père : le temple de Jupiter sur le Capitole et les égouts. Son règne sera marqué par la violence. Son fils, Sextus, viola Lucrèce, une respectable Romaine. Le mari de celle-ci, Tarquin Collatin, petit-neveu de Tarquin l'Ancien, et un ami, Junius Brutus, prirent alors la tête d'une révolte. La royauté fut abolie et la république instaurée. La légende dit que Collatin et Brutus furent les deux premiers consuls en 509 av. J.-C.

AH ! QUELLE FAMILLE !

PFFF !

MASTARNA

Les historiens modernes pensent que le véritable nom de Servius Tullius est Mastarna. C'était un lieutenant d'un chef militaire de la ville étrusque Vulci, qui aurait combattu et vaincu Tarquin l'Ancien.

LE ROI

Le roi habite la Regia, la maison sacrée près du temple de Vesta. Ses insignes sont le sceptre, la couronne d'or, la toge pourpre, la chaise curule. Et 12 licteurs le précèdent en portant la hache et les faisceaux (des verges de bouleau). Lors d'un triomphe, il circule en char, vêtu de rouge, le visage barbouillé de sang et le sceptre d'ivoire à la main, comme Jupiter.

Il y a 2 500 ans, le pays que nous appelons aujourd'hui l'Italie était occupé par plusieurs peuples : Celtes, Étrusques, Grecs… Ces peuples commerçants ont apporté à Rome des éléments de leur culture mais lui ont souvent fait la guerre.

Les Étrusques étaient des maîtres dans l'art du bronze. Cette statuette représente un de leurs guerriers.

Sarcophage étrusque en terre cuite du VIᵉ siècle av. J.-C., dit « des époux ».

Les Étrusques au nord

L'origine des Étrusques n'est pas connue, mais leur présence est attestée en Italie au VIIIᵉ siècle av. J.-C. Vers 520 av. J.-C., ils occupent la plaine du Pô, la Corse, le Latium et la Campanie. Leur culture a fortement marqué les institutions politiques romaines. Leurs villes sont gouvernées par un roi et sont groupées dans une confédération de 12 cités. Un des insignes du roi est la double hache entourée d'un faisceau de baguettes.

ROME, UN NOM ÉTRUSQUE ?

Le nom de *Roma* vient peut-être de son nom étrusque *Rumach*. *Ruma* est le nom d'une divinité étrusque de l'allaitement, ce qui rappelle la légende de Rémus et Romulus, allaités par la louve… Mais le nom de *Roma* peut aussi venir de *Rumo*, un ancien nom du Tibre…

Les acrotères, comme celui-ci, décoraient les temples étrusques.

LES ÉTRUSQUES À ROME

La tradition rapporte qu'une fois les Tarquins chassés de Rome en 509 av. J.-C., Porsenna, un autre roi étrusque de Clusium, est venu assiéger la ville. Et, contrairement à ce que les récits héroïques romains racontent, la ville semble avoir été de nouveau occupée par les Étrusques.

QUELLE RÉCOMPENSE VEUX-TU POUR TA BRAVOURE ? PARLE !

DEVENIR VOTRE BRAS DROIT !

Le brave Horatius Cocles

Alors que les guerriers étrusques commandés par Porsenna s'apprêtent à traverser le Tibre sur le pont Sublicius, le seul pont à cette époque, un jeune soldat romain du nom d'Horatius Cocles leur fait face.

Il s'avance courageusement pour leur bloquer la voie, et crie à ses camarades de détruire le pont. Pendant le combat, le pont s'effondre dans un fracas effroyable, entraînant dans sa chute les soldats étrusques, mais aussi Horatius. Heureusement, le Romain, bon nageur, atteint sain et sauf la rive de Rome. Mais Porsenna n'abandonne pas la lutte.

MUCIUS SCAEVOLA, LE GAUCHER

Alors que le siège de Rome s'éternise, le Romain Caius Mucius s'introduit de nuit dans le camp ennemi pour tuer Porsenna. Mais il se trompe de cible et ne tue qu'un officier. Capturé et interrogé, il met sa main droite dans le feu et dit à Porsenna : « Regarde ! Je t'ai manqué, mais nous sommes 300 comme moi à avoir juré de te tuer ! » Porsenna préfère lever le siège. Caius Mucius, considéré comme un héros, fut surnommé Scaevola, ce qui signifie « le gaucher ».

Vase étrusque représentant une tête de femme.

La Grande Grèce

La Grande Grèce est le nom donné par les Grecs au territoire du sud de l'Italie et de la Sicile où se sont installées leurs colonies. C'est entre le VIIIe et le VIe siècle av. J.-C. que ces colonies grecques se sont multipliées le long des côtes du sud. Les principales cités grecques sont Cumes et Rhégion, fondées par les Chalcidiens, Tarente par les Spartiates, Sybaris, Crotone, Métaponte, Syracuse... Ces premières cités fondent à leur tour d'autres villes : Cumes fonde Parthénope (aujourd'hui Naples) ; Sybaris, Posidonia (Paestum) et Crotone, Caulonia. Toutes ces cités introduisent en Italie les modes de pensée et la culture grecs.

Des villes ennemies

Les villes grecques sont, comme les villes étrusques, surtout commerçantes. Mais ces villes ne sont pas fédérées. Bien au contraire, elles se battent entre elles à l'image de leurs cités mères en Grèce. Ainsi, les colonies fondées par Corinthe sont en conflit avec celles de Sparte. Lors de ces guerres internes, Crotone, en 510 av. J.-C., anéantit Sybaris, la plus riche et la plus commerçante de toutes. Ce sera un désastre pour la culture grecque en Italie.

DES COLONIES GRECQUES

Beaucoup de cités grecques ont installé des colonies sur les pays côtiers de la mer Méditerranée. En France, Nikaia (Nice) et Massalia (Marseille) sont d'anciennes colonies.

Posidonia (Paestum) fut fondée par des Grecs de la colonie de Sybaris. Ce temple, construit vers 460 av. J.-C., est dédié à la déesse Héra. Il mesure 60 mètres de long et 24 mètres de large.

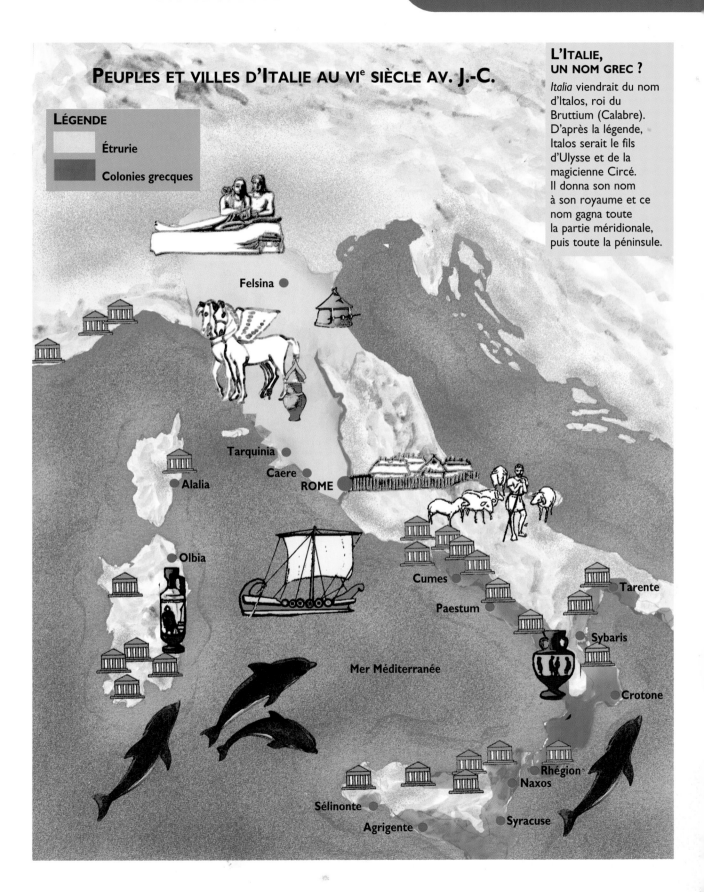

PEUPLES ET VILLES D'ITALIE AU VIᵉ SIÈCLE AV. J.-C.

LÉGENDE

Étrurie

Colonies grecques

**L'ITALIE,
UN NOM GREC ?**

Italia viendrait du nom
d'Italos, roi du
Bruttium (Calabre).
D'après la légende,
Italos serait le fils
d'Ulysse et de la
magicienne Circé.
Il donna son nom
à son royaume et ce
nom gagna toute
la partie méridionale,
puis toute la péninsule.

Felsina

Tarquinia

Caere

ROME

Alalia

Olbia

Cumes

Tarente

Paestum

Sybaris

Mer Méditerranée

Crotone

Sélinonte

Rhégion

Naxos

Agrigente

Syracuse

La République

La royauté étrusque bannie de Rome, les affaires publiques vont être gérées par des assemblées populaires, qui élisent les magistrats, et un conseil.

LÉGENDE

Origine familiale

Fortune

Lieu de résidence

Les assemblées populaires

Dans les assemblées, les Romains votent les lois et désignent les magistrats. Elles sont ouvertes à tous les citoyens, sauf les femmes, les esclaves et les pérégrins. Les trois assemblées correspondent à trois classements des citoyens :
• selon leur origine familiale : les comices curiates ;
• selon leur fortune : les comices centuriates ;
• selon leur lieu de résidence : les comices tributes.

LES TROIS ASSEMBLÉES

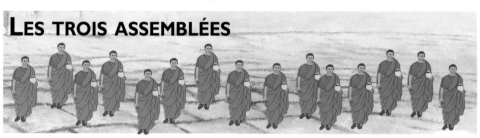

Tous les citoyens ayant le droit de vote font partie des trois assemblées. Chaque assemblée a une fonction particulière. À l'intérieur de chaque assemblée, les citoyens sont classés selon un critère précis.

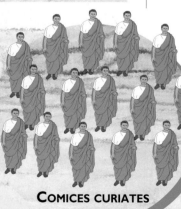

COMICES CURIATES

Qui : les citoyens des 30 curies.
Fonctions : approuver les lois ; donner l'*imperium* aux magistrats supérieurs.

COMICES TRIBUTES

Qui : les 35 tribus.
Fonctions : voter les lois ; élire les magistrats inférieurs et les tribuns de la plèbe.

COMICES CENTURIATES

Qui : les citoyens des 193 centuries.
Fonctions : élire les magistrats supérieurs ; voter certaines lois. Ils peuvent également faire déclarer la guerre, rendre la justice pour les procès dont la peine est la mort ou l'exil.

Le vote

Le jour du vote, les citoyens se regroupent sur le champ de Mars, dans de longues files séparées par des barrières. Ils arrivent un à un sur un pont où ils reçoivent leurs tablettes de vote. Ils en déposent une dans l'urne placée à l'autre extrémité du pont. Pour voter une loi, l'électeur reçoit une tablette « oui » inscrite VR (*Uti Rogas* = « je suis pour la loi »), et une tablette « non » avec A (*Antiquo* = « je suis pour l'ancienne loi »). Pour désigner un magistrat, il marque le nom sur la tablette.

Scène de vote en 113 av. J.-C. À gauche, un électeur monte sur le pont et reçoit sa tablette ; à droite, un autre électeur dépose la sienne dans l'urne. Devant, une des barrières qui forment les couloirs.

POUR EN SAVOIR PLUS

sur les **esclaves**, voir p. 60 à 63
sur les **pérégrins**, voir p. 60-61
sur les **magistrats**, voir p. 22-23

Le Sénat

Le Sénat était le Conseil du roi, et devient sous la République la plus haute autorité de Rome.
Les sénateurs, d'anciens magistrats, sont 900 au temps de Jules César.
Le Sénat peut être convoqué à tout moment par un magistrat supérieur.
Il se réunit dans la Curie et débat sur l'objet de la convocation. Le Sénat ne vote pas de lois, il approuve celles votées par les comices.
Le Sénat fixe le calendrier des fêtes, décide des impôts, reçoit les ambassadeurs et conclut la paix ou déclare la guerre.
Les magistrats doivent lui obéir.

**Chaque sénateur dispose d'un temps de parole illimité pour s'exprimer.
Pour le vote, les sénateurs se regroupent par opinion puis sont comptés.**

RÉPUBLIQUE, COMICE ET SÉNAT

République vient du latin *res publica*, « la chose publique », et désigne tout ce qui appartient à la population romaine (*populus romanus*).
Le mot **comice** signifie « assemblée ». Il vient du mot *comitium*, l'espace sur le *forum* où le peuple se réunissait à l'époque royale. D'après la légende, c'est là que Romulus et les Sabins firent la paix après l'enlèvement des Sabines.
Sénat (*senatus*) vient de l'adjectif *senex*, « vieux », en référence aux hommes âgés qui composent ce conseil.

S · P ·

POUVOIRS ET INSIGNES

Les **magistrats** reçoivent la *potestas*, un pouvoir administratif qui leur permet de parler au nom de la République, par exemple pour signer un contrat. Les **magistrats supérieurs** ont, en plus, un *imperium*, un pouvoir de commandement. La **chaise curule** est un siège pliant réservé aux sénateurs, aux magistrats supérieurs et au grand prêtre de Jupiter. Le **licteur** est un officier qui porte la hache et les faisceaux. Il précède le magistrat pour lui ouvrir la voie et annoncer son arrivée.

Les magistrats

Les magistrats sont des citoyens libérés du service militaire et élus par les comices. Il existe plusieurs types de magistrats avec des noms et des fonctions différents. Les magistratures s'effectuent dans un ordre précis (le *cursus honorum*) en commençant par la moins honorifique : la questure. Il faut attendre deux ans pour postuler la magistrature suivante.

LA QUESTURE ①
Combien : 40 questeurs (sous César).
Élus par : les comices tributes.
Durée du mandat : I an.
Pouvoirs : la *potestas*.
Insignes : aucun.
Ils sont chargés des finances. Ils ont la garde du trésor.

L'ÉDILITÉ ②
Combien : 2 édiles curules et 2 édiles plébéiens.
Élus par : les comices tributes.
Durée du mandat : I an.
Pouvoirs : la *potestas*.
Insignes : chaise curule (pour les curules).
Ils sont chargés de la police de la ville. Ils organisent les jeux publics à leurs frais.

LA PRÉTURE ③
Combien : 16 préteurs (sous César).
Élus par : les comices centuriates.
Durée du mandat : I an.
Pouvoirs : un *imperium*.
Insignes : chaise curule, 2 licteurs.
Ils président la justice et organisent les procès, mais ils ne sont pas juges. En l'absence des consuls, ils peuvent exercer leurs pouvoirs.

C'EST MOI LE PREMIER !

Lorsque des magistrats de rang différent se rencontrent, les licteurs du magistrat le moins important abaissent leurs faisceaux en signe de respect. L'interdiction de porter des armes dans l'enceinte du *pomoerium* est aussi valable pour les licteurs : ils enlèvent les haches des faisceaux.

LE CONSULAT
④

Combien : 2 consuls.
Élus par : les comices centuriates.
Durée du mandat : 1 an.
Pouvoirs : l'*imperium* le plus important.
Insignes : chaise curule, 12 licteurs.
Ce sont les plus importants magistrats de la République romaine.
Ils conduisent la guerre, nomment les officiers, imposent les
contributions aux peuples vaincus.

LA CENSURE
⑤

Combien : 2 censeurs.
Élus par : les comices centuriates, tous les 5 ans, parmi
les anciens consuls.
Durée du mandat : 18 mois.
Pouvoirs : la *potestas*.
Insignes : chaise curule.
Ils effectuent le recensement des citoyens et les répartissent dans les
tribus et les centuries. Ils décident de la construction des bâtiments
publics importants. À la fin de leur mandat, une
cérémonie a lieu, le suovetaurile, durant laquelle
on sacrifie un porc, un mouton et un taureau.

LE TRIBUNAT DE LA PLÈBE
⑥

Combien : 10 tribuns de la plèbe
(en 471 av. J.-C.).
Élus par : les comices tributes.
Durée du mandat : 1 an.
Pouvoirs : ni *potestas* ni *imperium*, mais droit
de veto qui leur permet de s'opposer à toutes
les décisions prises par les autres magistrats,
sauf celles d'un dictateur.
Insignes : aucun.
Le tribun de la plèbe est sous la protection des
dieux. Porter la main sur lui est un sacrilège. Le
seul moyen de s'opposer à un tribun de la plèbe,
c'est de lui opposer un autre tribun de la plèbe.

LA DICTATURE
⑦

Combien : 1 dictateur.
Élu par : les consuls parmi les anciens consuls.
Durée du mandat : 6 mois.
Insignes : chaise curule, 24 licteurs.
Un dictateur est nommé lorsque la cité est
menacée par un péril grave. C'est le seul à
disposer d'un *imperium* militaire même
dans l'enceinte du *pomoerium*. Il a le
pouvoir absolu, comme un roi.

Les conquêtes

**Rome mène des guerres pour se défendre
ou acquérir de nouveaux territoires.
Elles se déroulent d'abord contre différents
peuples installés en Italie. La conquête
de l'Italie par Rome s'achève en 265 av. J.-C.**

Contre les Étrusques au nord

Les Étrusques ont longtemps dominé les Romains. Mais en 396 av. J.-C., ceux-ci assiègent et s'emparent de Véies, une métropole étrusque aussi importante que Rome. Il faudra 130 ans aux Romains pour vaincre définitivement les Étrusques avec la chute de Volsinies en 265 av. J.-C.

Contre les Latins et les Samnites

Le centre de l'Italie est conquis en quatre guerres. La première guerre est demandée par les Campaniens qui offrent leur territoire aux Romains en échange de leur aide contre les Samnites. Ensuite, les Romains battent les Latins grâce au sacrifice de leur général P. Decius. En 321 av. J.-C., ils perdent la deuxième guerre samnite avec l'humiliante défaite aux Fourches Caudines. Enfin les Samnites, les Gaulois et les Étrusques s'allient contre Rome : c'est la troisième guerre samnite. Rome remporte la victoire en 295 av. J.-C., à Sentinum.

Contre les Grecs au sud

Ayant conquis le centre de l'Italie, Rome se trouve face aux colonies grecques. L'une d'elles, Tarente, déclare la guerre à Rome et demande l'aide du roi Pyrrhus, en Grèce. En 280 av. J.-C., il débarque avec 25 000 guerriers et 20 éléphants, les premiers que les Romains voyaient. Pyrrhus remporte plusieurs victoires mais avec tant de morts dans son camp que, depuis ce temps, une « victoire à la Pyrrhus » désigne une victoire cher payée. Finalement, Rome s'empare de Tarente en 272 av. J.-C., et Pyrrhus bat en retraite. Le sud de l'Italie est peu à peu romanisé.

Statuette d'un guerrier samnite du Vᵉ siècle av. J.-C. Revêtu d'une cuirasse courte et de jambières, il tenait une lance dans la main gauche et un bouclier dans la main droite.

LES OIES DU CAPITOLE

Lors du siège du Capitole par Brennus, les Romains affamés regardent avec envie les oies sacrées de Junon qui vivent là. Une nuit, le soldat Marcus Manlius est réveillé par des cris et un bruit de battements d'ailes. Ce sont les oies qui, dérangées par un intrus, s'agitent. Il saisit son épée, court au sommet du rempart, et se trouve face… aux Celtes en train d'escalader les murs de la citadelle ! Manlius parvient à donner l'alerte et les Romains réussissent à repousser l'attaque.

Les Celtes pillent Rome

Depuis le VIe siècle av. J.-C., des peuples celtes sont installés en Italie du Nord. Parfois, ils s'allient aux Étrusques contre les Romains, parfois c'est l'inverse. En 390 av. J.-C., la tribu des Sénons, menée par son chef Brennus, pille Rome et assiège le Capitole où résistent quelques Romains. Brennus accepte de partir contre une rançon en or d'un poids de 1 000 livres. Les Celtes trichent en plaçant de faux poids, plus lourds, dans la balance. Les Romains s'en aperçoivent et protestent. Alors Brennus y ajoute son épée en prononçant ces mots : « *Vae victis !* » (Malheur aux vaincus !)

POUR EN SAVOIR PLUS

sur les **colonies grecques,** voir p. 18-19

PUNIQUE

« Punique » vient du mot latin *poeni*, qui désigne les Phéniciens, les Carthaginois. Le nom de Carthage vient du phénicien *Qart Hadasht* qui signifie « la ville neuve ».

LA PAROLE DONNÉE

Lors de la première guerre punique, l'ex-consul Regulus est capturé par les Carthaginois. Ceux-ci le renvoient à Rome avec une proposition de paix, et contre sa parole de revenir à Carthage. Arrivé à Rome, Regulus harangue le Sénat pour que le peuple romain poursuive la guerre. Puis, pour respecter sa promesse, il retourne à Carthage. Les Carthaginois ne sont pas impressionnés par sa fidélité à la parole donnée. Ils le torturent et le mettent à mort.

Rome contre Carthage

Carthage est une colonie phénicienne fondée en Afrique par la ville de Tyr. Trois guerres opposèrent Carthage à Rome, que l'on nomme les guerres puniques et que Rome gagna. Durant la première (264-241 av. J.-C.), Carthage perdit ses terres en Sicile et dut payer un lourd tribut. C'est durant ce conflit que Rome développa sa flotte de guerre pour battre la puissante marine carthaginoise.

Hannibal et Scipion l'Africain

La deuxième guerre punique débute en Espagne lorsque Hannibal s'empare de Sagonte, une ville protégée par Rome. En 218 av. J.-C., il part vers l'Italie avec 60 000 guerriers et une quarantaine d'éléphants. Il franchit les Pyrénées, le sud de la Gaule, puis les Alpes, et remporte toutes ses batailles. Mais il n'assiège pas Rome. Il est finalement battu, en 202 av. J.-C., par le général romain Scipion, à Zama, à 100 km au sud-ouest de Carthage. Carthage signe la paix, cède l'Espagne et les îles de la Méditerranée, livre sa flotte de guerre, ses éléphants, et doit payer un lourd tribut pendant 50 ans.

Archimède contre Rome

En 212 av. J.-C., la flotte du consul Marcellus assiège Syracuse (Sicile), la ville natale d'Archimède. Malgré ses 75 ans, le savant invente des machines qui permettent à la ville de résister pendant trois ans. Il crée notamment des machines de bombardement, des miroirs pour incendier les voiles des navires, et une grue munie d'un grappin capable d'attraper les bateaux et de les faire chavirer. Lors de la prise de Syracuse, un légionnaire le tue par erreur.

DELENDA EST CARTAGO

À Rome, malgré la paix avec Carthage, le censeur Caton ne cessait de répéter : « *Delenda est Cartago !* » (Il faut détruire Carthage !) En 149 av. J.-C., les Romains trouvent un prétexte pour déclarer la troisième guerre punique. Au printemps de 146 av. J.-C., les légions romaines commandées par Scipion Émilien forcent l'enceinte, et une terrible bataille de rues s'ensuit. Carthage est rasée, son sol maudit est semé de sel pour le rendre infertile, et les survivants sont vendus comme esclaves.

Au début du combat, les éléphants chargent l'ennemi pour ouvrir une brèche. Mais c'est un animal peureux qui peut se retourner contre son camp. Dans ce cas, son cornac a ordre de le tuer.

Vercingétorix et Jules César

En 58 av. J.-C., les Éduens demandent de l'aide à Rome pour les défendre contre les Helvètes. Les légions de César pénètrent alors dans la « Gaule chevelue ». En avril 52 av. J.-C., le chef arverne Vercingétorix soulève les peuples gaulois contre l'envahisseur. Sa tactique consiste à affaiblir les Romains en brûlant devant eux toutes les sources d'approvisionnement. Mais les Bituriges refusent de détruire leur capitale, Avaricum (Bourges). Les Romains les massacrent et s'y ravitaillent. En juin 52 av. J.-C., Vercingétorix bat César à Gergovie (en pays Arverne).

VERCINGÉTORIX

Le mot Vercingétorix signifie « roi-suprême-des-guerriers » et c'est plutôt un titre qu'un vrai nom. Le terme de « Gaule chevelue » fait référence aux cheveux longs des Gaulois ; et le pays Arverne, c'est l'Auvergne actuelle.

Alésia

En août 52 av. J.-C., Vercingétorix se réfugie dans Alésia avec 80 000 hommes. César l'y assiège et empêche l'armée gauloise de secours de les délivrer. En septembre, Vercingétorix capitule et dépose les armes aux pieds de César. La Gaule deviendra totalement romaine. Vercingétorix est enfermé à Rome dans la prison Mamertine pendant six ans, jusqu'en 46 av. J.-C., quand César le présente à son triomphe, puis le fait étrangler.

LA LÉGENDE D'ÉNÉE

Fuyant Troie prise par les Grecs, Énée, fils de Vénus et d'Anchise, et un groupe de Troyens abordent les rivages du Latium en Italie. Ils s'allient avec Latinus, roi des Aborigènes, et forment le peuple des Latins. Le fils d'Énée, Iule, fonde la ville d'Albe dont le treizième roi sera Numitor, le père de Rhéa Silvia, future mère de Romulus et Rémus.

POUR EN SAVOIR PLUS

sur **Romulus**, voir p. 10-11, 12-13
sur le **siège d'Alésia**, voir p. 210-211
sur les **triomphes**, voir p. 216-217

Alea jacta est

César victorieux des Gaulois est riche, couvert de gloire et soutenu par son armée entraînée et très dévouée. Depuis Rome, ses ennemis politiques lui ordonnent de quitter ses légions, mais César refuse. En 49 av. J.-C., il se dirige avec la XIIIe légion sur Rome, et arrive devant le Rubicon. C'est une rivière qui ne peut être franchie par les armées sans l'autorisation du Sénat. César commet le sacrilège de la traverser, et prononce ces mots : « *Alea jacta est !* » (Le dé est jeté !) Aussitôt, la guerre contre Rome éclate et son ennemi Pompée, un autre consul, s'enfuit.

Tu quoque, mi filii

Pompée est assassiné en Égypte en 48. César y fait la connaissance de la reine Cléopâtre, âgée de 22 ans. Il la conduit à Rome et lui construit un palais. Ils auront un fils, Césarion. Nommé dictateur à vie, César se rend au Sénat le 15 mars 44 av. J.-C., pour recevoir la couronne de roi d'Orient. Il y est assassiné par celui qu'il considère comme son fils spirituel, Brutus, et ses ennemis. Avant de mourir, César s'écrie en grec, la langue des érudits : « *Kai su, teknon* », traduit en latin par « *Tu quoque, mi filii.* » (Toi aussi, mon fils.) En fait, c'est une malédiction qu'il faut traduire par : « Qu'il t'arrive la même chose, mon fils. »

Caius Julius porte le surnom de **Caesar** qui fut reçu par un de ses ancêtres à titre honorifique pour avoir vaincu un éléphant carthaginois. *Caesa* signifie éléphant en punique. Plus tard, le mot *caesar* a donné kaizer en allemand et tzar en russe pour dire « empereur ».

CÉSAR

Caius Julius Caesar est né à Rome en juillet 101 av. J.-C., dans une noble famille qui prétendait descendre d'Iule, fils d'Énée. César est un homme politique et un chef militaire qui a aussi écrit plusieurs livres, dont *La Guerre des Gaules* où il commente sa conquête.

Auguste, premier empereur

Caius Octavius naît à Rome en 63 av. J.-C., dans une famille modeste. Il est le petit-neveu de César, qui l'adopte et l'initie aux affaires politiques. Il devient le premier empereur romain. L'Empire durera 503 ans : de 27 av. J.-C. à 476 apr. J.-C.

D'Octave à Auguste

À la mort de César, son fils adoptif Octave s'oppose à Antoine, consul et maître de Rome, dans une lutte pour le pouvoir qui va durer 13 ans. Octave cumule tous les titres : consul, censeur, grand prêtre, imperator, président du Sénat (*princeps senatus*)… En 27 av. J.-C., le Sénat lui donne l'autorité (*auctoritas*) et le surnom d'*augustus*, « sacré ». Le nom d'Octave devient alors Imperator Caesar Augustus. À son époque, le régime politique qu'il met en place ne s'appelle pas l'« empire » mais le principat et Auguste est le prince (*princeps*). Le titre d'Auguste le rend « sacré » et l'*auctoritas* le rend supérieur à tous les magistrats.

EMPEREUR

À partir de 27 av. J.-C., l'empereur cumule les pouvoirs militaires d'un général et les charges de plusieurs magistrats. Il n'est plus désigné par le Sénat mais par son prédécesseur, ou par ses légions.
Il possède 12, puis 24 licteurs. Il porte une couronne de laurier et la toge prétexte. Il a une chaise curule et possède sa garde personnelle : les prétoriens.

Octave, Antoine et Cléopâtre

Pour sceller une alliance momentanée, Antoine épouse Octavie, la sœur d'Octave. Mais Antoine aime Cléopâtre. Ils se suicident tous les deux après la défaite de leur flotte contre celle d'Octave à Actium en 31 av. J.-C. Octave se retrouve alors seul maître du monde romain.

Antoine

Octave

Cléopâtre se suicida en se laissant mordre par un serpent. On la retrouva avec une de ses suivantes morte à ses pieds ; l'autre arrangeait le diadème sur la tête de sa maîtresse.

De nouveaux magistrats

Sous l'Empire, les comices perdent leurs pouvoirs et les 600 sénateurs, choisis par l'empereur, font les lois. L'empereur crée de nouveaux postes de magistrats.

• Le préfet du prétoire est le chef de la garde prétorienne. Son rôle est aussi important que celui d'un Premier ministre aujourd'hui.

• Le préfet de la ville administre la ville de Rome.

• Le préfet des vigiles veille à la sécurité de Rome. Il est sous les ordres du préfet de la ville.

• Le préfet de l'annone est chargé de l'approvisionnement de Rome en blé.

PFFF!

L'HOMME LE PLUS RICHE

L'héritage de César avait rendu Octave riche. Les butins pris après sa victoire sur Antoine augmentent sa fortune. Quand il devient propriétaire de l'Égypte et de ses revenus, il est l'homme le plus riche de l'Empire, plus riche même que l'État.

TITULATURE IMPÉRIALE DE L'EMPEREUR TRAJAN ENTRE 103 ET 111

L'empereur inscrit sur ses monnaies son nom et les abréviations de ses titres.

AVG = AVGustus : après Octave, le titre d'Auguste devient un prénom et figure dans la titulature de tous les empereurs.

NERVAE TRAIANO : Trajan, fils de Nerva.

CAES = CAESar : titre honorifique en souvenir de César.

GER = GERmanicus : vainqueur des Germains.

DAC = DACicus : vainqueur des Daces.

P M = Pontifex Maximus : grand pontife, chef des prêtres des dieux.

TR P = TRibunicia Potestas : la puissance du tribun de la plèbe rend l'empereur sacré et lui permet d'annuler les lois et décisions prises par d'autres.

COS V = COnSul V : chaque année, deux citoyens romains étaient élus consuls. À partir d'Auguste, l'empereur sera souvent un des deux. Ici, Trajan est consul pour la 5e fois.

P P = Pater Patriae : Père de la Patrie. C'est un titre honorifique.

IMP = IMPerator : ce titre est accordé aux généraux victorieux. En 44 av. J.-C., le Sénat autorise César à le prendre comme prénom. Après lui, ses successeurs le porteront en permanence, c'est de là que vient le mot « empereur ».

Le Forum romain

VIA SACRA

Le Forum romain est traversé par la via Sacra qui descend du Capitole et qui passe devant les édifices religieux. Elle était parcourue lors des processions les plus importantes.

TEMPLE DE VESTA

Le temple de Vesta abritait le feu sacré qui ne devait jamais s'éteindre. Les vestales étaient responsables de l'entretien de la flamme.

Le Forum romain est la place la plus ancienne de Rome. Cet ancien terrain marécageux est devenu le centre de la Rome impériale. On y trouve de nombreux bâtiments religieux et administratifs, des statues, des colonnes, des arbres sacrés...

LE FORUM ROMANUM VERS 50 APR. J.-C.

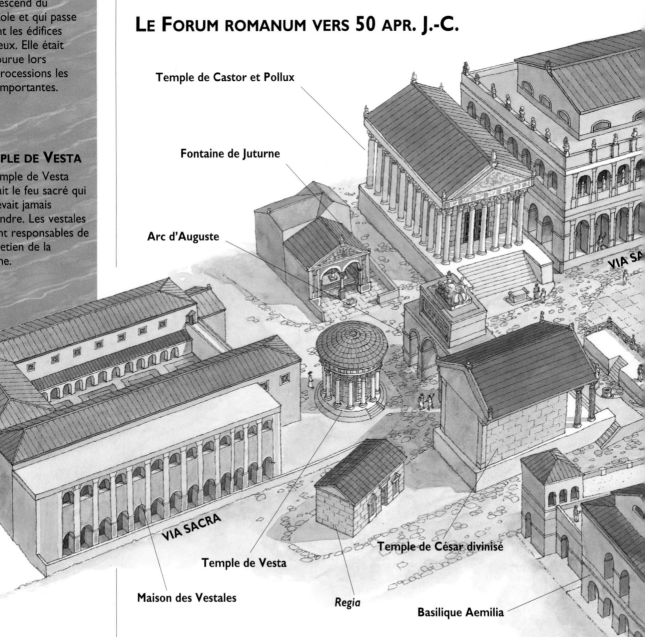

Temple de Castor et Pollux

Fontaine de Juturne

Arc d'Auguste

VIA SA

VIA SACRA

Temple de Vesta

Maison des Vestales

Regia

Temple de César divinisé

Basilique Aemilia

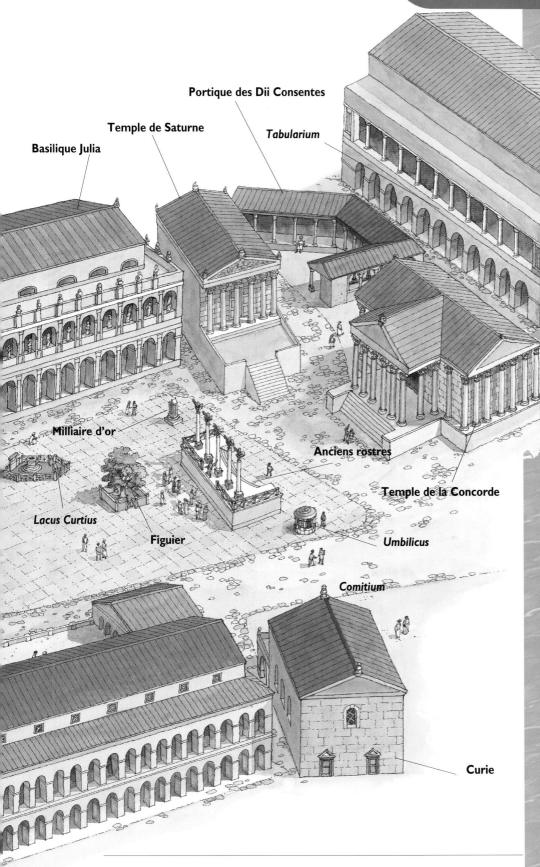

Portique des Dii Consentes

Temple de Saturne

Tabularium

Basilique Julia

Milliaire d'or

Anciens rostres

Lacus Curtius

Temple de la Concorde

Figuier

Umbilicus

Comitium

Curie

PETIT VOCABULAIRE

Umbilicus : fosse circulaire au centre de la ville.

Tabularium : archives de l'État.

Comitium : ancien emplacement, devant la Curie, où se réunissaient les assemblées (comices) de citoyens.

Regia : sanctuaire, dépôt des archives des pontifes et du calendrier.

Lacus Curtius : espace frappé par la foudre et clos en 445 av. J.-C.

ANCIENS ROSTRES

C'est depuis cette tribune haute de trois mètres que les orateurs comme Cicéron s'adressaient au peuple. Elle doit son nom aux éperons de navires, les rostres, pris lors de la victoire navale d'Antium en 338 av. J.-C. et fixés sur elle.

MILLIAIRE D'OR

Cette borne de marbre et de bronze doré est le point de départ des indications de distances sur les bornes milliaires des voies romaines.

Les conquêtes de l'Empire

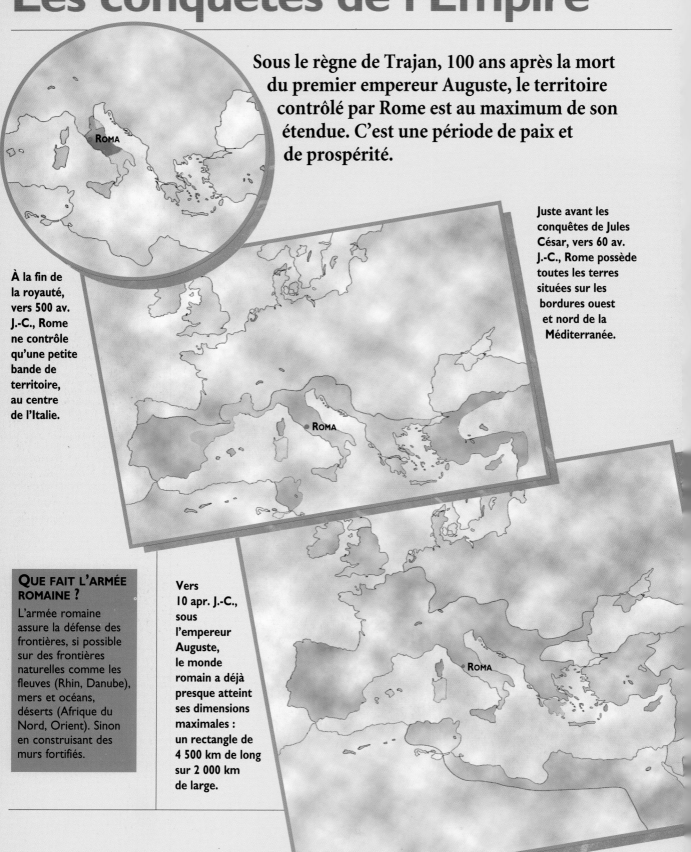

Sous le règne de Trajan, 100 ans après la mort du premier empereur Auguste, le territoire contrôlé par Rome est au maximum de son étendue. C'est une période de paix et de prospérité.

Juste avant les conquêtes de Jules César, vers 60 av. J.-C., Rome possède toutes les terres situées sur les bordures ouest et nord de la Méditerranée.

À la fin de la royauté, vers 500 av. J.-C., Rome ne contrôle qu'une petite bande de territoire, au centre de l'Italie.

ROMA

ROMA

QUE FAIT L'ARMÉE ROMAINE ?

L'armée romaine assure la défense des frontières, si possible sur des frontières naturelles comme les fleuves (Rhin, Danube), mers et océans, déserts (Afrique du Nord, Orient). Sinon en construisant des murs fortifiés.

Vers 10 apr. J.-C., sous l'empereur Auguste, le monde romain a déjà presque atteint ses dimensions maximales : un rectangle de 4 500 km de long sur 2 000 km de large.

ROMA

L'Empire romain

L'Empire romain vers 200 apr. J.-C. comprend 47 provinces. À cette époque, les plus anciennes provinces sont romaines depuis presque 350 ans. Au milieu de cet empire, la mer Méditerranée est comme un grand lac que les Romains appellent la *mare internum*, la « mer intérieure ».

TERRITOIRE CONTRÔLÉ PAR ROME EN 200 APR. J.-C.

1) Baetica
2) Lusitania
3) Tarraconensis
4) Narbonensis
5) Aquitania
6) Lugdunensis
7) Belgica
8) Britannia
9) Germania inferior
10) Germania superior
11) Rhaetia
12) Italia

13) Sicilia
14) Corsica
15) Sardinia
16) Alpes Graiae et Poeninae
17) Alpes Cottiae
18) Alpes Maritimae
19) Noricum
20) Pannonia superior
21) Pannonia inferior
22) Dalmatia
23) Dacia
24) Moesia superior

25) Moesia inferior
26) Thracia
27) Macedonia
28) Epirus
29) Achaia
30) Asia
31) Bithynia et Pontus
32) Galatia
33) Lycia et Pamphylia
34) Cyprus
35) Cilicia
36) Cappadocia

37) Mesopotamia
38) Coele Syria
39) Syria Phenicia
40) Palestina
41) Arabia
42) Aegyptus
43) Cyrenaica et Creta
44) Africa
45) Numidia
46) Mauretania Caesariensis
47) Mauretania Tingitana

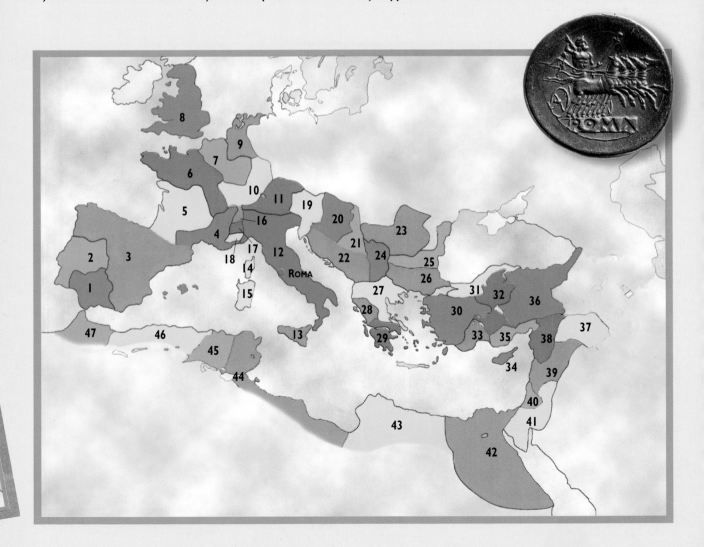

Aménager
le territoire

44

Les lieux publics

42

Les temples
de la ville

40

La vie publique

38

Fonder une
nouvelle ville

Les villes fondées par les Romains ont beaucoup de points communs. On y retrouve un *forum* et de nombreux bâtiments publics : thermes, théâtre, cirque et amphithéâtre… Elles sont reliées par des voies et alimentées en eau par des aqueducs.

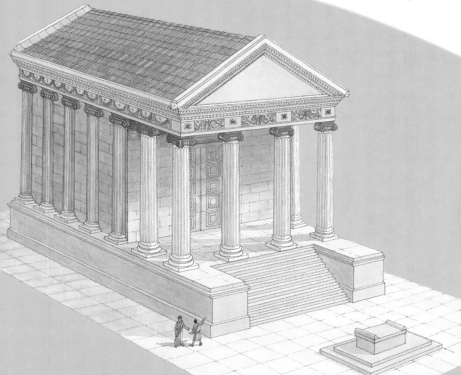

46

Que d'eau, que d'eau !

48

Dedans dehors

50

Circulez, circulez !

52

En voyage !

Fonder une nouvelle ville

Fonder une colonie romaine en Italie et dans l'Empire est une opération religieuse tout autant qu'architecturale. Les Étrusques ont enseigné le rite de fondation des villes aux Romains.

Un acte sacré

Étape n° 1 : le fondateur, assisté d'un augure, interprète le vol des oiseaux (auspices) pour s'assurer que les dieux sont favorables à la construction de la ville à cet endroit.

Étape n° 2 : avec sa *groma*, le géomètre vise le soleil levant et trace une première ligne dans sa direction, puis une deuxième ligne perpendiculaire. Ces deux lignes est-ouest et nord-sud deviendront les deux voies principales de la ville : le *decumanus* et le *cardo*. Le centre de la ville sera à leur croisement.

L'augure

Emplacement d'une porte

Decumanus

Pomoerium

Sur ce schéma se trouvent les principaux éléments créés lors de la fondation d'une ville.

Le géomètre

Étape n° 3 : avec une charrue tirée par une génisse et un taureau blancs, le fondateur trace ensuite un très grand cercle qui marque les limites de la ville. Aux emplacements prévus des portes, il soulève le soc de la charrue et interrompt le sillon. Ce sillon détermine le *pomoerium*. Par ces actes, un espace ordonné est créé où l'homme peut vivre, protégé ainsi du chaos et du caractère imprévisible des forces naturelles.

Le *pomoerium*

Le sillon creusé par le fondateur devient possédé par les divinités souterraines et constitue ainsi une barrière magique. Seuls les endroits intacts, ceux où le soc a été soulevé, peuvent servir de passage. À l'intérieur de cette limite religieuse, il est interdit d'enterrer les morts, d'installer des divinités étrangères et d'entrer en armes.

Fosse à offrandes

E

Sous la protection des dieux

La ville est placée sous la protection de toutes les divinités. Pour rester en paix avec les divinités infernales souterraines, les Romains creusent une fosse au centre de la ville, au croisement des deux axes principaux. Trois fois par an, la dalle qui la couvre est soulevée et des offrandes y sont déposées. Pour les autres dieux, les Romains construisent des temples, si possible sur une hauteur, car les dieux protègent mieux le terrain qu'ils voient. Les divinités les plus honorées sont Jupiter, Junon et Minerve. Leur temple, le Capitole, est souvent construit sur le *forum*.

S

Cardo

POUR EN SAVOIR PLUS
sur les **temples**, voir p. 42-43

SOYONS CARRÉS

Sous l'influence des villes étrusques et des colonies grecques, et lorsque le terrain est plat, les rues des villes romaines sont tracées en quadrillage à partir du *decumanus* et du *cardo*. Le plan ressemble alors à un damier. Mais cela n'est pas toujours possible sur terrain accidenté. Au-delà de la ville, la campagne peut aussi être divisée en damier : c'est la centuriation. Les lots de terrain sont distribués aux vétérans de l'armée.

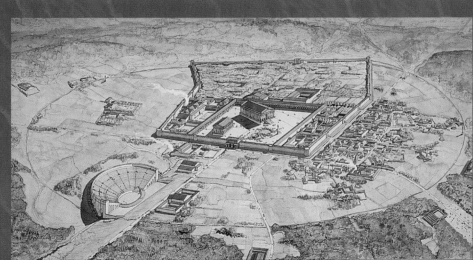

PRÉVOIR L'ESPACE

Le *pomoerium* tracé lors de la fondation d'une ville est un très grand cercle : il faut de l'espace pour les futurs quartiers car tous les terrains ne sont pas forcément bâtis dès le début. L'amphithéâtre se trouve souvent à la limite de la ville et de la campagne, comme ici à Grand (Vosges).

La vie publique

Le mot *forum* signifie « place ». C'est le centre de la vie publique et souvent la place la plus ancienne. Selon la puissance de la cité, elle est plus ou moins richement ornée.

Petite histoire du *forum*

Parfois, le *forum* est à l'origine d'une ville. C'est d'abord un espace inhabité où paysans, marchands et artisans se retrouvent régulièrement pour des marchés. Si le marché se développe, en quelques années une ville naît tout autour. Dans d'autres cas, le *forum* est conçu par les urbanistes lors de la fondation de la cité. C'est une grande place rectangulaire, souvent située au croisement des deux voies principales, le *cardo* et le *decumanus*.

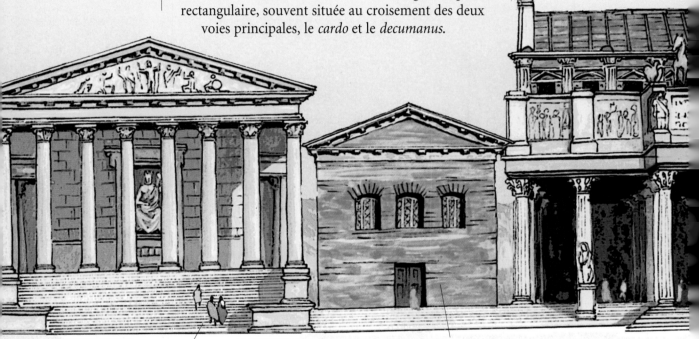

Le Capitole, le temple le plus important, est dédié à Jupiter, Junon et Minerve.

La curie est l'édifice où siègent les magistrats de la ville, et le Sénat à Rome. C'est un bâtiment rendu sacré par les augures afin que les décisions prises par les sénateurs soient « régulières ».

LES SIX *FORUM* DE ROME

Le marché commun aux premiers villages des collines de Rome se trouvait sur la plaine marécageuse entre le Capitole et le Palatin. Une fois asséché, ce lieu devint le premier forum romain : le **Forum romanum**. Les plus anciens monuments de Rome s'y trouvent. Cinq autres forums seront aménagés à Rome par César puis par les empereurs jusqu'à Trajan.

POUR EN SAVOIR PLUS

sur le **Forum romanum**, voir p. 32-33

La basilique pour les réunions

Sous l'Empire, la basilique devient l'édifice le plus important car elle accueille les activités qui se tenaient auparavant sur le *forum*. Elle remplace la curie pour le vote des décrets ; elle reçoit les archives municipales et judiciaires à la place du *tabularium* ; les nouvelles importantes y sont proclamées ; les banquiers y pratiquent leur métier ; les esclaves y sont affranchis. Les magistrats en exercice s'y installent sur une estrade appelée le tribunal et c'est désormais là que l'on rend la justice.

DE LA BASILIQUE À L'ÉGLISE

Le mot latin *basilica* vient du grec *aulê basilikê*, « salle majestueuse ». Ce type de bâtiment à plusieurs nefs est vaste et peut recevoir une foule nombreuse. Il fut adopté par les chrétiens pour leurs grandes églises, et le terme basilique désigne aujourd'hui une église catholique dotée par le pape d'une dignité particulière.

La basilique est un vaste bâtiment couvert où les réunions se déroulent à l'abri des intempéries.

Des statues illustrent les hauts faits de l'Empire et la mémoire des empereurs.

Les temples de la ville

TOUS TEMPLUM !

Un *templum* n'est pas obligatoirement un lieu de culte dédié à une divinité : la curie est un *templum*. Et un sanctuaire rond, comme celui de Vesta à Rome, n'est pas appelé *templum* mais *aedes*. En français, le mot temple désigne tous les bâtiments cultuels.

L'AREA

L'*area* est une place entourée de portiques qui ferment l'enceinte du temple.

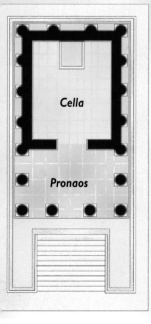

Les temples sont les premier édifice construits, avant les bâtiments de spectacle ou administratifs. Pour les Romains, les temples sont habités par une divinité et sa statue, mais ne sont pas des lieux de prières comme nos églises modernes.

Templum : espace consacré

Le mot *templum* désigne à l'origine le rectangle que l'augure trace dans le ciel avec son *lituus* et dans lequel un magistrat observera les auspices, le vol des oiseaux. Le mot désigne aussi l'espace qu'il délimite sur le sol et qui va servir de lieu d'observation de ces auspices. Enfin, c'est le nom de l'édifice construit sur cet espace et consacré par l'augure.

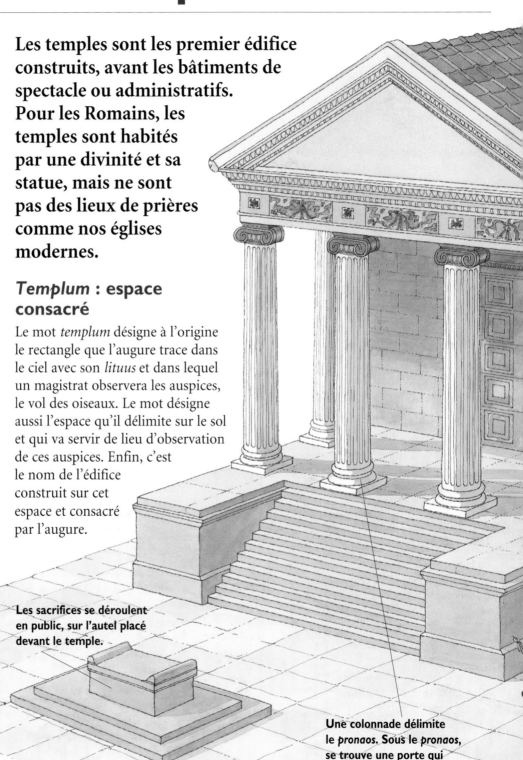

Les sacrifices se déroulent en public, sur l'autel placé devant le temple.

Une colonnade délimite le *pronaos*. Sous le *pronaos*, se trouve une porte qui donne sur la *cella*.

Construire un temple

Construire un temple est un grand chantier qui peut parfois durer des années.

Ses dimensions sont à la hauteur de la divinité : le *podium* fait de deux à cinq mètres de hauteur. Les colonnes sont taillées dans du calcaire ou du marbre par morceaux de plusieurs tonnes empilés les uns sur les autres et scellés. Le toit possède une charpente en bois recouverte de tuiles une fois et demie plus grandes que celles utilisées pour les maisons particulières.

ARA PACIS

L'Autel de la Paix (*Ara Pacis*), construit par l'empereur Auguste, est un autel à sacrifice placé à l'intérieur d'une enceinte de marbre rectangulaire. Le prêtre pénètre dans l'enceinte par un escalier et accède à l'autel par trois marches disposées sur les quatre côtés. Là, il sacrifie de grands animaux.

POUR EN SAVOIR PLUS

sur l'**augure** et les **auspices**, voir p. 38-39 et p.150-151

Les portiques sur les côtés du temple sont souvent remplacés par des colonnes engagées dans les murs de la *cella*.

Les Romains ont imité les Étrusques en bâtissant le temple sur un socle, le *podium*.

La *cella* est une pièce qui abrite la statue de la divinité. Seuls les prêtres peuvent y pénétrer. Lorsque plusieurs divinités coexistent dans un même temple, chacune possède sa *cella*.

DE TOUTES LES FORMES

À Rome, et spécialement sur les *forum*, les lieux de culte sont très nombreux et de formes diverses. Aux temples rectangulaires s'ajoutent les sanctuaires ronds comme ceux d'Hercule, de Vesta ou encore le Panthéon. Certains sont très vastes, et d'autres de petites dimensions. Le *sacellum* est un petit sanctuaire, parfois une simple pièce dans un bâtiment public ou un espace à l'air libre marqué par une colonne, ou une statue, à un carrefour.

Les lieux publics

La ville compte de nombreux lieux publics nécessaires à la vie quotidienne : marchés, entrepôts, bibliothèques…

Faire ses courses

Les marchés se tiennent soit en plein air sur une place, soit dans un bâtiment, le *macellum*. Le *macellum* est une sorte de marché couvert : autour d'une cour, se trouvent de nombreuses boutiques, petites et largement ouvertes.

Les Romains y trouvent toutes sortes de produits : quartiers de viande, poissons, légumes, épices, pain, cuisiniers à louer, esclaves… Lorsque la ville grandit, un seul marché ne suffit plus. Ils se multiplient et se spécialisent : l'un dans les fruits et légumes, l'autre près des entrepôts de la ville dans le blé, un troisième, à proximité de la rivière, dans le poisson, etc.

Se promener

Les cités du sud de l'Italie ont emprunté aux colonies grecques l'usage des colonnades ou portiques. À l'origine, ils servent de passages couverts le long des rues et protègent le promeneur du soleil et de la pluie. Les portiques, très nombreux à Rome à partir du règne d'Auguste, abritent parfois les services de l'État. Mais ils deviennent surtout de larges allées ornées d'œuvres d'art, entourant des pelouses, des jardins avec des jeux d'eau.

Lire et s'instruire

Les Romains ont construit de nombreuses bibliothèques. Elles possèdent en général deux sections, une latine et une grecque. Elles sont ornées de bustes et de statues d'écrivains célèbres.

La première bibliothèque publique fut construite en 38 av. J.-C. Sous l'Empire, il y eut jusqu'à 24 bibliothèques à Rome. Ici, la bibliothèque publique de Nîmes.

Les autres bâtiments

Pour leurs loisirs, les habitants des villes romaines fréquentent d'autres édifices, encore plus luxueux : cirque, théâtre, amphithéâtre, thermes… dont l'emplacement dans la ville est souvent prévu dès la fondation. De grands entrepôts (*horrea*) situés dans les ports ou près des portes de la ville servent à stocker les provisions et les marchandises nécessaires à la vie quotidienne.

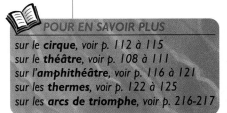

POUR EN SAVOIR PLUS

sur le *cirque*, voir p. 112 à 115
sur le *théâtre*, voir p. 108 à 111
sur l'*amphithéâtre*, voir p. 116 à 121
sur les *thermes*, voir p. 122 à 125
sur les *arcs de triomphe*, voir p. 216-217

DÉFILER

Les arcs de triomphe trouvent leur origine dans la célébration des victoires militaires. Ils furent d'abord en bois, puis en pierre. Le général vainqueur et son armée ne peuvent franchir la limite du *pomoerium* et entrer dans la ville que par une porte construite spécialement à cet effet et après avoir déposé les armes et offert des sacrifices aux « divinités du seuil ».
Ainsi est née, au début du IIe siècle av. J.-C., la coutume de dresser, aux limites de la ville, des arcs symboliques.

Que d'eau, que d'eau !

Les Romains ont su maîtriser l'alimentation et l'évacuation de l'eau d'une manière qui ne sera égalée en Occident que 1 000 à 1 500 ans plus tard.

Apporter l'eau

Les aqueducs sont construits lorsque les puits ne suffisent plus pour alimenter la ville en eau potable et courante. À Rome, le premier aqueduc est l'Aqua Appia. Il fut construit vers 312 av. J.-C. par Appius Claudius. C'est une canalisation souterraine longue de 16 km. Vers la fin du Ier siècle apr. J.-C., le volume d'eau distribuée à Rome en 24 heures est d'environ un million de mètres cubes pour un million d'habitants. La plus grande quantité est réservée aux thermes.

Source — Tunnel — Puits d'entretien — Conduit — Pont

L'aqueduc est un conduit maçonné étanche de plus d'un mètre de largeur sur près de 1,80 m de hauteur. L'eau est captée à une ou plusieurs sources et coule jusqu'à la ville grâce à une pente douce continue. Le conduit franchit tous les obstacles. Il peut être enterré, passer en tunnel ou en tranchée ou encore sur des ponts.

Les châteaux d'eau

Le château d'eau est un profond réservoir aux murs de mortier étanche. Il possède plusieurs vannes pour répartir l'eau dans les tuyaux de plomb. Ceux-ci alimentent les fontaines publiques, les latrines, les thermes ou les maisons des patriciens. En cas de sécheresse, ses vannes sont fermées ; d'abord celles des habitations privées, puis celles des thermes et enfin des latrines. Les habitants disposent le plus longtemps possible de l'eau des fontaines publiques pour boire.

LE PONT DU GARD

Le pont du Gard est un ouvrage de l'aqueduc qui alimente en eau la colonie de Nîmes. Il domine la vallée du Gard à une hauteur de 49 m et mesure 273 m de long. L'eau passait au sommet du pont dans un canal de 1,20 m sur 1,80 m. L'aqueduc prend l'eau des sources de l'Eure à Uzès, et l'apporte à 50 km de là, à Nîmes.

Pour chasser l'eau

Une fois utilisée, l'eau est évacuée dans la rivière par des égouts. Bâties en pierres, les galeries principales peuvent atteindre 1,80 m de hauteur. Les égouts forment sous les rues de la ville un réseau de plusieurs kilomètres régulièrement entretenu. À Rome, les premiers égouts remontent aux rois étrusques, les Tarquins. L'égout principal, la Cloaca maxima, traverse le Forum romanum.

QUELQUES CHIFFRES

On dénombrait à Rome, au IVᵉ siècle apr. J.-C., 700 bassins, 300 châteaux d'eau, 1 352 fontaines et 967 établissements de bains gratuits.

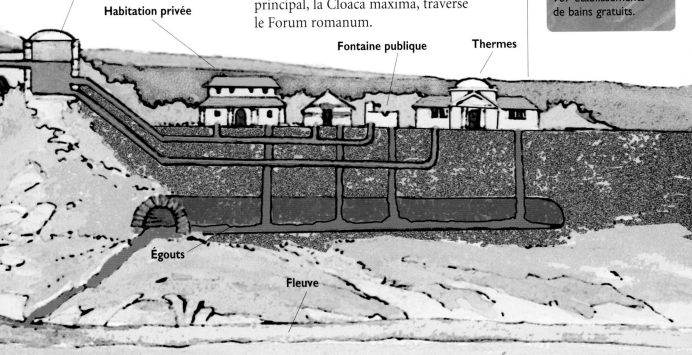

Château d'eau

Habitation privée

Fontaine publique

Thermes

Égouts

Fleuve

Après avoir parcouru plusieurs kilomètres, l'eau arrive au château d'eau. Puis elle est répartie par plusieurs conduites dans les différents quartiers, où elle alimente les fontaines publiques, les thermes, et quelques habitations privées.

POUR EN SAVOIR PLUS
sur **Vénus**, voir p. 144-145
sur les **égouts**, voir p. 14-15
sur les **patriciens**, voir p. 56-57

Dedans dehors

La limite entre la ville, *urbs*, et la campagne, *ager*, est donnée par le tracé du *pomoerium*. À partir de cette limite sont construits les remparts et les portes. Au-delà s'étendent les nécropoles.

Comme beaucoup de villes importantes, Arles était entourée de murailles percées de portes monumentales.

Les tombes les plus simples côtoient les tombeaux collectifs, les tombes riches très décorées, les mausolées...

Chez les morts

Il est formellement interdit de brûler ou d'enterrer un mort à l'intérieur du *pomoerium*. Les sépultures et les bûchers sont donc placés à l'extérieur de la ville. Il n'existe pas de cimetière et les Romains placent les tombes le long des voies.

Les murailles

Les remparts sont construits soit pour défendre la ville contre des ennemis, soit pour lui donner un caractère plus impressionnant. Ils sont surmontés d'un crénelage. Les soldats s'abritent derrière les parties hautes, les merlons, et lancent leurs projectiles par-dessus les parties basses, les créneaux. Le chemin de ronde traverse les tours. Les soldats y accèdent par des escaliers. Les tours, carrées ou rondes, sont bâties à des intervalles réguliers. Un fossé, creusé devant la muraille, renforce la protection.

Entrer dans la ville

Des portes fortifiées s'ouvrent dans les remparts : elles ont dans la plupart des cas trois passages voûtés : un au centre pour les véhicules et deux sur les côtés pour les piétons. Les passages piétonniers sont fermés par de lourdes portes en bois, et le passage central par une herse. Les portes et la herse sont recouvertes de plaques de bronze.

LES BÛCHERS IMPÉRIAUX

Sur le champ de Mars, certains empereurs ont construit des bâtiments pour la crémation des membres de leur famille.

Les mausolées

Les sépultures de certains empereurs romains sont des mausolées. Dans ces tombeaux dynastiques, reposent les membres de la famille impériale. Ils s'inspirent du tombeau immense et luxueux du roi grec Mausole que fit édifier sa femme, la reine Artémise II en 353 av. J.-C. Auguste s'en inspira, et plus tard Hadrien fit de même.

Le mausolée d'Hadrien mesure à la base 84 mètres de côté. Au sommet, se trouve la statue en bronze de l'empereur sur un quadrige, char tiré par quatre chevaux.

Circulez, circulez !

Les routes publiques romaines sont tracées par les autorités pour le trafic public. Elles appartiennent au peuple romain et leur entretien est à la charge du Sénat et de l'empereur.

Des voies toutes droites

Grâce à leurs instruments de topographie, les ingénieurs romains traçaient des routes droites sur des dizaines de kilomètres : le tronçon rectiligne le plus long se situe sur la via Aemilia en Italie, il fait 155 km ! En montagne, les Romains n'hésitaient pas à creuser des tunnels pour couper au plus court. Les voies sont placées de préférence sur les hauteurs pour éviter les attaques-surprises et les difficultés des terrains marécageux de fond de vallée.

Les géomètres jalonnent le tracé de la voie avec des piquets.

Une tranchée est creusée sur environ 0,60 m de profondeur, jusqu'à un terrain dur et stable.

C'EST CHER !
« Au rang des trois plus magnifiques œuvres romaines, par lesquelles apparaît le mieux la grandeur de l'Empire, je place les aqueducs, les voies et les égouts, non pas seulement en raison de leur utilité, mais en raison des dépenses qu'elles ont entraînées. »
Denys d'Halicarnasse

PAS FAINÉANTS !
Les soldats pouvaient être employés à la construction des routes. Ainsi Tite-Live rapporte que le consul Flaminius, ne voulant pas laisser ses soldats inactifs après une campagne militaire dans le nord de l'Italie, leur fit construire une voie de Bologne à Arezzo. L'entretien des routes militaires était aussi à la charge des généraux qui en payaient les frais grâce au butin.

Pour enjamber

Les ponts furent très longtemps de bois. Le pont Sublicius est le premier pont de Rome. Son nom indique qu'il était en bois (*sublica* = poutre) et la tradition rapporte que, pour des raisons religieuses, il était construit sans un seul clou de fer.

Certaines voies sont dallées, parfois de marbre, surtout aux abords des grandes villes.

La couche supérieure est légèrement bombée pour que l'eau de pluie n'y stagne pas.

Nucleus

Rudus

Les ouvriers remplissent la tranchée de plusieurs couches de cailloux de plus en plus petits, pour assurer la stabilité de la route : d'abord le *statumen*, puis le *rudus* et enfin le *nucleus*.

Statumen

Des blocs de pierre sont posés verticalement pour former les bordures de la chaussée : l'*umbo*.

POUR EN SAVOIR PLUS

*sur les **unités de mesure**, voir p. 261*

Il existait aussi des ponts de bateaux sur les fleuves au cours imprévisible, comme sur le Rhône, à Arles.

KILOMÈTRE ZÉRO

Les bornes milliaires sont placées au bord de la voie. Elles indiquent les distances séparant les villes en milles (1 mille = 1 480 m). Auguste a placé sur le Forum romanum un milliaire doré qui marque le départ de toutes les routes de l'Empire. Dessus est inscrit le nom des principales villes et leur distance à partir de Rome, où se trouve « le kilomètre zéro ».

PONT OU PONT ?

Les ponts d'aqueduc sont les plus hauts du monde romain. Ils sont très grands car ils enjambent les vallées. Les ponts routiers sont petits car ils franchissent les gorges au fond de la vallée.

En voyage !

Les Romains ont créé un important réseau de voies entre les villes. Ces voies assurent aux légions des déplacements sûrs et rapides. Elles permettent l'acheminement du courrier administratif et favorisent les voyages.

Ils voyagent à cheval.

Le *cisium*, un cabriolet à caisse d'osier, est une voiture rapide.

Les Romains voyagent en chaise à porteurs (*sella gestatoria*), couchés sur des coussins dans une litière.

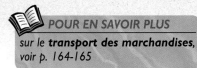

POUR EN SAVOIR PLUS

sur le **transport des marchandises,** voir p. 164-165

Faire étape

Des auberges d'étape (*mansio*) sont placées tous les 60 km environ, soit la distance parcourue à cheval en un jour. Le voyageur peut s'y arrêter pour manger et dormir. Mais ceux qui le peuvent restent dans leurs voitures ou dorment ailleurs, car les auberges ont souvent mauvaise réputation ! Dans les relais (*mutatio*), le cavalier peut changer sa monture contre un cheval frais. Il y a six à huit relais entre deux auberges.

Le *cursus publicus*

La poste impériale à cheval achemine très rapidement courriers et messages. Grâce à un système de relais de chevaux peu éloignés les uns des autres, un courrier à cheval peut parcourir 150 km en 24 heures, en changeant régulièrement de monture, et dans de bonnes conditions. Le chariot de la poste parcourt 75 km par jour.

GOBELETS DE VICARELLO

Quatre petits gobelets d'argent fabriqués à l'époque d'Auguste ont été trouvés à Vicarello en Italie. En forme de petites bornes milliaires, ils donnent la liste des relais, avec le nombre de milles qui les séparent, entre Rome et Gadès, au Portugal.

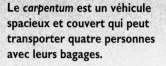

Le *carpentum* est un véhicule spacieux et couvert qui peut transporter quatre personnes avec leurs bagages.

Les chars, à deux ou quatre roues, sont tractés par des bœufs, des chevaux ou des mulets.

Les chariots pour les marchandises, comme le *plaustrum*, ne dépassent pas les 30 km par jour.

Dans les rues

Les rues des villes possèdent des trottoirs. Pendant la journée, seule est autorisée la circulation des véhicules transportant des matériaux de construction. Les livraisons doivent être faites la nuit ou tôt le matin. Les trottoirs sont bien au-dessus de la chaussée, ce qui empêche les véhicules d'y monter accidentellement. Quand il pleut, l'eau s'écoule dans les égouts situés sous les trottoirs.

Des blocs sont encastrés dans la chaussée pour relier les trottoirs. Les charrettes et les animaux pouvaient les franchir en allant lentement.

LA CARTE DE PEUTINGER

Ce manuscrit du XIIIe siècle, de 6,80 m de long sur 34 cm de hauteur, est une copie d'une carte routière romaine du IIIe ou du IVe siècle. Elle représente les itinéraires de l'Empire romain du Portugal à la Syrie. Les distances sont indiquées en milles romains. Comme sur une carte moderne, des icônes différentes indiquent les caractéristiques des villes.

Les Romains

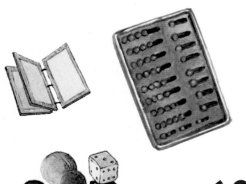

62
Spartacus

60
Les non-citoyens

56
Les citoyens

58
La femme romaine

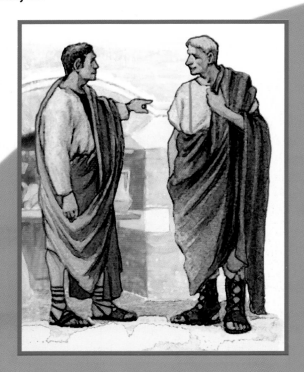

Les Romains, hommes ou femmes, jeunes ou vieux, libres ou esclaves, n'ont pas tous les mêmes droits. Leurs vies ne sont pas identiques. Mais les moments importants sont les mêmes que de nos jours : la naissance, l'enfance, l'adolescence, le mariage et la mort.

64

Le nom romain

66

L'enfance

68

Le mariage

70

La mort

Les citoyens

Les citoyens romains sont des hommes libres. Patriciens ou plébéiens, ils se répartissent en curies, tribus et centuries. Les plus riches accèdent aux plus hautes fonctions.

Le citoyen romain

Le citoyen possède le droit de cité : il peut voter, devenir magistrat, posséder des immeubles, écrire un testament, se marier. Il a aussi des devoirs : accomplir son service militaire et se faire recenser. Un citoyen perd ses droits s'il se soustrait à ses devoirs. Un homme naît citoyen si ses parents sont citoyens, ou il peut le devenir par une loi ou une décision de l'empereur. Au IIIe siècle apr. J.-C., l'empereur accorde la citoyenneté à tous les habitants de l'Empire.

LES CURIES

Au début de la royauté, la population de Rome appartient à trois tribus différentes. Chacune de ces tribus comprend 100 familles (*gentes*) groupées en 10 curies. Pour prendre des décisions, le peuple réunit les 30 curies dans les comices curiates. Sous la République, cette assemblée perd ses pouvoirs.

Les centuries

À Rome, les citoyens sont aussi répartis selon leur fortune dans des centuries. Une centurie est un groupe de citoyens capable de fournir 100 hommes aux légions. À la fin de la République, il existe 373 centuries qui se réunissent dans les comices centuriates pour voter.

POUR EN SAVOIR PLUS

sur les **comices curiates, tributes, centuriates,** voir p. 20-21
sur les **magistrats,** voir p. 20 à 23

753 AV. J.-C.　　　　　　　　　　　　　　**509 AV. J.-C.**

ROYAUTÉ
3 tribus

Les tribus

Sous la République, la population et le territoire
de Rome augmentent et le nombre de tribus passe
de 3 à 35. Quatre tribus dans la ville de Rome et 31 à
la campagne. Tous les cinq ans, chaque citoyen doit
s'inscrire dans une de ces 35 tribus auprès du censeur.
Le citoyen appartient à la tribu qui possède le territoire
où se trouve son domicile. Chaque tribu porte un nom.

Patriciens et plébéiens

Les patriciens prétendent descendre des familles
fondatrices de Rome. Grâce à leur fortune,
ils occupent au début de la République
tous les postes de magistrats.
Les plébéiens vont lutter
pour accéder à ces fonctions.

Sous l'Empire, le mot « plèbe »
désigne les citoyens de la ville
plutôt pauvres : artisans,
commerçants, ouvriers...

La noblesse, ou ordre sénatorial, comprend
les patriciens et les plébéiens les plus influents.
Les chevaliers sont de riches propriétaires et puissants
hommes d'affaires ; certains se lancent dans la politique.

27 AV. J.-C.

LES 35 TRIBUS
Aemilia (AEM)
Aniensis (ANI)
Arnensis (ARN)
Camilia (CAM)
Claudia (CLA)
Clustumina (CLU)
Collina (COL)
Cornelia (COR)
Esquilina (ESQ)
Fabia (FAB)
Falerna (FAL)
Galeria (GAL)
Horatia (HOR)
Lemonia (LEM)
Maecia (MAEC)
Menenia (MEN)
Oufentina (OUF)
Palatina (PAL)
Papiria (PAP)
Pollia (POL)
Pomptina (POM)
Publilia (PUB)
Pupinia (PUP)
Quirina (QUIR)
Romilia (ROM)
Sabatina (SAB)
Scaptia (SCAP)
Sergia (SER)
Stellatina (STE)
Suburana (SVC)
Terentina (TER)
Tromentina (TRO)
Velina (VEL)
Voltinia (VOL)
Voturia (VOT)

RÉPUBLIQUE
35 tribus : 4 à Rome - 31 à la campagne

La femme romaine

La vie des Romains est organisée par les hommes pour les hommes. Le rôle de la femme est avant tout de mettre au monde des enfants pour la famille, mais elle va s'imposer progressivement dans la vie publique.

Dépendante des hommes

Toute sa vie, la femme demeure dépendante d'un homme. Jusqu'au mariage, elle dépend de son père ; ensuite, de son époux. Ses droits sont limités : elle ne peut ni voter, ni être élue, ni écrire de testament, ni hériter. Elle n'est même pas recensée, car le censeur ne compte pas les femmes dans la population.

Une vie austère

Après la vie austère des premiers temps, où seules les femmes chastes et héroïques faisaient l'admiration des hommes, les femmes s'émancipent peu à peu. Déjà au IIe siècle av. J.-C., les épouses cultivées ne sont pas rares, mais elles se consacrent entièrement à leur famille et leurs sorties sont rares… sauf, éventuellement, pour manifester dans la rue contre une loi qui limite leurs frais de toilette.

Certaines femmes exercent un métier : coiffeuse, raccommodeuse, marchande, sage-femme, médecin. Ici, une marchande de légumes.

Petite évolution

Au Ier siècle apr. J.-C., les femmes n'ont toujours pas le droit de vote, mais elles sont plus instruites et plus cultivées qu'avant. Elles participent, seules ou aux côtés de leurs maris, aux affaires de la ville. Les femmes deviennent très présentes, jusque dans des domaines réservés aux hommes comme la littérature et les sports de combat.

DÉFAUTS

Pour les Romains, certains défauts sont typiquement féminins : l'humeur changeante, le manque de courage, être bavarde et acariâtre... Et les auteurs, des hommes, ne se privaient pas de l'écrire :
« La femme est particulièrement inconstante. » (Catulle)
« Quand la femme pense seule, elle pense mal. » (Publius Syrus)
« Car les deux sexes contribuent d'une part égale à la vie commune, mais l'un est fait pour obéir et l'autre pour commander. » (Sénèque)

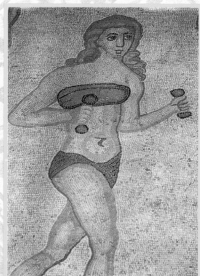

Cette jeune athlète s'exerce avant une compétition.

QUALITÉS

La mère de famille (*matrona*) doit être une épouse soumise, et rester à la maison pour filer et tisser la laine. Ses qualités sont résumées dans cet extrait d'un éloge funèbre : « Tes qualités domestiques, ta vertu, ta docilité, ta gentillesse, ton bon caractère, ton assiduité aux travaux de la laine, ta piété sans superstition, la discrétion de tes parures, la sobriété de ta toilette. »

La journée d'une riche matrone

L'épouse dort généralement dans une autre chambre que son mari. Après une toilette rapide, elle se coiffe, se maquille, met quelques bijoux et se parfume. Puis elle organise le travail des esclaves qui entretiennent la maison et font la cuisine. Dans la journée, elle s'occupe de ses jeunes enfants, rend visite à ses amies, assiste aux spectacles et va aux thermes. Le soir, elle participe avec son mari à la réception, mange allongée sur le lit du *triclinium*, et non plus assise comme autrefois, mais elle s'abstient de boire du vin.

POUR EN SAVOIR PLUS
sur les **repas**, voir p. 80 à 83
sur les **thermes**, voir p. 122 à 125

Les non-citoyens

Outre les citoyens, la population comprend d'autres hommes libres, affranchis et pérégrins, et les esclaves, privés de toute liberté. Ils sont parfois aussi nombreux que les citoyens mais n'ont pas les mêmes droits.

L'esclave

Un homme naît esclave si sa mère est esclave, sinon ce sont des prisonniers de guerre ou de pirates. Quelquefois, ce sont des enfants abandonnés par leur famille. L'esclave (*servus*) n'a aucun droit : c'est une marchandise que son propriétaire peut vendre, léguer par testament, et utiliser comme il le veut.

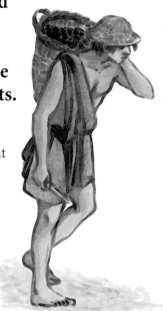

À la campagne, les esclaves s'occupent surtout des travaux agricoles.

En ville, les esclaves sont serviteurs ou ouvriers.

Combien ?

Un simple citoyen peut posséder jusqu'à plusieurs centaines d'esclaves et l'empereur environ 20 000. Les esclaves sont employés pour toutes sortes de tâches, dans tous les secteurs d'activité.

Les esclaves les plus cultivés peuvent être comptables, secrétaires ou enseignants.

UN AFFRANCHI DE CLAUDE

Au Ier siècle, l'empereur Claude nomme des affranchis à des postes administratifs très importants. Parmi eux, Pallas occupe le poste de « responsable des finances » de l'État. Il possède une fortune de plus de 300 millions de sesterces, une propriété à Rome, des domaines en Égypte... C'est lui qui conseillera à Claude d'épouser Agrippine et d'adopter son fils Néron ; puis à Agrippine d'empoisonner Claude. Il sera lui-même empoisonné sur l'ordre de Néron.

Une force de production

D'après l'historien grec Strabon, il se vendait 10 000 esclaves par jour sur le grand marché de Délos au IIe siècle av. J.-C. Un siècle plus tard, après la conquête des Gaules, plus d'un million de Gaulois sont déportés en Italie comme esclaves. Avec les conquêtes romaines, le nombre d'esclaves devient si important qu'ils constituaient près de la moitié de la population de Rome. Aux premiers siècles de notre ère, les esclaves effectuent la plupart des tâches. Les Romains riches ne travaillent pas.

Les esclaves travaillent dans les mines, sur les chantiers de construction et ils assurent l'entretien des voies.

Les affranchis

Un esclave devient affranchi (*libertus*) si son maître le déclare dans son testament ou devant des magistrats. Un affranchi n'a pas tous les droits d'un citoyen : il ne peut épouser une femme libre, ni être élu comme magistrat. Son fils, lui, sera un vrai citoyen avec tous ses droits. Sous l'Empire, les affranchis deviennent très nombreux ; certains sont riches et puissants.

Les pérégrins

Un pérégrin est un étranger, libre, qui vit dans l'Empire romain. Il n'a pas les droits d'un citoyen de Rome, mais il est citoyen dans sa propre ville. Un pérégrin devient citoyen romain s'il effectue 25 années de service dans l'armée.

PÉCULE

Un esclave peut, s'il a un maître bienveillant, gagner et économiser de l'argent : c'est son pécule. Vers la fin de sa vie, avec cette somme, il achètera sa liberté... ou des esclaves. L'esclave d'un esclave est appelé un *vicarius*.

ENCHAÎNÉ

Parfois, l'esclave porte un collier de fer avec le nom du maître et des instructions pour qui le retrouverait en cas de fuite : SERVUS SUM V. D. TENE ME QUIA FUGIO.
« Je suis l'esclave de V. D., retiens-moi parce que je m'enfuis. »
S'il est rattrapé, un esclave fugitif peut être marqué au fer rouge.

Voici ce qui est écrit sur cette médaille :
« *Asellus, esclave de Praiectus, au service du préfet de l'approvisionnement, je suis sorti à l'extérieur de la ville. Attrape-moi, je suis en fuite. Ramène-moi chez Flora, du côté des coiffeurs.* »

Spartacus

Les esclaves sont plus ou moins bien traités par leur maître. Sous la République, il n'est pas interdit de les enchaîner, fouetter, torturer ou crucifier. Des révoltes éclatent parfois... et sont brutalement réprimées.

SPARTACUS

Originaire de Thrace (au nord-est de la Grèce), Spartacus est un déserteur de l'armée romaine. Arrêté, il est vendu comme esclave à l'école de gladiateurs de Lentulus Batiatus, située à Capoue.

Une évasion parmi d'autres

Les évasions de gladiateurs étaient habituelles et vite réprimées. Aussi, en 73 av. J.-C., les autorités ne s'inquiètent pas lorsque 74 gladiateurs s'évadent de Capoue. Mais de nombreux esclaves fugitifs rejoignent les rebelles.

Le Sénat décide alors d'envoyer quelques cohortes de légionnaires. Les évadés, menés par Spartacus, sont encerclés sur les pentes du Vésuve, mais ils réussissent à s'enfuir.

La guerre

Pendant plusieurs mois, Spartacus organise des raids pour se procurer des armes et de la nourriture. Sa troupe atteint rapidement 70 000 hommes et se divise en deux groupes. L'un est commandé par Crixus, l'autre par Spartacus. Pour les combattre, le Sénat envoie deux consuls avec deux légions chacun. Le consul Gellius bat et tue Crixus ; mais Spartacus bat Lentulus, puis Gellius peu après. Pour commémorer la mort de Crixus, Spartacus organise des jeux funèbres au cours desquels il oblige 300 soldats prisonniers à se battre et à s'entretuer comme des gladiateurs.

De toutes les révoltes d'esclaves en Italie, celle conduite par le gladiateur Spartacus est la plus connue. Elle durera deux ans et demi.

PARCOURS DE SPARTACUS

1– Évasion de Spartacus de Capoue
2– Spartacus bat C. Glaber au Vésuve
3– Spartacus bat L. Furius, L. Cossinius et P. Varinius
4– Hiver à Thurii
5– Spartacus bat C. Lentulus
6– Spartacus bat C. Cassius à Modène
7– Spartacus bat L. Gellius et C. Lentulus
8– Spartacus bat Mummius, légat de Crassus
9– Spartacus est encerclé par Crassus à Rhegium
10– Spartacus est vaincu par Crassus

LA DÉCIMATION

« (…) prenant les 500 du premier rang qui avaient surtout déclenché la panique, il les partagea en cinquante dizaines et fit mettre à mort dans chacune un homme tiré au sort. Il leur infligeait ainsi un châtiment traditionnel qui était tombé en désuétude depuis de longues années. Une honte particulière est attachée à ce genre de mort, et l'exécution, accompagnée de rites sinistres et effrayants, se fait sous les yeux de tous. Après avoir corrigé de la sorte ses soldats, Crassus les mena contre les ennemis. » Plutarque, Vie de Crassus, 10.

Crassus entre en scène

Le Sénat confie alors 10 légions à Crassus. Celui-ci espère vaincre Spartacus avant le retour de Pompée d'Espagne… et en tirer profit pour sa carrière politique personnelle. Deux de ses légions attaquent Spartacus sans ordre et sont défaites, Crassus châtie les survivants selon une vieille tradition, la décimation.

CRASSUS

Crassus est un riche et cupide propriétaire terrien qui n'a jamais combattu avant ces événements.

POMPÉE

Pompée est un grand général romain. Il pacifia l'Espagne et l'Orient et élimina les pirates de Méditerranée.

La fin

En 71 av. J.-C., Spartacus se réfugie à Rhegium. Là, Crassus l'assiège en creusant sur 55 km une tranchée de 4,50 m de profondeur, munie d'un remblai et d'une haute palissade. Spartacus et un tiers de ses troupes s'échappent et livrent bataille contre Crassus. Il est vaincu et tué avec 60 000 esclaves. Puis Crassus en crucifie 6 000 sur les 195 km de la via Appia entre Capoue et Rome. De retour d'Espagne, Pompée extermine 5 000 fuyards en Étrurie.

Modène
6
7
8
ROME
5
Capoue
3
1
Vésuve
2
10
Brindisi
Métaponte
Thurii
4
Cosentia
Petelia
Rhegium
9

Le nom romain

Les citoyens romains ont trois noms (*tria nomina*) : un *praenomen,* l'équivalent de notre prénom ; un *nomen,* l'équivalent de notre nom de famille ; un *cognomen* ou surnom.

Recevoir un prénom

Le fils aîné reçoit normalement le *praenomen* de son père. Vers la fin de la République, il existe environ une vingtaine de prénoms qui s'écrivent avec leurs initiales.

RUFUS
ROUX

HORTENSIUS
JARDINIER

LE NOM

Le *nomen* est le plus important. Il désigne la famille (*gens*). À Rome, certains noms de famille sont issus du nom d'une tribu, comme Cornelius de la tribu Cornelia. Le nom révèle parfois la nationalité d'un étranger : une terminaison en -acus (Bellovacus) est souvent d'origine gauloise ; en –na(s) et –nius (Maecenas), étrusque ; en –enus ou –ienus (Labienus), de la région d'Ombrie, etc.

PORCIUS
PORC

ASINIUS
ÂNE

CALVUS
CHAUVE

FLACCUS
OREILLES PENDANTES

MARCUS
MARTEAU

LE SURNOM

Le *cognomen* indique la branche de la famille (*gens*) à laquelle on appartient. C'est le cas dans la gens Cornelia où existent les branches Scipion, Rufin, Cinna. Les citoyens qui n'appartiennent pas à d'aussi anciennes familles choisissent des surnoms qui s'appuient sur une caractéristique de la personne, de son métier ou de ses origines. Beaucoup de ces surnoms montrent que les Romains étaient, à l'origine, des paysans.

GALBA
BEDONNANT

STRABO
LOUCHE

LUCULLUS
PETIT BOSQUET D'ARBRES

AGRICOLA
FERMIER

CICERO
POIS CHICHE

Prendre un nom

La façon de donner un nom répond à des règles et à des habitudes.
• Le **fils aîné** se prénomme souvent comme son père.
• Le **fils cadet** reçoit son propre *praenomen*, le *nomen* de son père et parfois, un surnom qui vient de sa mère.
• La **fille aînée** prend la forme féminisée du *nomen* de son père, et un surnom comme « Major », par exemple.
• La **fille cadette** prend la forme féminisée du *nomen* de son père, et un surnom, « Minor » par exemple.
• Quand une **femme se marie**, elle ajoute parfois le *nomen* de son mari au sien.
• Lorsqu'un homme est **adopté**, son nouveau nom comprend les *tria nomina* de son père adoptif auquel il ajoute son propre *nomen* avec le suffixe -anus.
• Lorsqu'un esclave est **affranchi**, il prend le *praenomen* et le *nomen* de son ancien maître et ajoute son nom d'esclave.

LA FAMILLE CORNELIUS

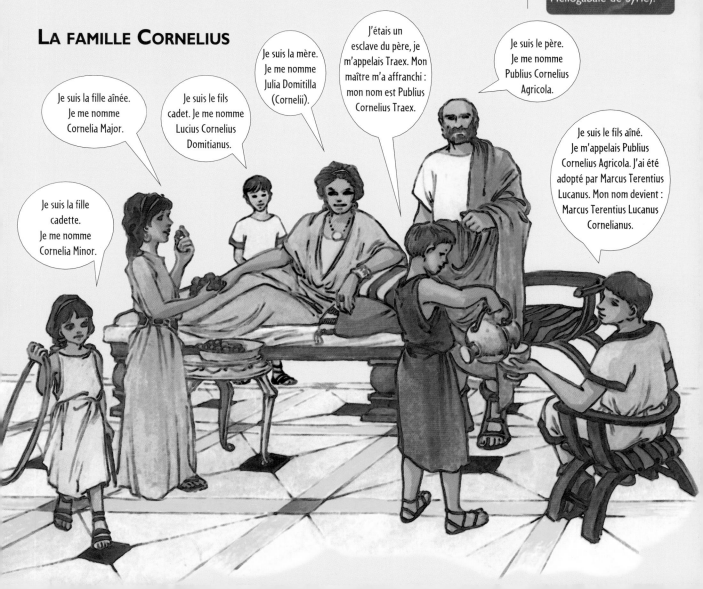

L'enfance

À l'époque romaine, il n'existe pas de maternité.
Tous les enfants naissent à la maison où, quelquefois,
une sage-femme vient aider la mère à accoucher.
Ils grandissent à la maison et certains vont à l'école.

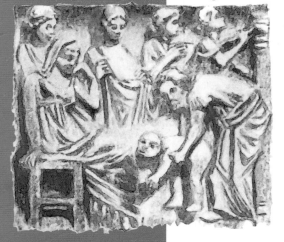

Les premiers jours

Le père a le droit de ne pas accepter un bébé qui naît dans sa famille. S'il le refuse, il l'expose, c'est-à-dire qu'il l'abandonne, dans la rue. Le nouveau-né peut être recueilli par une famille qui désire un esclave, sinon il meurt de faim ou de froid. Si le père prend l'enfant dans ses bras, il l'accepte dans la famille. Le bébé reçoit son nom neuf jours après la naissance si c'est un garçon, huit jours si c'est une fille.

Le père accepte son enfant en le relevant du sol où sa mère l'avait posé.

Les premières années

Dans leur enfance, les jeunes Romains jouent à la poupée, au cerceau, à la toupie, aux dés... et leur mère s'occupe de leur éducation. La jeune fille reste à la maison avec sa mère, tandis que le fils accompagne son père aux champs. Dans les familles plus aisées, le père apprend à ses enfants à lire, à écrire et à compter. Ce n'est que vers le IIIe siècle av. J.-C. que des écoles se créent comme en Grèce.

BULLE

Les parents suspendent autour du cou de l'enfant une médaille (*bulla*) qui doit le protéger contre les maléfices. En cuir chez les plébéiens, la *bulla* peut être en or chez les patriciens.

Du bébé au jeune garçon, le sarcophage de M. Cornelius Statius retrace une enfance romaine au IIe siècle apr. J.-C.

L'enseignement

• **De 7 à 12 ans :** chez le *litterator*, l'enfant apprend à compter, à lire l'alphabet, à épeler des syllabes puis des mots isolés, et enfin des petites phrases.

L'encrier

• **De 12 à 16 ans :** chez le *grammaticus*, il apprend à lire les poètes grecs (Homère) et latins (Virgile). Les cours d'histoire ou de géographie n'existent pas, mais le maître explique le texte de manière très détaillée. Chaque mot est un point de départ pour parler d'histoire, de science, de géographie… Le passage expliqué en classe doit être appris par cœur, et l'élève rédige un petit texte sur un point particulier.

Le boulier

• **À 16 ans :** le garçon de bonne famille peut aller chez le *rhetor*. Pendant quatre ou cinq années, il apprend à écrire et à prononcer des discours en public. Le professeur corrige ses gestes et sa façon de parler. Une fois ces études terminées, certains jeunes vont se perfectionner en Grèce, comme Cicéron. À Rome, un homme cultivé parle grec.

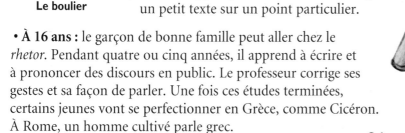

Calame, plume et stylet pour écrire

> ### LE PREMIER ENSEIGNEMENT
> Un des premiers enseignants romains fut Livius Andronicus. Cet esclave, capturé à Tarente, est vendu à un noble qui l'affranchit. Il traduit en latin l'*Odyssée* d'Homère et adapte des pièces du théâtre grec, qui font connaître à Rome la littérature grecque. Entre 240 et 207 av. J.-C., il est acteur, auteur, et enseigne en utilisant sa traduction de l'*Odyssée* comme livre de cours.

L'âge adulte

Pour les Romains, l'âge adulte est approximativement à 12 ans pour les filles et à 17 ans pour les garçons. Lors d'une cérémonie, ils abandonnent la bulle et le garçon échange sa toge prétexte bordée de rouge contre la toge virile toute blanche.

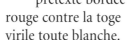

Les tablettes de bois recouvertes de cire

L'école

Un esclave (*paedagogus*) accompagne l'enfant et lui porte ses affaires. La classe est souvent une boutique sur le *forum*, fermée par une tenture, et où tout le monde peut entrer… L'écolier écrit avec un stylet sur des tablettes enduites de cire. S'il n'est pas sage, il reçoit des coups de baguette. Les « grandes vacances » d'été s'étalent de la fin juillet à la mi-octobre.

Le mariage

Les jeunes époux Proculus, boulangers à Pompéi.

Les filles ont le droit de se marier dès l'âge de 12 ans et les garçons dès 14 ans. En réalité, ils ont plutôt 18-20 ans pour les premières et 27-30 ans pour les seconds. Le mariage est interdit entre proches parents et entre citoyens et non-citoyens.

Les fiançailles

Les fiançailles sont souvent des arrangements d'affaires entre deux familles et les fiancés sont encore de jeunes enfants. Aussi le temps entre les fiançailles et le mariage peut être long. La cérémonie se déroule devant témoins, et les fiancés échangent un anneau et parfois des cadeaux.

La mariée

La veille des noces, la jeune fille ôte sa bulle (*bulla*) et offre ses jouets et sa toge prétexte à une divinité. Pour le mariage, elle revêt une tunique blanche avec une ceinture de laine nouée d'un double nœud et met par-dessus un manteau orange. À l'aide d'un fer de lance recourbé, elle coiffe ses cheveux en six tresses qu'elle ramène autour de la tête et maintient à l'aide de bandelettes. Elle se couvre la tête d'un voile orangé sur lequel elle pose une couronne de fleurs d'oranger et de myrte. Puis elle chausse des sandales orange.

MARIAGES D'AUTREFOIS

Trois types de mariage ont presque disparu à la fin de la République. Le premier est une cérémonie religieuse où les mariés partagent un gâteau de froment en présence du flamine de Jupiter. Le deuxième imite un contrat de vente entre les deux familles, le couple s'échange une pièce de monnaie devant témoins. Le troisième consiste à déclarer marié un couple qui passe un an de vie commune sans que l'un des deux quitte la maison pendant une nuit.

Le jour des noces

La journée commence par un sacrifice
au domicile des parents de la mariée pour
s'assurer l'accord des dieux. Puis une
matrone joint les mains droites des
nouveaux époux qui s'engagent l'un
envers l'autre. Le repas de noces se
termine lorsque apparaît l'étoile du soir,
Vénus. Alors un cortège, précédé de porte-
torches et de joueurs de flûte, accompagne
la mariée jusqu'au domicile de son époux.
Deux amies portent le fuseau et la
quenouille, symboles de la femme au foyer.

NOUVELLE MAISON

Arrivée dans sa nouvelle
maison, l'épouse adresse des
prières aux divinités du seuil,
puis des amis du marié la
soulèvent pour franchir le
seuil. Son époux l'accueille
et lui demande son nom.
Elle répond : « *Ubi tu Gaius,
ego Gaia.* » (Où tu seras
Gaius, je serai Gaia.) Enfin,
elle donne trois pièces de
monnaie, l'une à son époux,
l'autre aux dieux Lares,
la troisième au dieu du
carrefour le plus proche.

Les nouveaux époux s'engagent l'un envers
l'autre en se disant : « *Spondesne ?* »
(Promets-tu ?) et « *Spondeo* » (Je promets).

Le divorce

Au début de la République, seuls les hommes
peuvent décider de divorcer. Le plus simple
est de répudier l'épouse avec ces mots : « Prends
tes affaires... et pars ! » Sous l'Empire, des lois
fixent les motifs de divorce : consentement
mutuel, adultère de la femme ou proxénétisme
du mari, absence du mari prisonnier
de guerre...

La mort

La majorité des Romains brûlaient leurs morts : c'est la crémation. Au milieu du IIᵉ siècle apr. J.-C., une pratique venue d'Orient s'impose peu à peu : l'inhumation, la mise en terre du corps.

TOMBEAUX COLLECTIFS

Le *columbarium* est un tombeau collectif d'urnes. L'un des plus grands connus fut construit par Livie, l'épouse de l'empereur Auguste, et contenait les 3 000 urnes des cendres de ses esclaves et affranchis.

Après le décès

Les yeux du défunt sont fermés, son corps est lavé à l'eau chaude et parfumé avec des onguents. Il est vêtu puis placé dans l'*atrium*, ses pieds dirigés vers la sortie, et entouré de fleurs et de parfums qui brûlent. Quelques jours après, le corps est sorti de la maison les pieds devant. En tête du cortège, des musiciens, suivis par des chanteuses, les bouffons, les acteurs qui portent les masques de cire des ancêtres de la famille (*imagines*), puis le mort avec son visage découvert, sa famille et ses amis, et enfin les porteurs de torches.

Crémation ou inhumation

Les cendres du mort étaient conservées dans une urne en pierre sculptée.

Pour la crémation, le corps est placé sur un bûcher hors de la ville, avec des offrandes et des parfums. Les cendres sont recueillies et mélangées avec de l'eau et du vin, puis placées dans une petite urne. Dans l'inhumation, le corps est mis dans un cercueil en bois ou un sarcophage en pierre (*sarcophagos*, mot d'origine grecque : « le mangeur de chair »).

Neuf jours après, les membres de la famille font un banquet au cimetière et offrent de la nourriture au mort. Les riches organisent des jeux funèbres avec gladiateurs et saltimbanques.

Des os sur le sol

Il est interdit de brûler ou d'ensevelir les morts à l'intérieur de l'enceinte sacrée, le *pomoerium*, sauf les enfants de moins de 40 jours, les vestales, les gens tués par la foudre et quelques hommes d'exception comme César ou l'empereur Trajan. Les nécropoles et les puits funéraires où l'on jette en vrac les esclaves et les pauvres se situent hors de cette limite. Il y avait aussi des terrains vagues, comme sur l'Esquilin, où les cadavres des condamnés sont donnés en pâture aux chiens et aux oiseaux de proie.

Le deuil

Le Romain en deuil s'habille en sombre, cesse de se laver, de se peigner, de se couper les ongles, de changer de vêtements. Le deuil s'interrompt si une naissance intervient dans la famille. Sinon, la durée est fixée à 10 mois pour un conjoint, 8 mois pour un proche parent, et pour un enfant de 1 à 10 ans, autant de mois qu'il avait d'années. Si le défunt s'est suicidé ou a été exécuté, il n'y a pas de deuil.

C'EST PAS MARRANT.

DEPUIS QUE JE SUIS EN DEUIL, TOUS MES AMIS ME FUIENT !

À CROIRE QU'ILS M'ONT DANS LE NEZ !

Les urnes funéraires d'une même famille étaient déposées dans les petites niches aménagées du *columbarium*.

Bûcher de l'empereur

LE BÛCHER, L'OISEAU ET L'ÂME

Le bûcher des empereurs est placé au champ de Mars. Lorsque le feu est allumé, un aigle est lâché du sommet du bûcher et s'envole. Il porte l'âme du défunt vers les dieux. À l'aigle de l'empereur correspond le paon pour l'impératrice. Le mot *CONSECRATIO* est le nom de la cérémonie religieuse qui rend l'empereur divin.

L'aigle prêt à s'envoler

Le paon porte l'âme de l'impératrice.

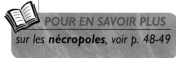

POUR EN SAVOIR PLUS
sur les **nécropoles**, voir p. 48-49

Au jour le jour

88
Nourriture
ou loisir ?

86
Nos amies
les bêtes

84
En amphore...

82
À table

80
Les repas

78
La valeur des choses

76
C'est des histoires !

74
Par ici la monnaie

Les Romains suivent la mode pour s'habiller et se coiffer. Ils possèdent des monnaies d'or, d'argent et de bronze pour leurs achats. La plupart ne font que de sobres repas, mais les plus riches festoient de plats fameux. Leur langue est le latin.

94
De pied en cap

92
Les vêtements

96
Bijoux et parfums

90
Se distraire

98
Le latin et les autres...

100
Parler latin

102
Écrire le latin

104
Santé et médecine

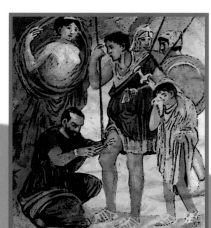

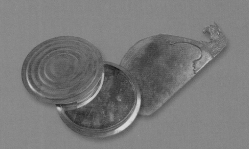

Par ici la monnaie

Difficile à imaginer, mais la monnaie n'a pas toujours existé. Les colonies grecques comme Marseille, Rhodes, Tarente, ou Crotone ont leurs monnaies dès le VIᵉ siècle av. J.-C., et les Étrusques vers le IVᵉ siècle. Mais les Romains ?

Du troc au lingot

Avant l'invention de la monnaie, les hommes s'échangeaient les marchandises. C'était le troc. Par exemple, un éleveur donnait ses bœufs contre des outils, des bijoux ou des armes… Au Vᵉ siècle av. J.-C., au centre de l'Italie, un bœuf s'échange contre 32 kg de bronze. Ce bronze se présente en morceaux de formes et de poids différents. Ce n'est pas très pratique. Pour améliorer le système, les Romains coulent des lingots d'un poids donné, avec des marques pour les authentifier. C'est plus facile à stocker et à échanger.

Sur ce lingot de bronze pesant 1 790 g figure un taureau. Cela rappelle l'époque où le bronze s'échangeait contre du bétail. Le mot *pecunia,* « fortune, argent », vient du mot *pecus,* « tête de bétail ». Il est à l'origine des mots français « pécule » et « pécuniaire ».

Du lingot à la monnaie

Ces premiers lingots sont lourds et possèdent une valeur importante. C'est comme s'il n'existait aujourd'hui que des billets de 500 euros… pesant chacun 1,6 kg ! Impossible d'acheter le pain quotidien avec ça ! Au IIIᵉ siècle av. J.-C., les Romains imitèrent les Grecs : ils fabriquèrent des pièces de bronze et d'argent faciles à transporter.

Cet as de bronze d'un poids de 270 g, émis vers 220 av. J.-C., mesure 6 cm.

Ce didrachme en argent, émis vers 240 av. J.-C., pèse 6 g.

DE JUNON À LA MONNAIE

La déesse Junon Moneta, celle « qui avertit », doit son surnom au verbe *monere* (avertir, conseiller). Situé sur le Capitole, son temple abritait les ateliers de la monnaie. C'est de là que viennent des mots comme « monnaie » et « monétaire ».

Monnaie en argent

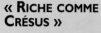

L'invention du denier en argent date de 212 av. J.-C. et son poids est d'environ 4,5 g. D'un côté, Rome est représentée sous les traits d'une femme casquée. Le chiffre X signifie qu'à cette époque, un denier d'argent vaut 10 as de bronze. Au revers, il s'agit des Dioscures : Castor et Pollux. En 133 av. J.-C., la valeur du denier d'argent passera à 16 as.

Les monnaies impériales

C'est l'empereur Auguste qui a créé le système monétaire qui durera pendant près de trois siècles. Les monnaies sont frappées dans trois métaux différents : or, argent et bronze. L'unité est l'as. Puis en 215, les Romains créent une nouvelle monnaie, l'antoninien, qui vaut deux deniers.

Aureus (or)

Denier (argent)

Sesterce (bronze)

Dupondius (bronze)

As (bronze)

Semis (bronze)

AUREUS
= 25 deniers
= 400 as

DENIER
= 4 sesterces
= 16 as

SESTERCE
= 2 dupondius
= 4 as

DUPONDIUS
= 2 as
= 4 semis

AS
= 2 semis

C'est des histoires !

Pendant la République, des magistrats, les monétaires, sont nommés tous les ans pour diriger l'émission des monnaies. Par la suite, l'empereur assumera seul cette responsabilité pour les monnaies d'or et d'argent, et la partagera avec le Sénat pour celles de bronze.

DESCENDANCE DIVINE

En 46-47 av. J.-C., Jules César fait graver sur cette pièce ses ancêtres légendaires. La famille Julia prétend descendre d'Iule, fils d'Énée et de la déesse Vénus.

Énée portant son père Anchise et fuyant Troie. Dans la main droite, il tient le *Palladium*, une statuette de Pallas.

L'ÉVOLUTION DU PORTRAIT

Voici le même empereur romain, Caracalla. On peut voir l'évolution de son portrait au fur et à mesure qu'il vieillit. La monnaie la plus ancienne le représente en 197, à l'âge de 9 ans. La plus récente le représente peu avant sa mort, en avril 217. Il était âgé de 29 ans.

Caracalla à 9 ans.   **Caracalla à 20 ans.**   **Caracalla à 29 ans.**

LES JEUX SÉCULAIRES

En 248, pour célébrer le millénaire de la fondation de Rome, l'empereur Philippe Ier organise des jeux du cirque grandioses. Il y présente des milliers de bêtes sauvages que l'empereur précédent Gordien III avait ramenés de ses conquêtes orientales. Ici un hippopotame.

CE N'EST PAS NOUVEAU ! UN CERTAIN NOÉ EN A FAIT AUTANT !

Des milliers de monnaies différentes

Les monétaires choisissent chaque année des motifs différents à graver sur les pièces. Souvent, ils représentent un événement glorieux, historique ou mythique, arrivé à un de leurs ancêtres. César est le premier à présenter son portrait de son vivant, sur une pièce romaine. Ensuite, les empereurs le feront tous, sur le côté appelé « droit ». Sur l'autre côté, le « revers », ils font graver différents monuments, scènes, divinités, victoires…

Chez les Romains, le côté face de la pièce se nomme le « droit ». Ici, c'est le portrait de César. Le côté pile se nomme le « revers ».

DES ÉVÉNEMENTS POLITIQUES

Brutus, le fils adoptif et meurtrier de César, a émis cette monnaie. Entre les deux poignards figure le *pileus*, le bonnet caractéristique des affranchis. Au-dessous, la légende EID MAR rappelle la date du meurtre (EIDibus MARtii, les « ides de mars »). Le message de Brutus est clair : « Aux ides de mars, les armes ont affranchi le peuple romain du dictateur César. »

WRÂÂÂH ! C'EST JUSTE POUR FAIRE UN PEU DE MONNAIE !

HISTOIRE DE FAMILLE

L'empereur a le titre d'**Auguste** (Augustus). Sur les deniers, il porte une couronne de laurier.

Sur les antoniniens, il porte une couronne radiée qui représente le soleil.

Le titre de l'impératrice est Augusta. Sur les deniers, elle est tête nue.

Le fils de l'empereur, destiné à régner, a le titre de **César** (Caesar). Il est toujours tête nue.

Sur les antoniniens, elle a un croissant de lune sous le buste.

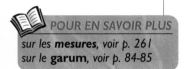

brouet	3 as 1/2
une livre de lard	3 as
vin	1 as
fromage	1 as
huile	1 as
pain	2 as 1/2
viande de porc	4 as

L'auteur de ce graffiti à Pompéi n'a indiqué qu'une seule quantité, celle du lard : 327 g.

La valeur des choses

La bourse d'un Romain était plus ou moins bien remplie selon sa profession. Avec cet argent, il devait se nourrir, s'habiller, se loger, entretenir sa famille et élever ses enfants.

POUR EN SAVOIR PLUS

sur les **mesures**, voir p. 261
sur le **garum**, voir p. 84-85

DÉJÀ DES BANQUIERS

Il existe des banques où le Romain change les monnaies étrangères et place ses biens. Ainsi, la nourrice de Pline le Jeune, qui reçoit 100 000 sesterces de son maître, peut percevoir 6 500 sesterces d'intérêt par an.

Prix indicatifs

Il est difficile d'estimer la valeur des marchandises dans l'Antiquité. Les prix mentionnés dans les textes ne précisent que rarement la quantité ou la qualité du produit acheté. De plus, la valeur d'une marchandise varie d'un endroit à un autre et dans le temps. Par exemple, le prix d'un sac de blé est différent à Rome et à Marseille, en hiver ou en automne.

DU SEL AU SALAIRE

Le mot salaire vient de *salarium*. C'est une indemnité que chaque légionnaire romain perçoit pour acheter sa ration de sel (*sal*). À cette époque, le sel est un élément vital pour la conservation des aliments. L'existence d'une « voie du sel » (via Salaria), près de Rome, montre l'importance commerciale de ce produit.

CE QUE GAGNENT LES ROMAINS
À LA FIN DU Ier SIÈCLE APR. J.-C. EN ITALIE

PRÉFET DE CAMP :	60 000 sesterces/an
CENTURION :	15 000 sesterces/an
GARDE PRÉTORIEN :	11 680 sesterces/an
LÉGIONNAIRE :	900 sesterces/an
MAÇON, CHARPENTIER, FORGERON :	3 sesterces/jour
OUVRIER DE FERME :	1,25 sesterce/jour
PROFESSEUR (PAR ÉLÈVE) :	2 sesterces/mois

CE QUE DÉPENSENT LES ROMAINS

À LA FIN DU Ier SIÈCLE APR. J.-C. EN ITALIE

UN PICHET DE VIN ORDINAIRE	1 AS
UN PICHET DE VIN GRAND CRU	1 À 5 SESTERCES
UN LITRE D'HUILE D'OLIVE	1 SESTERCE
UN LITRE DE GARUM	150 SESTERCES
UN MODIUS DE BLÉ	3 SESTERCES
UN MODIUS DE FROMENT	30 SESTERCES
UN ESCLAVE COMMUN	2 000 À 6 000 SESTERCES
UNE LAMPE	1 AS
UNE ASSIETTE	1 AS
UNE ASSIETTE EN ARGENT	375 SESTERCES
UNE TUNIQUE	15 SESTERCES
LAVAGE TUNIQUE	4 SESTERCES
UN MULET	520 SESTERCES
5 ŒUFS	1 AS
UN LAPIN	2 SESTERCES
UN POULET	2 AS
LOYER DE MAISON	2 000 À 20 000 SESTERCES/AN

Riches et pauvres

Au Ier siècle, un Romain doit disposer d'environ 600 sesterces par an pour se nourrir et s'habiller, sans compter les dépenses pour le logement. Pour les travailleurs dans le besoin, l'empereur procède, chaque mois, à la distribution de blé gratuit. À Rome, ce sont environ 150 000 à 200 000 bénéficiaires qui reçoivent chacun 35 kg de blé par mois, soit 5 à 7 millions de tonnes à distribuer ! Pour recevoir sa part, il faut être inscrit sur la liste officielle et présenter sa tablette de bois le jour de la distribution.

Pouvoir et richesse

Les fonctions importantes de l'État sont réservées aux Romains qui disposent d'une fortune personnelle considérable. Par exemple, il faut posséder un million de sesterces pour être sénateur. La fortune de Pline le Jeune, évaluée à 30 millions de sesterces, n'est rien comparée à celle de Pallas, affranchi de l'empereur Claude, ou du sénateur Cn. Cornelius Lentulus. Ils disposent chacun de près de 400 millions de sesterces. Le cuisinier Apicius se suicide parce que sa fortune n'est plus « que » de 10 millions de sesterces.

Les repas

Souvent petite et sombre, la cuisine est placée dans un coin de l'habitation. Ce sont les esclaves qui y préparent les repas. Ceux qui n'ont pas de cuisine achètent leur repas à des comptoirs appelés *thermopolium*.

Les repas

À partir de la fin de la République, les trois repas quotidiens sont le *jentaculum*, le *prandium* et la *cena*. Les deux premiers sont très légers. Le *jentaculum* se prend vers 8 heures du matin. Il comprend pain, dattes, olives et fromage, quelques biscuits pour les enfants. Le *prandium* se prend vers 12 heures. C'est un casse-croûte composé d'un morceau de pain, d'un peu de viande froide, de fruits et de vin. Il est suivi par une petite sieste qui dure jusque vers 14 heures.

📖 **POUR EN SAVOIR PLUS**

sur les **thermopolium**, voir p. 170-171

INCONNUS
Au petit déjeuner, pas de chocolat, ni café, ni jus d'orange, ni thé, ni sucre… et au repas, pas de frites, ni tomate, ni avocat, ni maïs, ni riz, ni banane, ni pamplemousse, ni ananas…

CHEZ LE PRIMEUR

Pommes • Pêches • Raisin • Fraises • Châtaignes
Poires • Figues • Citrons • Grenades • Dattes
Prunes • Noix • Amandes • Choux • Lentilles • Fèves
Laitue • Chicorée • Bettes • Cresson • Concombres
Épinards • Carottes • Raves • Melons • Asperges
Olives • Poireaux • Champignons • Oseille • Laurier
Sauge • Thym • Ail • Oignons • Fenouil • Sésame
Persil • Safran • Poivre

CHEZ LE BOUCHER

Jambon • Pâtés • Foie
Saucisses • Bœuf • Porc
Mouton • Chèvre • Lièvre
Lapin • Loir • Canard
Poulet • Pigeon • Grive
Paon • Merle

Dîner ou banquet ?

La *cena* est le repas principal. Il commence après le bain, vers 16 heures. Chez les plus riches, c'est parfois un véritable festin qui peut se terminer à l'aube. Les plats sont servis lors de plusieurs services : hors-d'œuvre, entrées, rôtis et desserts. Dans les banquets, la quantité de nourriture à avaler est si importante que les médecins conseillent d'aller vomir entre les services puis de recommencer à manger. Ces grands repas sont très à la mode dans l'aristocratie au Ier siècle. Les riches dépensent des fortunes pour ces soirées.

MENU

Laitue
Escargots
Œufs
Olives
Oignons et courges
Gâteau

Moins riche...

Le menu que Pline le Jeune, pourtant très riche, propose à son ami Septicius Clarus est beaucoup plus sobre. Pour chacun : une laitue, trois escargots, deux œufs, des olives, des oignons et des courges, un gâteau d'épeautre arrosé de vin miellé refroidi dans la neige. Les familles modestes se contentent d'une bouillie de céréale, parfois d'un morceau de lard, rarement de viande fraîche, et des légumes du jardin.

ART CULINAIRE

Nous connaissons la cuisine romaine grâce à Marcus Gavius Apicius, qui vécut au début du Ier siècle apr. J.-C. Ses recettes montrent que les Romains préfèrent les plats « mous » : viandes bouillies, boudins, hachis, flans.... La cuisine est à l'huile. Le beurre n'est utilisé que comme médicament. Elle a un goût sucré-salé : viandes et poissons peuvent cuire avec du miel, et un flan peut être saupoudré de poivre.

COMPTES

À Pompéi, les comptes d'achat de nourriture d'une famille indiquent une dépense de 223 as sur huit jours, dont 44 as de pain, 19 d'huile et 13 de fromage. Même si le nombre de personnes et la qualité des produits sont inconnus, on est loin d'un certain Asinius Celer qui paye 32 000 as pour un seul rouget !

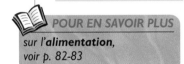

POUR EN SAVOIR PLUS

sur l'**alimentation**, voir p. 82-83

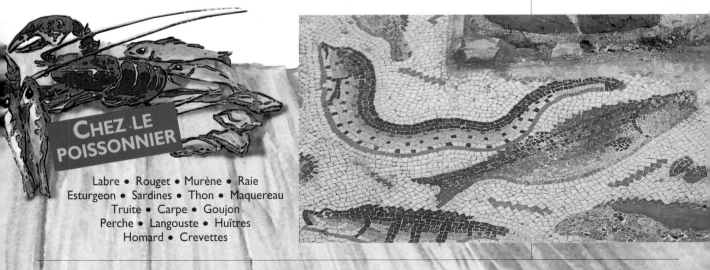

CHEZ LE POISSONNIER

Labre • Rouget • Murène • Raie
Esturgeon • Sardines • Thon • Maquereau
Truite • Carpe • Goujon
Perche • Langouste • Huîtres
Homard • Crevettes

À table

Les coupes, plats, assiettes et couverts sont d'argent chez les riches, sinon de bois et de terre cuite. La céramique sigillée, un produit semi-luxueux, est fabriquée industriellement à des dizaines de milliers d'exemplaires depuis la fin du Ier siècle av. J.-C. Elle a été exportée dans tout l'Empire. Les riches disposent également de vaisselle de verre.

DES TRÉSORS DE VAISSELLE
Les 106 éléments de vaisselle en argent trouvés à Boscoreale au XIXe siècle furent cachés dans une citerne à vin par un riche propriétaire lors de l'éruption du Vésuve en 79. D'autres trésors de vaisselle, retrouvés partout en Europe, montrent que les services en argent faisaient partie du luxe des riches familles romaines.

La salle à manger (*triclinium*) comprend trois lits disposés sur trois des côtés d'une table carrée. Le quatrième côté est libre pour permettre le service par les esclaves. Les convives sont allongés de biais.

La salle à manger

Les trois lits, appelés *summus lectus*, *medius lectus* et *imus lectus* sont couverts de matelas de plume (*culcita*) et possèdent trois places séparées par un coussin (*pulvinar*). Le lit d'honneur est le *medius lectus* et la place d'honneur est celle de droite. L'*imus lectus* est réservé au maître de maison.

Imus lectus

Assiettes, couverts, pots, coupes... : dans les familles riches, on utilisait des services en argent.

Vaisselle et couverts

Les serveurs apportent les plats avec les mets déjà découpés par un esclave, le *scissor*. Les Romains possèdent des couteaux, des cure-dents, des cuillères à soupe. Ils ont aussi des cuillères nommées *cochlea* dont le bout pointu sert à piquer les escargots, et le cuilleron à manger les coquillages et les œufs. Pourtant, la plupart des mets sont consommés avec la main droite. Des esclaves circulent pour verser de l'eau fraîche et parfumée sur les doigts. Chaque convive dispose de sa serviette et, depuis l'empereur Domitien, les tables riches sont recouvertes d'une nappe.

PAS TRÈS PROPRES...

La tradition et la superstition font que tout ce qui n'est pas mangé est jeté au sol. Et toute nourriture tombée n'est ni ramassée ni balayée pendant le repas, car elle alimente les âmes des morts.
L'empereur Claude aurait réfléchi à un décret « pour autoriser de lâcher à table vents et bruits intestinaux », parce qu'il avait entendu dire qu'un homme qui s'en était retenu par politesse en était mort.

POUR EN SAVOIR PLUS
sur **Pompéi**, voir p. 222-223

Summus lectus

Medius lectus

Servir le vin

Les amphores sont débouchées pendant le repas. Le vin est versé dans un cratère. Il est filtré avec une passoire car il contient beaucoup de dépôt. Les Romains ne boivent pas le vin pur. Ils y ajoutent un à deux tiers d'eau fraîche ou, au contraire, tiède ; parfois même de l'eau de mer ! Le vin peut être parfumé à la rose, mais le plus apprécié est le vin au miel. Ce sont les *ministratores* (serviteurs) qui remplissent les coupes.

En amphore...

Les amphores servent à conserver et à transporter différents produits. Leurs formes varient selon le lieu de leur fabrication, l'époque et le produit transporté : vin, huile d'olive, *garum*, olives... Les plus gros navires pouvaient en transporter jusqu'à 10 000 !

Le *garum*

Le *garum* est une sauce très courante dans la cuisine romaine. Sans doute assez proche du nuoc-mâm vietnamien, elle devait donner un goût salé et parfumé.

Ce type d'amphore des Ier et IIe siècles apr. J.-C. servait à transporter la saumure de poisson.

RECETTE DU GARUM SELON PLINE L'ANCIEN

« Il y a une autre sorte de produit liquide très recherché de nos jours : c'est celui qu'on appelle garum. On fait macérer dans le sel les intestins et les autres déchets de poisson, ce que l'on jette habituellement, pour obtenir un jus dû à leur putréfaction. De nos jours, le plus réputé est tiré du maquereau en provenance des pêcheries de Carthagène, celui que l'on appelle garum des alliés. Il est vendu au prix de mille sesterces pour deux conges (6,5 l) environ. Aucun produit liquide ou presque ne possède de valeur plus élevée, le parfum mis à part, même chez les gens de la noblesse. »

J'AI PEUT-ÊTRE EU TORT DE ME PARFUMER AU GARUM.

MIÂÂ ! MÉÊÊÊOW ! MIAOOOoo MIAOOOO RMAOuuu ! MIAOoow !

GRAFFITI À POMPÉI

Edone dicit : « Assibus hic bibitur. Dipondium si dederis, meliora bibes. Quartos si dederis, uina Falerna bibes. »

Hédonè dit : « Ici, on boit pour un as. Si tu donnes deux as, tu boiras un meilleur vin. Si tu en donnes quatre, tu boiras du vin de Falerne. »

GARVM SOCIORVM
Garum des alliés

AIIIA
Vieux de trois ans

C CORNELI HERMEROTIS
Produit de Gaius Cornelius Hermerotis

Cette inscription sur une amphore indique la marque et l'âge du *garum* qu'elle contenait : celui-ci est un des plus réputés.

L'huile d'olive

L'huile sert à l'éclairage, aux massages dans les thermes et à l'alimentation. Pendant 250 ans, les Romains ont jeté les amphores d'huile vides dans un dépotoir près des entrepôts de Rome. Le monte Testaccio est une véritable colline de 35 mètres de haut ! Le nombre d'amphores correspond à 37 millions d'hectolitres d'huile, soit une consommation moyenne de 150 000 hl par an. Et ce n'est qu'un des dépotoirs : il en existe d'autres !

Cette amphore du Iᵉʳ siècle apr. J.-C. contient environ 70 litres d'huile. Poids vide : 30 kg. Poids pleine : 100 kg.

Le vin

D'après Pline, c'est à partir du IIᵉ siècle av. J.-C. que le vin est mis dans des amphores. L'intérieur est enduit de résine et de poix, et le goulot fermé avec un bouchon de liège ou d'argile. Le vin se conserve ainsi de nombreuses années. Pline écrit qu'un certain Hortensius laissa à ses descendants plus de 10 000 amphores de vin ! Le vin est également transporté en barriques de bois, une invention gauloise.

Cette amphore du Iᵉʳ siècle av. J.-C. pèse 25 kg vide et contient environ 25 litres de vin. Au total, cela représente un poids de 50 kg.

LES CRUS D'APRÈS PLINE

Environ 200 000 hl de vin sont consommés par an à Rome, au Iᵉʳ siècle av. J.-C. Il existe des qualités différentes. Le Falerne est l'un des plus connus. Le Mamertin est un des vins préférés de César. La *sapa* et le *defrutum* sont des vins cuits, qui peuvent être bus ou utilisés comme ingrédients en cuisine ou pour conserver des olives.

OLIVA
Olives

NIGRA
Noires

EX DEFRUTO
Dans du defrutum

Cette inscription décrit le contenu de l'amphore : des olives noires dans du vin cuit.

GARVM FLOS FLOS
Fleur de fleur de garum

MVRENAE
De murène

SALVSTI
Produit par Salustus

Cette inscription précise la qualité et l'espèce de poisson qui a servi à la préparation du *garum*. « Fleur de fleur » (*flos flos*) est la qualité supérieure du *garum*.

Nos amies les bêtes

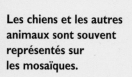

Les chiens et les autres animaux sont souvent représentés sur les mosaïques.

L'attitude des Romains envers les animaux est paradoxale : admiratifs devant l'intelligence et l'habileté de certains, adorant leurs animaux de compagnie, ils en mirent aussi à mort des dizaines de milliers, parfois cruellement.

Chasser ou garder

Les Romains apprécient particulièrement les chiens pour la chasse, comme gardiens contre les voleurs, et pour protéger les troupeaux contre les loups. Columelle conseille aux fermiers de donner des noms courts à leurs chiens, afin qu'ils répondent plus vite à leur appel : *Alce* : « Force ». *Ferox* : « Intrépide ». *Cerva* : « Biche ». *Tigris* : « Tigre ». Comme les Gaulois, les Romains étaient cynophages : jusqu'au début du Ier siècle apr. J.-C., il leur arrivait lors de cérémonies religieuses de manger du chien.

Combattre ou labourer

Les taureaux sont souvent présents dans les spectacles pour combattre des hommes ou d'autres animaux. Jules César importe à Rome les jeux de Thessalie : un cavalier galope à côté du taureau, le saisit par les cornes et le tue en lui tordant le cou. Il existe des combats entre taureaux et éléphants, ours, rhinocéros, lions… Les bœufs, eux, sont élevés pour les labours et les transports, comme animaux de sacrifice et pour leur viande.

LE FAVORI

Le compagnon préféré des matrones romaines est un petit chien blanc, le maltais. Il n'est pas originaire de l'île de Malte. Son nom vient d'un mot oriental *màlat*, qui veut dire « refuge » ou « port ».

Le cirque ou le moulin

La plupart des chevaux et des mules tirent les chariots et servent de monture. Le meilleur destin d'un cheval, c'est de devenir cheval de course. Le pire, c'est de finir attaché au bras de la presse du moulin, avec des œillères, et de tourner en rond toute la journée pour moudre du grain ou presser des olives. Les ânes aussi rendent beaucoup de services : meule, transports, labours légers.

Des oiseaux qui parlent

Certains oiseaux sont dressés pour parler : les perroquets, bien sûr, mais aussi les corneilles, les corbeaux, les merles, et surtout les pies. Selon Pline, elles apprennent leurs leçons et aiment à les réviser dans leurs têtes. Une pie, dit-il, peut se laisser mourir si elle bute sur un mot difficile. Un perroquet bien élevé disait : « *Chaere, ave* » (Comment ça va ?) à son maître.

UNIS JUSQUE DANS LA MORT

Les merles et les perroquets d'un jeune garçon furent brûlés avec lui sur son bûcher funéraire pour qu'ils partagent sa vie d'outre-tombe. Une matrone fit construire un tumulus sur le corps de son rossignol favori.

LE CORBEAU ET LE CORDONNIER

Pline rapporte l'histoire d'un corbeau parleur. Né sur le temple de Castor et Pollux, l'oiseau nichait dans l'échoppe d'un cordonnier tout près de là. Chaque matin, il volait vers la plate-forme des orateurs. Là, il saluait d'abord la famille impériale : Tibère, Germanicus et Drusus de leur nom ; ensuite les passants ; puis il retournait au magasin. Cela se reproduisait tous les jours et amusait beaucoup les gens. Après plusieurs mois de ce manège, le cordonnier, excédé du désordre qu'il créait, tua le corbeau. L'indignation fut telle que la foule le lyncha. Le cadavre du corbeau fut mis sur une civière drapée, portée par deux Noirs. Précédé par un joueur de flûte, il fut conduit à son bûcher sur la via Appia.

ET CELLE DU CORDONNIER QUI N'AVAIT PAS LE SENS DE L'HUMOUR, VOUS LA CONNAISSEZ ?

HI HI

Nourriture ou loisir ?

Les Romains trouvent dans la nature de nombreux animaux pour leur nourriture ou pour leurs jeux.

La pêche à la nasse : le pêcheur laisse glisser dans l'eau des paniers munis d'un petit orifice. Le poisson, pris à l'intérieur, ne peut plus sortir.

Eaux vives et viviers

Les Romains pêchent à la ligne sur le rivage. Le gros poisson se pêche depuis des bateaux dans des filets ou des paniers en osier. Puis, selon Pline, la mode des viviers pour le poisson fut créée à la fin du IIe siècle av. J.-C. par Licinius. Il gagna alors le surnom de Murena, « murène », pour lui et ses descendants. Les riches Romains possèdent, pour leur plaisir, des viviers d'eau de mer ; les moins riches élèvent des poissons d'eau douce pour les vendre au marché. À cette époque, Sergius Orata construit les premiers viviers d'huîtres chauffés.

CE QUE RACONTE SÉNÈQUE

Un jour où l'empereur Auguste dînait chez Vedius Pollion, un jeune esclave brisa une coupe en cristal. Vedius le fit saisir pour le jeter vivant aux murènes qu'il élevait dans un vivier. L'enfant s'échappa et se réfugia aux pieds de l'empereur, en ne demandant qu'une faveur : mourir autrement qu'en étant la proie des murènes. Ému, l'empereur fit relâcher l'esclave ; il fit aussi briser devant lui toutes les coupes en cristal et combler le bassin.

À la chasse

Avec la chasse, les Romains
s'approvisionnent en viande, protègent
les cultures et les basses-cours,
acquièrent peaux et fourrures,
et se distraient. Les gibiers les plus
chassés sont le cerf, le chevreuil,
le lièvre, le renard, le sanglier,
le blaireau, le putois, l'hermine,
la loutre et le castor.
Les chasses alimentent aussi les
jeux du cirque avec des animaux
de toutes sortes, des plus féroces
comme les lions, les ours et les
hyènes, aux plus insolites comme
les lièvres blancs, présents aux
spectacles organisés par Néron.

**La chasse se pratique
à pied ou à cheval, à
l'épieu ou avec des filets.**

Enclos, volières et ruches

Certaines fermes ont de vastes enclos où
sont engraissés lièvres, sangliers et… loirs,
très appréciés confits au miel ! Les volières
sont nombreuses. L'empereur Alexandre
Sévère en possède plusieurs avec des
paons, des faisans, des canards, des
perdrix et environ 20 000 palombes.
C'est que l'élevage des oiseaux rapporte
gros : 25 sesterces pour un œuf de paon,
200 pour un paon, 100 pour un pigeon,
48 pour une grive...

FIGUE OU FOIE ?

Pour rendre les foies
des oies et des truies
plus savoureux, le
cuisinier Apicius eut
l'idée de les gaver
de figues sèches. Le
« foie de figues » (*jecur
ficatum*) devint un des
mets préférés des
Romains. Petit à petit,
le mot *jecur* (foie)
disparut et on désigna
le foie aux figues par
ficatum (de figues).
Puis ce mot est devenu
« foie » en français,
fegato en italien, *higado*
en espagnol...

LE MIEL

Beaucoup de Romains
possèdent des ruches
car le miel, récolté
deux fois par an, est
très utilisé dans la
cuisine. Il remplace le
sucre, qui n'existe pas,
dans les pâtisseries,
sert à l'élaboration
de sauces et à la
fabrication du vin
miellé et de l'hydromel.

Se distraire

Les jeux des Romains étaient simples. Poupées, petits chevaux, toupies et marelle pour les enfants ; jeux de dés, jeux de balle et paris pour les adultes. Certains de ces jeux existent encore de nos jours.

Les jeux de plateau

Les Romains jouent sur un damier aux *latrunculi*. C'est certainement un jeu stratégique car son nom signifie « mercenaires » et ses pièces sont surnommées *latro* : « soldat » ; *miles* : « légionnaire » ; *bellator* : « combattant ». Le jeu *XII scripta*, « 12 points », se joue avec des pions sur un plateau à 12 colonnes, et avec deux dés. Il devait ressembler au jacquet ou backgammon actuel. Un jeu semblable sur plateau se joue avec trois dés.

Le plateau du jeu *XII scripta*, « 12 points », comporte des colonnes numérotées de I à XII et de XIII à XXIV.

JEU DANGEREUX

Encore enfant, Drusus, fils de l'empereur Claude et de sa première épouse Urgulanilla, s'étouffa avec une poire qu'il s'amusait à lancer en l'air pour la rattraper dans sa bouche grande ouverte.

Les paris

Les Romains aiment parier, non seulement au cirque lors des courses de chevaux, mais aussi dans les arrière-salles d'auberges. Pourtant, en dehors de la période de fête des Saturnales, fin décembre, les paris sont interdits sous peine d'une amende égale à quatre fois le montant du pari. Mais les empereurs eux-mêmes ne donnent pas l'exemple : Néron, dans son palais, joue 400 000 sesterces le coup de dés.

Micatio

Deux joueurs se font face, une main fermée en avant. À un signal, ils ouvrent la main avec un à cinq doigts levés tout en disant un nombre de un à dix. Si un joueur donne le nombre égal au total des doigts levés, il marque un point.
Ce jeu existe toujours dans de nombreux pays.
En France, il s'appelle la « mourre ».

Navia   *Capita*

PILE OU FACE
Avec cette pièce, les Romains jouaient à *capita aut navia* :
« tête ou navire ». Cela correspond à notre « pile ou face ».

Jouets d'enfants

La petite fille romaine joue à la poupée (*pupa*). Les garçons tirent des chevaux de bois sur roulettes, ou montent dans de petits chars tirés par des poneys. Ils jouent aussi avec de petits soldats. Les toupies, généralement de bois ou d'argile, et la marelle sont d'autres jeux très pratiqués par garçons et filles.

Cette poupée d'ivoire, trouvée dans le sarcophage de Tryphaina Crepereia, âgée de 13 ans, est articulée et peut être habillée.

Les jeux de balle

Les jeux de balle sont surtout pratiqués à la palestre, dans les thermes. On raconte que César et Auguste y jouaient… Les balles sont de tailles et de matières différentes selon les jeux. Le *trigon* est une balle de cuir, et un jeu à trois joueurs placés en triangle. Chacun lance sa balle à qui il veut ; chacun peut recevoir deux balles à la fois. La *paganica*, de cuir et bourrée de duvet, est plus grosse et moins dure. Le *follis* est un gros ballon gonflé d'air ou de duvet.

LES OSSELETS
On joue avec quatre osselets, chacun marqué sur ses quatre faces : 1 et 6 sur deux faces opposées et 3 et 4 sur les deux autres. Ainsi, 35 combinaisons de valeurs différentes sont possibles. La plus forte est le « coup de Vénus », lorsque les quatre faces sur le tapis sont différentes : 1, 3, 4 et 6. Le « coup du chien » (carré de 1) est le plus faible, etc.

Les vêtements

Les Romains portent des vêtements amples, adaptés au climat. Ils ont peu changé au cours des premiers siècles.

Sous-vêtements

Les vêtements de dessous se portent nuit et jour. Le pagne de lin noué autour de la taille est mis par les hommes et certaines catégories de femmes comme les danseuses ou les saltimbanques. Le soutien-gorge est une simple bande de tissu qui se porte sur la tunique. La tunique des hommes est une sorte de chemise, sans manches ou à manches très courtes. Serrée autour du corps par une ceinture, elle arrive dans le dos au niveau des genoux, et un peu plus bas devant. Celle des femmes arrive aux talons, et est serrée par une ceinture sous les seins. Souvent on porte deux tuniques ou plus. Auguste en mettait quatre !

Jusqu'à leur majorité, les garçons portent la toge prétexte, blanche bordée d'une bande pourpre.

La femme mariée porte une *stola*, sorte de robe ample avec ceinture. Pour sortir, elle passe par-dessus une *palla* qui peut couvrir la tête.

Le citoyen porte la *toga virilis*, blanche et sans bande. C'est une pièce de laine blanche, semi-circulaire, d'environ 4 à 5 mètres de long sur 3 ou 4 de large. L'aide d'un esclave pour s'en draper n'est pas de trop !

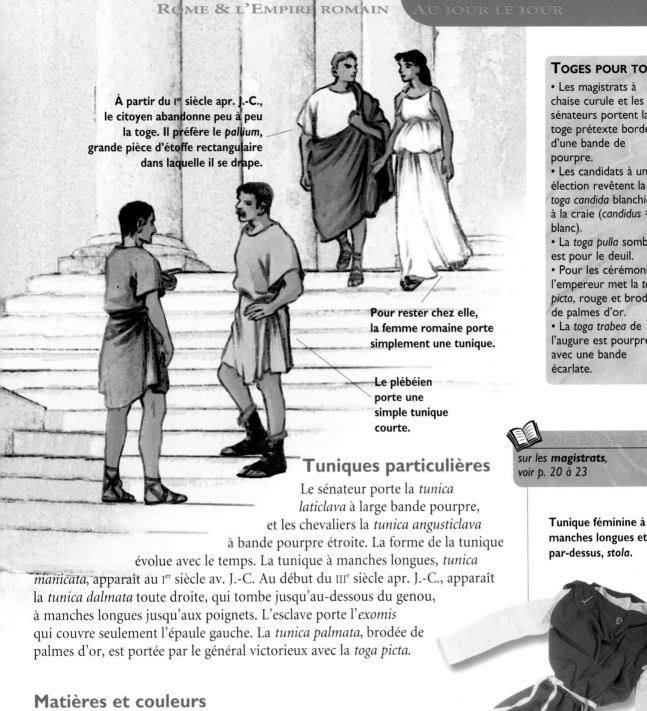

À partir du Ier siècle apr. J.-C.,
le citoyen abandonne peu à peu
la toge. Il préfère le *pallium*,
grande pièce d'étoffe rectangulaire
dans laquelle il se drape.

Pour rester chez elle,
la femme romaine porte
simplement une tunique.

Le plébéien
porte une
simple tunique
courte.

TOGES POUR TOUS

- Les magistrats à
chaise curule et les
sénateurs portent la
toge prétexte bordée
d'une bande de
pourpre.
- Les candidats à une
élection revêtent la
toga candida blanchie
à la craie (*candidus* =
blanc).
- La *toga pulla* sombre
est pour le deuil.
- Pour les cérémonies,
l'empereur met la *toga
picta*, rouge et brodée
de palmes d'or.
- La *toga trabea* de
l'augure est pourpre
avec une bande
écarlate.

POUR EN SAVOIR PLUS
sur les *magistrats*,
voir p. 20 à 23

Tuniques particulières

Le sénateur porte la *tunica
laticlava* à large bande pourpre,
et les chevaliers la *tunica angusticlava*
à bande pourpre étroite. La forme de la tunique
évolue avec le temps. La tunique à manches longues, *tunica
manicata*, apparaît au Ier siècle av. J.-C. Au début du IIIe siècle apr. J.-C., apparaît
la *tunica dalmata* toute droite, qui tombe jusqu'au-dessous du genou,
à manches longues jusqu'aux poignets. L'esclave porte l'*exomis*
qui couvre seulement l'épaule gauche. La *tunica palmata*, brodée de
palmes d'or, est portée par le général victorieux avec la *toga picta*.

Matières et couleurs

Les vêtements sont surtout de laine ou de lin. Le coton est moins
employé ; il est importé d'Inde et peut-être d'Égypte. Depuis
Auguste, la soie vient de Chine, mais elle est très chère puisqu'elle
vaut son poids en or ! Il existe des étoffes à dessins, cercles,
raies, paysages, ou brochées d'or. Sous l'Empire, les toges sont
colorées, et certaines couleurs semblent avoir été privilégiées
par des professions : le bleu pour les philosophes ; le vert
pour les médecins et assimilés ; le blanc pour les devins.

Tunique féminine à
manches longues et,
par-dessus, *stola*.

De pied en cap

La coiffure des Romains, et surtout des Romaines, change selon les âges de la vie et les époques.

Coiffure des femmes

La coiffure des femmes varie beaucoup selon leur statut et leur âge. Pendant la République, la mode est aux cheveux réunis en arrière, dans un chignon, et fixés avec une épingle. Par la suite, les coiffures deviendront parfois très complexes. Les perruques les plus populaires sont réalisées à partir des cheveux blonds de Germains. Les perruques de cheveux noirs sont importées d'Inde. D'autres Romaines se décolorent les cheveux en roux ou en blond avec la *spuma batava* ou avec le *sapo*, un mélange de suif de chèvre et de cendre de hêtre.

Coiffure en « nid d'abeille », fin du Iᵉʳ siècle apr. J.-C.

Début du Iᵉʳ siècle apr. J.-C.

Milieu du Iᵉʳ siècle apr. J.-C.

Fin du Iᵉʳ siècle apr. J.-C.

Vers 140 apr. J.-C.

Vers 200 apr. J.-C.

SUR LA TÊTE

Les Romains ne portent pas de chapeau. Seuls les esclaves affranchis portent le *pileus*, un bonnet conique. Les femmes ont des ombrelles pour se protéger du soleil.

La barbe !

Les Romains vont se faire couper les cheveux chez le coiffeur, qui est un homme ou une femme. Jusque vers 300 av. J.-C., ils portent la barbe et les cheveux longs. Puis pendant 400 ans, jusque sous l'empereur Hadrien, la mode reste aux cheveux très courts et à l'absence de barbe. En signe de deuil, ils se laissent pousser la barbe et les cheveux. S'ils perdent les cheveux, ils mettent une perruque.

Et les enfants ?

Les enfants peuvent avoir les cheveux longs jusqu'aux épaules. Les jeunes filles portent d'habitude leurs cheveux en arrière, parfois liés en queue de cheval. Les garçons ne se rasent pas avant d'atteindre leur majorité. Les restes de leur premier rasage sont conservés dans une petite boîte et offerts à une divinité.

Se coiffer

Pour se coiffer, les Romains disposent du fer à friser ; de peignes d'ivoire, de bois, ou d'or ; de miroirs de bronze poli ou d'argent ; de ciseaux ; de rasoirs à la lame de bronze ou de fer. Les cheveux tiennent à l'aide d'épingles, de rubans, de filets et de petits peignes.

Peigne d'os à deux rangées de dents

Rasoir de bronze poli et d'argent

Miroir de poche en bronze poli

Aux pieds

Les Romains ne portent pas de bas ni de chaussettes, mais des bandelettes. Selon le statut social de chacun, les chaussures sont différentes dans leurs formes et leurs couleurs.

QUELQUES MODÈLES DE CHAUSSURES

CREPIDAE
Espadrilles à la semelle épaisse bordée d'une bande de cuir étroite sur laquelle se fixent des œillets dans lesquels on passe une lanière.

CALIGAE
Chaussures des soldats à semelle cloutée.

CALCEI PATRICII
Chaussures de cuir rouge aux courroies entrecroisées, ornées d'un croissant pour les sénateurs ayant exercé une magistrature curule, et de cuir noir pour les autres.

SOCCI
Pantoufles pour les hommes et les femmes.

SOLEAE
Sandales. Une semelle de cuir est attachée par des cordons sur le cou-de-pied.

CARBATINAE
Souliers des paysans, montant jusqu'à la cheville.

Bijoux et parfums

Après sa toilette matinale, la matrone romaine se fait aider par une ou plusieurs esclaves (*ornatrix*) pour se maquiller, se coiffer et s'habiller.

Se maquiller

La mode est au teint pâle. L'*ornatrix* prend de la poudre de craie et de la céruse, un produit toxique à base de plomb, pour maquiller sa maîtresse avec du blanc sur le front et les bras. Les pommettes et les lèvres sont rougies avec de l'ocre, ou de la lie de vin. Le noir des cils et le tour des yeux sont soulignés avec de la cendre ou de la poudre d'antimoine. Pour s'épiler le corps, les femmes utilisent la pierre ponce, les pinces, ou des crèmes aux ingrédients parfois étranges : gomme de lierre, graisse d'âne, bile de chèvre, sang de chauve-souris et vipère en poudre !

Les bijoux

L'*ornatrix* aide sa maîtresse à mettre ses bijoux : le diadème sur ses cheveux, les boucles d'oreilles, le collier autour du cou, les bracelets aux poignets, les bagues, les anneaux au bras gauche et aux chevilles. Les Romains riches portent eux aussi des bagues à tous les doigts, sauf au majeur. Les chevaliers ont un anneau d'or qui est le signe de leur rang.

Ce type de bracelet d'or en forme de serpent se portait sur le bras gauche, au-dessus du coude.

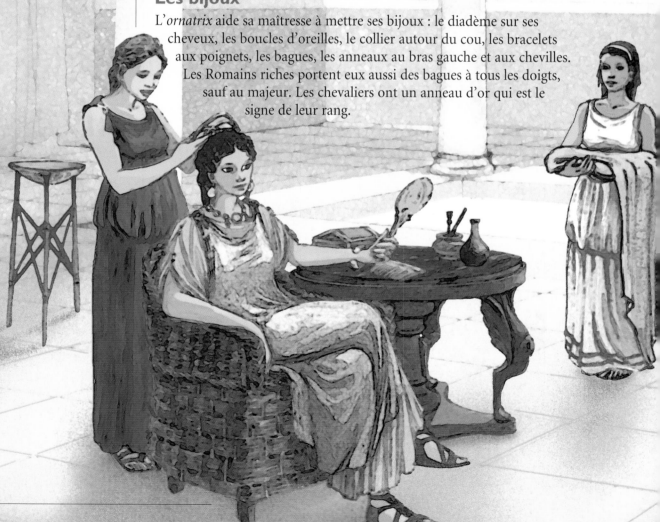

Or, perles et pierres précieuses

Le métal le plus prestigieux est bien sûr l'or. Il est employé pour tous les types de bijoux. Les pierres précieuses et semi-précieuses sont importées de pays lointains. Émeraudes vertes d'Égypte, d'Autriche et des Indes ; saphirs bleus d'Orient ; perles blanches de la mer Rouge ; grenats rouges d'Espagne ; jayet noir de Bretagne, turquoises bleu-vert d'Égypte.

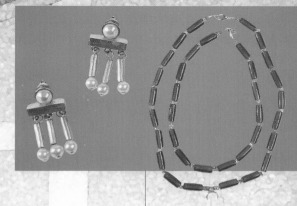

Intailles et camées

L'intaille est une pierre fine, souvent d'une seule couleur, gravée en creux. Le camée est une pierre fine, souvent composée de couches de différentes couleurs, gravée en relief. Le graveur essaie de réaliser un motif clair sur un fond plus sombre. Les Romains tiennent l'art des camées de la Grèce et de l'Orient d'où ils ont fait venir les pierres et les artistes capables de les graver.

Parfums

Dès le Ier siècle av. J.-C., les Romains emploient les arômes, surtout sous forme d'huiles diverses, d'encens et de baumes. Les fabricants de parfums sont aussi respectés que les médecins. Le plus souvent, les parfums sont des mélanges des arômes préférés : rose, cardamome, cannelle, myrrhe, gingembre, lis, marjolaine et lavande.

Le safran, c'est du luxe

Les rues de Rome furent couvertes de safran pour l'entrée de Néron. L'empereur romain Élagabal prend des bains parfumés au safran… Très employée, cette épice est aussi la plus chère. Pour obtenir un kilo de safran, il faut près de 150 000 fleurs récoltées une par une à la main. Comme l'écrit Pline, « rien ne se falsifie autant ». En effet, des faussaires achètent du safran, le mélangent avec d'autres poudres, puis le revendent au prix du safran pur.

LA GLYPTIQUE

La glyptique est l'art de graver les pierres fines, c'est-à-dire semi-précieuses, en creux ou en relief. Les pierres fines sont l'agate, la calcédoine, l'opale, la cornaline, la topaze.

ÇA COÛTE CHER !

D'après Pline l'Ancien, l'importation de produits de luxe pour les femmes coûte 100 millions de sesterces par an à l'Empire. Certaines matrones très riches possèdent des parures de 10 millions de sesterces.

PARFUM AU KILO

On connaît quelques prix de parfums à Rome, en 75 apr. J.-C. Prix du kilo, en sesterces :
baume de Judée, 7 240 ;
cannelle, 3 640 ;
lavande, 920 ;
encens, 72 ;
henné, 60.

Le latin et les autres...

CELTE

LIGURE

PICÉNIEN

ÉTRUSQUE

OMBRIEN

Le latin, bien que seulement parlé dans une petite partie du Latium, est devenu la langue officielle de l'Empire, et s'est répandu en Occident. Il a donné naissance aux langues romanes : l'italien, le français, l'espagnol, le roumain, le portugais...

Avant le latin

Au nord, on parle principalement gaulois et étrusque, et au sud, le grec. Dans la partie centrale, le Latium, plusieurs dizaines de dialectes coexistent dont le samnite, l'osque, l'ombrien, le falisque, le sabin, le latin... Les Latins ont certainement hérité leur alphabet des Étrusques, lorsque ceux-ci régnaient sur Rome.

LÉGENDE

Étrurie

Colonies grecques

POUR EN SAVOIR PLUS
sur les **conquêtes de la République**, voir p. 24 à 29

LES MOTS D'AILLEURS

Au cours des siècles, les Romains porteront leur langue dans les pays conquis, et elle s'enrichira aussi de nouveaux mots.
Bos : bœuf vient de l'osco-ombrien.
Asinus : âne ; *caseus* : fromage ; *consul* viennent du sabin.
Lanterna : lanterne et *persona* : masque viennent de l'étrusque.
Beccus : bec ; *carrus* : chariot ; *alauda* : alouette ; *cumba* : vallée ont d'origine gauloise.

LATIN   **SABIN**

OSQUE   **MESSAPIEN**

GREC

L'étrusque

La domination étrusque fut très importante dans toute la région au nord de Rome, et on connaît plus de 13 000 inscriptions étrusques. Mais cette langue reste toujours inconnue. Son déchiffrement a cependant progressé grâce à la découverte, à Pyrgi, de tablettes en or où le même texte est écrit en étrusque et en phénicien, une langue bien connue.

Le grec

Depuis le IIᵉ siècle av. J.-C., les enfants des nobles apprennent le grec avant le latin. Aussi les gens cultivés, les riches, parlent-ils latin et grec. Les futurs magistrats apprennent la rhétorique, l'art de persuader la foule par le discours, en grec, et pour garder ce monopole, ils en interdisent l'enseignement en latin.

QUELQUES MOTS ÉTRUSQUES

Ais : dieu
Aisar : dieux
Apa : père
Ati : mère
Clan : fils
Mi : moi
Puia : épouse
Rasenna : étrusque
Ruva : frère
Spur ou *shpur* : ville

GREC

PHÉNICIEN

SICULE

GREC

Des lettres

Dans la création de leur alphabet, les Étrusques ont été influencés par l'alphabet grec occidental, et ils influenceront à leur tour les Latins. Les alphabets n'ont pas le même nombre de lettres parce que les langues n'ont pas les mêmes sons. De nos jours, l'alphabet allemand possède la lettre J mais pas le I, et la lettre ß qui n'existe pas en français. Pour les Romains, les sons I et J d'une part et U et V d'autre part étant identiques, les lettres J et U n'existaient pas.

ON FINIT TOUJOURS PAR SE FAIRE COMPRENDRE !

Qui parle grec ?

Une partie de la population romaine, d'origine grecque, parle le grec : beaucoup de médecins, de secrétaires et d'enseignants sont des affranchis grecs.
Il y a aussi les esclaves et les prostituées. Ce n'est qu'à partir du Iᵉʳ siècle apr. J.-C. que le latin devient une langue internationale.

ET DES CHIFFRES

V serait le dessin d'une encoche sur un morceau de bois, et X, une double encoche. Le signe L vient du psi grec Ψ ; C du thêta Θ ; M du phi Φ ; D est la moitié droite du phi Φ.

	ROMAIN	ÉTRUSQUE
1	I	Thu
2	II	Zal
3	III	Ci
4	IV (ou IIII)	Sha
5	V	Mach
6	VI	Huth
7	VII	Semph
8	VIII	Cezp
9	IX (ou VIIII)	Nurph
10	X	Shar
50	L	
100	C	
500	D	
1 000	M	

ÉVOLUTION DE L'ALPHABET

Vers 250 av. J.-C., la lettre C devient G, et un nouveau C est créé. Vers le premier siècle av. J.-C., une réforme ajoute le Y et le Z pour écrire des mots d'origine grecque. Dans les dictionnaires français, le J et le U seront ajoutés au XVIᵉ siècle et le W au XXᵉ siècle.

GREC OCCIDENTAL vers 750 av. J.-C.	ÉTRUSQUE vers 550 av. J.-C.	GREC CLASSIQUE vers 500 av. J.-C.	LATIN vers 500 av. J.-C.	LATIN vers 250 av. J.-C.	FRANÇAIS
A	A	A	A	A	A
B	B	B	B	B	B
Γ	Γ	Γ	C	C	C
Δ	Δ	Δ	D	D	D
E	E	E	E	E	E
F	F	F	F	F	F
Z	I	Z		G	G
H	⊟	H	H	H	H
Θ	⊗	Θ			
I	I	I	I	I	I
					J
K	K	K	K	K	K
Λ	L	L	L	L	L
M	M	M	M	M	M
N	N	N	N	N	N
Ξ	⊞	Ξ			
O	O	O	O	O	O
Π	Π	Π	P	P	P
M	M	M			
Q	Q	Q	Q	Q	Q
P	Ч	P	R	R	R
Σ	Ϛ	Σ	S	S	S
T	T	T	T	T	T
					U
Y	Y	Y	V	V	V
					W
Φ	Φ	Φ			
X	X	X	X	X	X
Ψ	Y	Ψ			
					Y
					Z

Parler latin

INSIGNE·RELIGIONIS·ATQVE·ARTIS·MONVMENTVM
VETVSTATE·FATISCENS
PIVS·SEPTIMVS·PONTIFEX·MAX
NOVIS·OPERIBVS·PRISCVM·EXEMPLAR·IMITANTIBVS
FVLCIRI·SERVARIQVE·IVSSIT
ANNO·SACRI·PRINCIPATVS·EIVS·XXIIII

Il est difficile d'estimer le nombre de Romains qui savaient lire ou écrire à l'époque antique, mais beaucoup de textes nous sont parvenus sous divers supports : livres, lettres, rapports administratifs, inscriptions monumentales, graffitis…

Capitales et minuscules

Sur les monuments, les Romains écrivent en lettres capitales faciles à lire. Sur les papyrus, les tablettes de cire et les murs (*graffiti*), ils écrivent en lettres cursives à partir du Ier siècle apr. J.-C. ; puis au IIIe siècle avec une écriture, appelée onciale, aux contours arrondis. Chaque individu ayant une écriture manuscrite différente, les textes ne sont souvent lisibles que par un spécialiste.

Les graffitis

Comme de nos jours, les murs sont un des supports sur lesquels les gens écrivent leurs sentiments et leurs opinions. De nombreux graffitis romains sont visibles sur les murs des cités antiques, et dans divers lieux : auberge, caserne, latrines, dans la rue, sur les colonnes des portiques…

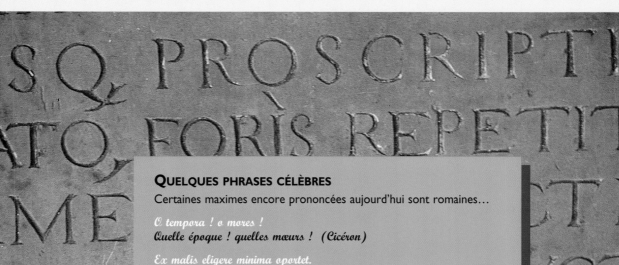

QUELQUES PHRASES CÉLÈBRES

Certaines maximes encore prononcées aujourd'hui sont romaines…

O tempora ! o mores !
Quelle époque ! quelles mœurs ! *(Cicéron)*

Ex malis eligere minima oportet.
De plusieurs maux il faut choisir le moindre. *(Cicéron)*

Audentes fortuna juvat.
La fortune favorise les audacieux. *(Virgile)*

Mens sana in corpore sano.
Une âme saine dans un corps sain. *(Juvénal)*

Lupus est homo homini.
L'homme est un loup pour l'homme. *(Plaute)*

Desinit in piscem.
Finit en queue de poisson. *(Horace)*
Horace compare une mauvaise œuvre d'art à un beau buste de femme qui se terminerait en queue de poisson. Se dit des choses dont la fin ne correspond pas au commencement.

Écrire le latin

Comme les Égyptiens et les Grecs, les Romains écrivaient aussi avec de l'encre sur des supports périssables en fibres végétales ou animales.

Pour écrire, cette jeune Pompéienne tient un stylet et des tablettes de cire.

Du bois au livre

Le mot « livre » vient de *liber*. C'est le nom des fibres végétales situées entre l'écorce et le bois des arbres. On les découpe en fines feuilles, puis on écrit à l'encre dessus. Ensuite, on peut les assembler. En latin, le tronc d'un arbre se dit *caudex* ou *codex*, et une feuille *folium*. Par analogie, on appela *folium* les parties du livre qui pivotent, d'où le mot français folio, la « feuille ».

Le papyrus

Le papyrus est fabriqué à partir des fibres de la tige de la plante égyptienne du même nom. Les fibres, aplanies et découpées en lamelles, sont collées ensemble verticalement puis horizontalement. La feuille de papyrus est ensuite séchée au soleil, puis polie avec un morceau d'ivoire ou une coquille. Plusieurs feuilles sont collées ensemble pour former un long rouleau. Généralement, on n'écrit à l'encre que d'un seul côté.

Écorce

Liber

Le parchemin

Le parchemin est une peau de mouton ou de chèvre imbibée de chaux, grattée, tendue, séchée, puis lissée avec une pierre ponce et enfin coupée en feuilles qui peuvent être cousues ensemble. Le vélin est réalisé à partir de la peau de veau mort-né. Plus fin, il est d'une qualité supérieure. Au IVe siècle apr. J.-C., le parchemin, moins cher, remplace le papyrus.

Rouleau et volume

Le rouleau de papyrus, qui d'après Pline comprend 20 feuilles, peut atteindre 30 mètres de long. Pour assurer sa rigidité, il est enroulé autour d'une tige de bois, ou d'ivoire, appelée *umbilicus*. Pour lire, il faut dérouler avec la main droite et tenir la partie à lire avec la main gauche. Les rouleaux d'un même ouvrage sont conservés dans une même boîte. Le nom de l'auteur et le titre sont indiqués à la fin du texte. Pour faciliter l'identification, on ajoute une étiquette.

Stylo et encre

Sur une feuille de papyrus, on écrit entre 20 et 45 lignes. À partir du IIe siècle, les Romains adoptent le modèle grec : ils écrivent en lettres capitales et sans séparer les mots. Le *calamus* est un roseau à la pointe fendue. Le « crayon à encre » est composé d'un bâton à l'extrémité duquel une pointe de fer, de bronze, ou de cuivre sert de plume. Le morceau de bois est poreux et peut retenir un peu d'encre.

Le poète Virgile tient un *volumen*. Il est assis entre la muse de la tragédie, à sa droite, et celle de l'histoire à sa gauche.

Les tablettes et les stylets

Le papyrus est cher et réservé aux documents particuliers. La tablette en bois est employée pour la plupart des documents officiels, et par les élèves. Deux ou trois tablettes sont réunies par une lanière. Leur surface est légèrement creuse et remplie d'une cire colorée. Pour écrire, on utilise l'extrémité pointue d'un stylet de bronze ou de fer ; l'autre extrémité, plate, sert à lisser la cire pour écrire de nouveau.

LE CODEX

Le *codex* désigne d'abord les tablettes de bois réunies, puis les feuilles rectangulaires de parchemin découpées et cousues ensemble sur un côté. Le *codex* a de nombreux avantages : il est moins encombrant et plus maniable, et on peut écrire sur les deux faces. Sa capacité équivaut au contenu de cinq *volumen*... Le *codex* apparaît au Ier siècle apr. J.-C., mais son usage ne se généralisera qu'au IVe siècle.

Santé et médecine

Durant les cinq premiers siècles, il n'y eut pas de médecins à Rome. C'est le chef de famille qui s'occupait de la santé des membres de la maison. Peu à peu, la médecine grecque arrive et s'impose.

Esculape, dieu de la médecine.

Des débuts difficiles

Au IIᵉ siècle av. J.-C., beaucoup de Romains acceptent mal la culture grecque, qu'ils jugent décadente. Caton, un grand magistrat, écrit à son fils : « Si les Grecs nous contaminent avec leur culture, nous sommes perdus. Sous prétexte de nous soigner, ils envoient déjà leurs médecins pour nous détruire. Je t'interdis d'avoir affaire à eux. » D'après lui, la maladie endurcit le caractère de l'homme qui réussit à survivre. Et la panacée, le remède qui guérit tout, c'est une plante très répandue : le chou. Son suc facilite la digestion, cicatrise les plaies, est un antivenin, guérit les maux de gorge, la jaunisse, la calvitie…

NATURE ET SUPERSTITION

Pour se soigner, les premiers Romains se servent de produits naturels : plantes, graisse animale, vinaigre, beurre… et de formules magiques. Le premier « vrai » médecin connu, installé à Rome, est le Grec Archagatos, en 219 av. J.-C.

Les maladies

Le manque d'hygiène est une des principales causes des maladies. À Rome, seules les riches habitations sont reliées aux égouts ; le reste des eaux usées s'écoule directement dans la rue. Les malades contagieux se baignent avec les autres dans les piscines des thermes, les pauvres s'entassent dans les zones inondables, parfois dans les nécropoles… Ces conditions favorisent les épidémies, redoutées chaque année car souvent très meurtrières, surtout avec les chaleurs de l'été. Les maladies venues d'Orient comme la variole, la peste, font des ravages à Rome : 30 000 morts en 65, 25 à 30 % de la population vers 166, jusqu'à 2 000 morts par jour en 189.

ALLONS, ALLONS, IL N'Y A PAS LIEU DE S'INQUIÉTER.

SI TU N'ES PAS MORT DEMAIN, TU SERAS VITE SUR PIED.

Les dieux de la santé

Le dieu grec Asclépios, Esculape pour les Romains, est le fils d'Apollon *médicus*. Il tient un bâton de pèlerin sur lequel s'enroule un serpent. Ce serpent est le symbole du savoir car, en se glissant dans les fissures de la Terre, il connaît tous les secrets, ceux des plantes médicinales et ceux de la mort. Ses deux filles sont Panacée, déesse des soins, et Hygie, la Santé. Chez les Romains, Hygie se nomme Salus ; elle tient souvent une assiette pour abreuver le serpent d'Esculape.

Salus, fille d'Esculape, déesse de la santé

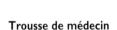

Trousse de médecin

UN SERMENT CÉLÈBRE

De nos jours encore, tous les médecins prononcent le serment d'Hippocrate, un médecin grec célèbre, qui commence ainsi : « Je jure par Apollon médecin, par Esculape, Hygie et Panacée, par tous les dieux et toutes les déesses, et je les prends à témoin que, dans la mesure de mes forces et de mes connaissances, je respecterai le serment… »

L'île des médecins

En 293 av. J.-C., lors d'une grave épidémie, les Romains allèrent à Épidaure, en Grèce, pour demander conseil au dieu Asclépios. Ils revinrent avec la statuette d'un serpent, symbole du dieu, et, dès leur débarquement sur l'île Tibérine, la maladie cessa. Un sanctuaire fut dédié au dieu à cet endroit. Les malades y pratiquaient l'incubation : ils y passaient la nuit dans l'espoir qu'Esculape leur apparaisse en rêve et leur donne la solution pour guérir. De nos jours encore, plusieurs hôpitaux sont installés sur l'île.

POUR EN SAVOIR PLUS

sur les **oculistes**, *voir p. 176-177*

Des professionnels

À Rome, la plupart des médecins et des chirurgiens sont grecs, encore esclaves ou affranchis. Ils ouvrent des cabinets, visitent les malades, fabriquent leurs médicaments à partir d'ingrédients achetés aux herboristes. Les charlatans sont nombreux car les honoraires sont élevés et exempts d'impôts ; mais en cas de faute professionnelle, ils peuvent être exécutés. Quelques femmes exercent : les *medicae* s'occupent des femmes enceintes et des accouchements.

Le médecin nommé Iapyx soigne Énée blessé par une flèche. Pour soulager son fils, Vénus a mis du dictame, une plante qui guérit les plaies, dans l'eau qu'utilise Iapyx.

La vie romaine

120
Les gladiateurs

118
Morituri te salutant

116
Du pain et des jeux

114
Courir... et gagner !

112
Arrête ton char...

110
Rire ou pleurer

108
Au théâtre

Pour se distraire, les Romains ont le choix : théâtre, thermes, courses de chars au cirque et surtout combats de gladiateurs dans l'amphithéâtre. Selon leur fortune, ils logent à la ville ou à la campagne, dans des habitations luxueuses ou modestes.

122
Piscine pour tous

126
Habiter un immeuble

128
Vivre en ville

130
Habiter une domus

132
La domus impériale

134
Habiter une villa

136
Une villa impériale

Au théâtre

PETIT VOCABULAIRE

Cavea : gradins.
Cuneus : portion de gradins entre deux escaliers.
Vomitorium : corridor d'entrée ou de sortie (sur les gradins).
Praecinctio : allée horizontale (entre deux étages de gradins).
Frons scaenae : mur de scène.
Pulpitum : mur de soutien (de la scène)
Proscenium : scène.

CONSEILS DE L'ARCHITECTE

« *Pour construire les bâtiments de spectacle, il faut choisir un emplacement le plus sain possible. Les spectateurs, avec leurs femmes et leurs enfants, restent longtemps immobilisés au même endroit. Les pores de leur peau sont dilatés par le plaisir du spectacle et reçoivent plus d'air. Il ne faut pas que les brises et souffles d'air proviennent de marécages et d'endroits malsains autour, cela les rendrait malades.* »

Vitruve

Les premiers jeux sur scène à Rome seraient d'origine étrusque. Ils ressemblaient à des farces jouées lors des fêtes populaires. Des pièces, tragédies et comédies, sont progressivement apparues sous l'influence culturelle des Grecs.

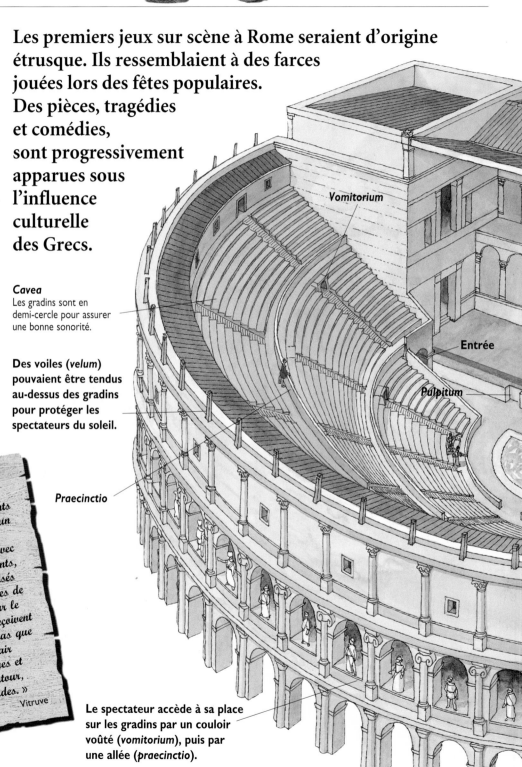

Cavea
Les gradins sont en demi-cercle pour assurer une bonne sonorité.

Des voiles (*velum*) pouvaient être tendus au-dessus des gradins pour protéger les spectateurs du soleil.

Praecinctio

Vomitorium

Entrée

Pulpitum

Le spectateur accède à sa place sur les gradins par un couloir voûté (*vomitorium*), puis par une allée (*praecinctio*).

Les trois coups

À l'origine, les spectacles de scène avaient lieu sur des tréteaux en plein air, puis, au IIe siècle av. J.-C., dans des théâtres en bois démontés à la fin du spectacle. Le premier théâtre en pierre fut bâti par Pompée en 55 av. J.-C. Les Grecs utilisaient la pente d'une colline pour y construire les gradins de leurs théâtres. Les Romains, grâce à leur maîtrise de la voûte, construisent les théâtres où ils le veulent, et toutes les grandes villes romaines en possèdent un.

LE TOP 10 DES THÉÂTRES

Italie : Rome, théâtre de Pompée (27 000 places), théâtre Marcellus (15 000 places).
Espagne : Mérida (5 500 places), Sagonte (10 000 places).
France : Arles (10 000 places).
Pour comparer : en France, le plus grand théâtre se trouve à Paris, place de la Bastille. Il compte 2 700 places.

LE SPECTACLE

La représentation a lieu en début d'après-midi, vers 15-16 heures. Le spectacle est gratuit. Comme dans les théâtres modernes, les meilleures places sont près de l'orchestre, devant la scène. Elles sont réservées aux sénateurs. Juste au-dessus se trouvent les places des personnalités importantes de la cité, puis celles des simples citoyens. Tout en haut s'installent femmes et esclaves.

RIDEAU !

Le rideau était baissé au début de la représentation (il disparaissait sous la scène), puis relevé à la fin du spectacle.

Dans les coulisses, avant un drame satyrique : deux acteurs en peau de chèvre, un joueur de double flûte et, assis à droite, le maître du chœur.

Rire ou pleurer

Plus que la tragédie, d'origine grecque, les Romains aiment les comédies et les farces. Ils apprécient aussi la pantomime et le mime.

LA PANTOMIME

La pantomime est un spectacle muet où un acteur masqué mime les gestes alors qu'un autre artiste chante le texte, accompagné par le son d'une flûte.

Comédies et tragédies

Dans les comédies, le comédien, masqué, parle, chante et danse sur un accompagnement de flûte. Chaque acteur est un homme, spécialisé dans un rôle, même féminin : esclave, courtisane, père, fils, marchand d'esclaves… À la fin de la République, la comédie disparaît pour laisser la place au mime. Plaute et Térence sont les auteurs de comédies les plus connus. Molière s'est inspiré de certaines de leurs pièces pour écrire *L'Avare* et *Les Fourberies de Scapin*. Les premières tragédies s'inspirent de pièces grecques. Le tragédien chante et récite de longs monologues traduisant la souffrance du héros.

Le mime

Le mime est un spectacle parlé, sans masque, joué à la fin des comédies ou des tragédies par des acteurs, hommes et femmes. Les thèmes s'inspirent de la vie quotidienne, et peuvent critiquer le pouvoir, être obscènes... Dans la pièce intitulée *Laureolus* de Catulle, le personnage principal est un bandit qui est attrapé et mis à mort. Sous le règne de Titus, un condamné à mort remplace l'acteur pour cette scène ; il est réellement crucifié et livré à un ours pour le plus grand plaisir des spectateurs.

Les acteurs

Les acteurs romains sont regroupés en troupes. Pendant longtemps, seuls les hommes pouvaient être acteurs, même pour les rôles féminins. Ce sont des esclaves ou des affranchis car il est interdit aux citoyens de jouer. Les acteurs sont méprisés et privés de tous droits civiques et politiques. Au début, leur profession est assimilée à la prostitution. Cela n'empêchera pas certains de devenir de vraies vedettes.

Les costumes

Les acteurs portent parfois des masques peints (*personae*) dont l'expression reflète le sentiment qu'éprouve le personnage à un moment donné. Le comédien est chaussé de pantoufles (*soccus*), et le tragédien de brodequins à semelle épaisse (cothurnes). Les acteurs portent des vêtements différents selon que la pièce s'inspire de l'histoire et des légendes grecques, ou d'un sujet romain. La couleur des vêtements et des perruques varie selon le type de personnage joué : vieillard, esclave, courtisane, jeune.

BUCCO ET MACCUS

Les atellanes sont de petites comédies venues selon la tradition de la ville d'Atella en Campanie. Ces spectacles, parfois improvisés, burlesques, assez grossiers, sont très prisés du public. On y trouve toujours les mêmes personnages masqués : *Pappus*, vieillard avare ; *Lamia*, croquemitaine femme ; *Manducus*, croquemitaine homme ; *Dossennus* le bossu ; *Bucco* le maigre bavard et *Maccus* le goinfre, véritables Laurel et Hardy.

La voix de l'acteur passe par la bouche du masque largement ouverte.

Arrête ton char...

Le cirque est l'édifice où ont lieu les courses de chevaux et de chars. D'origine très ancienne, ces jeux occupent à l'époque d'Auguste 17 jours sur les 77 jours de jeux publics de l'année.

Le cirque

Le cirque a la forme d'un rectangle allongé arrondi à l'une de ses extrémités. Au centre, une plate-forme appelée *spina* se termine par deux bornes (*metae*) autour desquelles les chars tournent. Les deux *metae* sont formées de trois cônes de bronze dorés groupés sur une haute base semi-circulaire. Sur la *spina*, à Rome, sept grands œufs de bois et sept dauphins de bronze indiquent au public le nombre de tours restants. Un œuf et un dauphin sont baissés à l'achèvement de chaque tour. L'obélisque qui se dresse au milieu de la *spina* a été rapporté d'Égypte par Auguste.

La parade de début des jeux entre par la *porta pompae*.

Meta prima

Linea alba
Le départ donné, les chars s'élancent des stalles. Ils doivent rester dans leur couloir jusqu'à cette ligne blanche.

LE CIRCUS MAXIMUS, À ROME

Les 12 stalles de départ (*carceres*) sont construites le long d'une légère courbe pour que la distance à parcourir jusqu'à la *linea alba* soit la même pour tous.

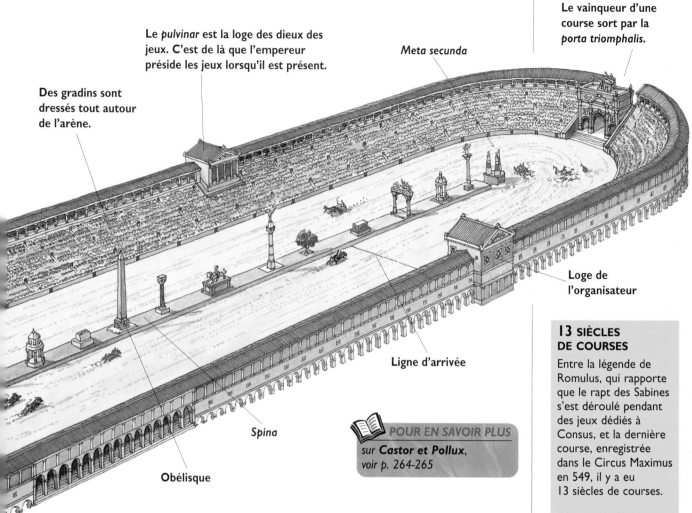

Le *pulvinar* est la loge des dieux des jeux. C'est de là que l'empereur préside les jeux lorsqu'il est présent.

Meta secunda

Le vainqueur d'une course sort par la *porta triomphalis*.

Des gradins sont dressés tout autour de l'arène.

Loge de l'organisateur

Ligne d'arrivée

Spina

Obélisque

Dauphins et œufs

Les œufs de la *spina* sont les symboles de Castor et Pollux, les jumeaux nés de l'œuf de Léda. Les dauphins, considérés par les Romains comme les créatures les plus rapides, sont là en l'honneur de Neptune, dieu de l'ordre équestre, des chevaux et des cavaliers.

Sur cette mosaïque, le vainqueur de la course est représenté en haut à gauche : il tient une palme dans sa main levée.

POUR EN SAVOIR PLUS
sur ***Castor et Pollux***, voir p. 264-265

13 SIÈCLES DE COURSES

Entre la légende de Romulus, qui rapporte que le rapt des Sabines s'est déroulé pendant des jeux dédiés à Consus, et la dernière course, enregistrée dans le Circus Maximus en 549, il y a eu 13 siècles de courses.

Courir... et gagner !

Du temps de Néron, il y avait 24 courses de chars quotidiennes.

Les courses de chars sont caractéristiques de la civilisation romaine. Au cirque, le peuple oubliait les soucis de la vie quotidienne.

Chars et chevaux

Les chars sont tirés par deux chevaux (*bige*), quatre (*quadrige*) ou six chevaux (*sejuges*). Les meilleurs chevaux de course viennent de haras d'Afrique du Nord et d'Espagne. Ils sont transportés à Rome sur des bateaux construits à cet effet (*hippago*). Les chevaux de course âgés, immangeables, finissent leurs jours au moulin. Des épitaphes témoignent du destin d'« Aigle » et de « Pégase », chevaux autrefois acclamés et couverts de lauriers dans le cirque, et qui ont misérablement fini leur vie à moudre du grain.

Les courses

Une course comprend sept tours, soit environ quatre kilomètres, en sens inverse des aiguilles d'une montre. D'ordinaire, quatre chars courent à la fois, un de chaque faction. Le « directeur de la course » donne le départ en laissant tomber un drapeau blanc (*mappa*) ; les portes s'ouvrent et la course commence. Les cochers restent dans leur couloir jusqu'à une ligne blanche, puis se placent au mieux à la corde. Les endroits les plus dangereux sont les virages : passer trop à la corde, c'est risquer de heurter une *meta* ; arriver trop vite, c'est risquer d'être déporté… Les cochers tentent de provoquer des accidents pour détruire les chars adverses.

> PLUS VITE, TORNADE ! NOUS ALLONS RATER LE DÉPART !

ORIGINE DU DRAPEAU BLANC

Un jour de son règne, Néron, installé dans la loge impériale pour donner le départ des jeux, prenait trop de temps à son déjeuner. Sous la pression de la foule impatiente, il jeta sa serviette pour signifier qu'il avait fini, et que les jeux pouvaient commencer. C'est, d'après Cassiodore, l'origine de la *mappa* comme signal du départ.

Conducteur de char

Le cocher (aurige) est souvent un esclave ou un affranchi. Les meilleurs sont des vedettes fabuleusement riches. Une simple victoire peut rapporter 60 000 sesterces, ce qui irrite l'avocat Juvénal qui se plaint qu'un cocher puisse gagner 100 fois ses honoraires. En 24 ans de carrière, Diocles, un cocher originaire de Lusitanie, a gagné 35 863 120 sesterces, et s'est retiré à l'âge de 42 ans après 1 462 victoires dans 4 257 courses.

LES PARTIS DU CIRQUE

De riches citoyens possédaient leurs cochers et leurs chevaux et constituaient des équipes que l'on reconnaissait par leur couleur : Rouge, Blanc, Bleu, et Vert. On pariait sur ces équipes, et les concurrents n'hésitaient pas à se jeter des sorts, tel celui-ci sur une tablette de malédiction en plomb déposée dans le sable de l'arène.

> « Je te conjure, démon, quel que soit ton nom, et je te supplie à compter de cette heure, de ce jour, de cet instant, de rendre malades et de tuer les chevaux Verts et Blancs, et de tuer les cochers Clarus, Felix, Primulus et Romanus, de les faire se percuter et de ne pas leur laisser la vie sauve. »

Du pain et des jeux

Lorsque les premiers jeux autres que les courses de chevaux apparurent à Rome, chasses, combats de gladiateurs, course à pied, lutte, ils furent d'abord célébrés au cirque, puis à l'amphithéâtre.

LE TOP 10 DES AMPHITHÉÂTRES

Espagne : Italica, 40 000 places.
Italie : Rome, le Colisée (187 m x 155 m, 57 m de hauteur à l'extérieur, 49 m à l'intérieur, 527 m de circonférence), 50 000 places.
Italie : Pouzzoles, 40 000 places.
Pour comparer :
France : Nîmes, 23 000 places.
France : Arles, 20 000 places.

LE SPECTACLE

Le spectacle comprend souvent trois parties : le matin, les chasses ; au milieu de la journée, des divertissements ; l'après-midi, les combats de gladiateurs. Parfois le spectacle, comme de nos jours, dégénère.

Un peu d'histoire

En 59 av. J.-C., Curion fit construire deux théâtres en bois adossés l'un à l'autre. Une fois les pièces terminées, une machinerie réunissait les deux parties, ce qui formait un cercle au centre duquel les jeux avaient lieu. Le premier « double théâtre » en bois fut construit par César en 46 av. J.-C., et le premier en pierre par Statilius Taurus en 29 av. J.-C. Les Romains, passionnés par les jeux, en construisirent dans toutes les grandes villes de l'Empire. Le plus célèbre est l'amphithéâtre Flavien, ou Colisée.

« Pour une raison futile se produisit un affreux massacre entre les habitants des colonies de Nucéria et de Pompéi ; cela se passa lors d'un spectacle de gladiateurs donné par Livinéius Régulus. En effet, après avoir échangé des plaisanteries de mauvais goût, on en vint aux injures, puis aux pierres, enfin aux armes. Nombreux furent les Nucériens rapportés chez eux le corps tout mutilé par les blessures mais plus nombreux encore ceux qui pleuraient la mort d'un fils ou d'un père. »

TACITE, à propos d'une émeute à POMPÉI EN 59.

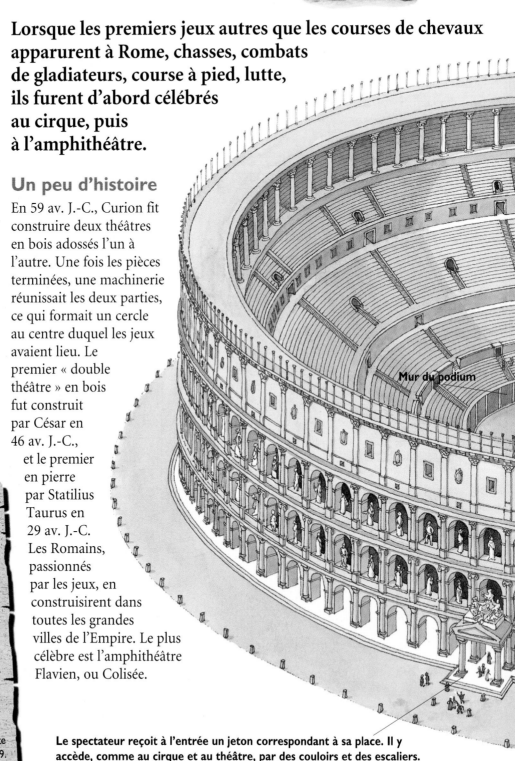

Mur du podium

Le spectateur reçoit à l'entrée un jeton correspondant à sa place. Il y accède, comme au cirque et au théâtre, par des couloirs et des escaliers.

LE COLISÉE, LE PLUS GRAND DES AMPHITHÉÂTRES, À ROME

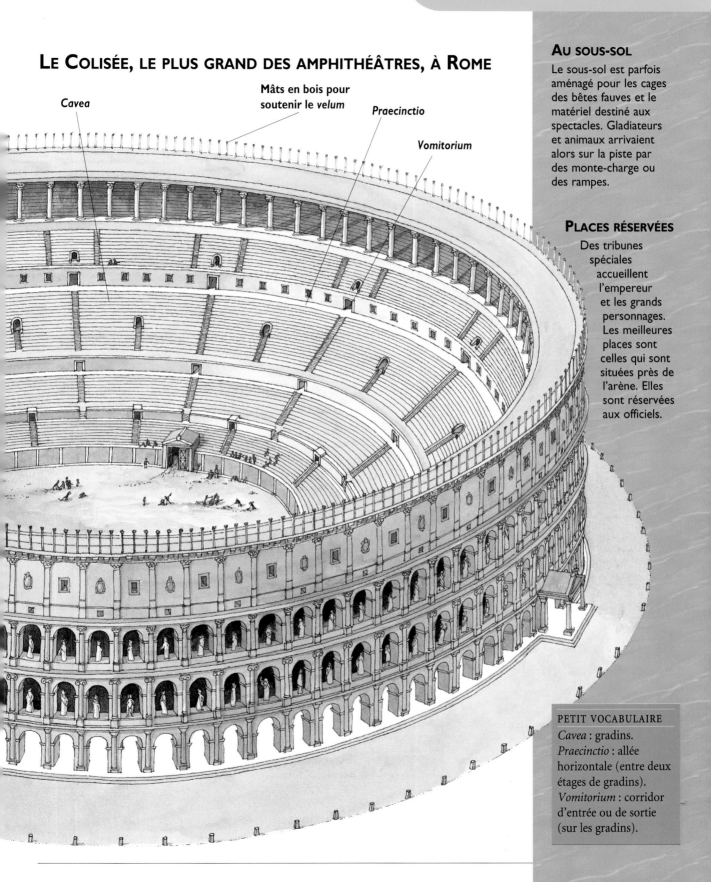

Cavea

Mâts en bois pour
soutenir le velum

Praecinctio

Vomitorium

AU SOUS-SOL

Le sous-sol est parfois aménagé pour les cages des bêtes fauves et le matériel destiné aux spectacles. Gladiateurs et animaux arrivaient alors sur la piste par des monte-charge ou des rampes.

PLACES RÉSERVÉES

Des tribunes spéciales accueillent l'empereur et les grands personnages. Les meilleures places sont celles qui sont situées près de l'arène. Elles sont réservées aux officiels.

PETIT VOCABULAIRE
Cavea : gradins.
Praecinctio : allée horizontale (entre deux étages de gradins).
Vomitorium : corridor d'entrée ou de sortie (sur les gradins).

Morituri te salutant

Des ours dressés exécutent des tours pour divertir les spectateurs.

L'amphithéâtre sert de cadre aux combats de gladiateurs, mais on y organise aussi des massacres d'animaux et des chasses. Parfois, on le transforme pour y présenter des jeux sur l'eau.

Les massacres

Pour accroître leur renommée, les organisateurs des chasses font combattre de plus en plus d'animaux, parfois jamais vus à Rome. Les chasses vont devenir de véritables tueries. Ainsi, le garde du corps de Néron a abattu au javelot 400 ours et 300 lions. Sous Titus, 9 000 animaux furent tués, en partie par des femmes. Trajan bat le record avec le massacre de 11 000 bêtes pour célébrer une seule victoire.

Commode fut certainement le plus cruel. Il tua lui-même 100 ours, six hippopotames, trois éléphants, des rhinocéros, un tigre et une girafe. Il tirait sur des autruches avec des flèches à la pointe en forme de croissant, inventées pour décapiter les oiseaux dont les corps sans tête continuaient à courir.

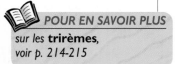

POUR EN SAVOIR PLUS
sur les **trirèmes**, *voir p. 214-215*

ÉLÉPHANTS CONTRE JAVELOTS

En 55 av. J.-C., Pompée fit combattre des hommes armés de javelots contre une vingtaine d'éléphants. Les spectateurs admirèrent le courage d'un éléphant blessé qui continua de se battre sur les genoux. Les pauvres bêtes levèrent leurs trompes vers le ciel et se mirent à barrir. Elles semblaient demander vengeance contre leurs gardiens d'Afrique qui les avaient vendues à Rome avec la promesse qu'aucun mal ne leur serait fait. La foule entière pleura et se leva en maudissant la cruauté de Pompée.

Les jeux sur l'eau

Les naumachies sont des reconstitutions de batailles navales. D'autres jeux aquatiques se déroulent dans les orchestres des théâtres, faciles à inonder, ou dans certains amphithéâtres disposant d'un bassin au milieu de l'arène. Celui-ci est recouvert d'un plancher quand il n'est pas utilisé. C'est dans une partie inondée du circus Flaminius qu'Auguste a opposé des gladiateurs contre des crocodiles.

Les naumachies sont organisées dans un cadre naturel, lac ou mer, ou dans des bassins artificiels.

Les chasses

La chasse est un spectacle où des bêtes féroces combattent entre elles ou contre des gladiateurs, les bestiaires ou belluaires. Un décor est parfois construit dans l'arène pour imiter un paysage. Les chasseurs sont des combattants entraînés. Ils sont armés d'un épieu à la pointe de fer, et protégés par des bandes de cuir fixées aux bras et aux jambes.

BATAILLE NAVALE

La plus fameuse des naumachies fut donnée par Claude sur le lac Fucin. La foule massée sur les collines assista au combat de 19 000 condamnés à mort répartis sur 12 trirèmes de Sicile contre 12 de Rhodes.

Pour la santé de l'empereur Vespasien César Auguste et de ses enfants, à l'occasion de la consécration de son autel, la troupe de gladiateurs de Gnaeus Allius Nigidius Maius, flamine de César Auguste, combattra à Pompéi. Le combat ne sera reporté sous aucun prétexte. Jour 4 avant nones de juillet (le 4 juillet). On donnera une chasse, on répandra des parfums et les voiles seront tendus.

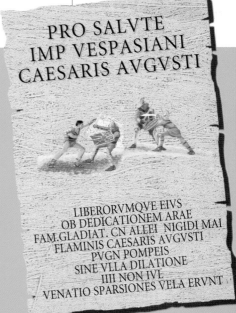

PRO SALVTE IMP VESPASIANI CAESARIS AVGVSTI

LIBERORVMQVE EIVS
OB DEDICATIONEM ARAE
FAM.GLADIAT. CN ALEEI NIGIDI MAI
FLAMINIS CAESARIS AVGVSTI
PVGN POMPEIS
SINE VLLA DILATIONE
IIII NON IVL
VENATIO SPARSIONES VELA ERVNT

Les gladiateurs

AVE CAESAR

Les gladiateurs font le tour de l'arène, s'arrêtent devant l'empereur pour le saluer : « *Ave Caesar, morituri te salutant.* » (Salut, Empereur, ceux qui vont mourir te saluent.)

MATCH NUL

Un gladiateur blessé mais encore valide, ou une paire de combattants de forces égales, peuvent demander l'arrêt du combat. C'est *stans missus*, « renvoyé debout », « match nul ».

DANS L'ARÈNE

Dans l'arène, un arbitre veille à l'observation des règles du combat. Il y a aussi des soigneurs et un groupe de musique composé d'un organiste, de deux joueurs de cor et d'un trompettiste.

LA FIN DES JEUX

En 404 apr. J.-C., l'empereur Honorius interdit définitivement les combats de gladiateurs.

L'origine des combats de gladiateurs remonte probablement aux jeux funèbres que les Étrusques pratiquaient devant la tombe de leurs morts. Les combats eurent lieu d'abord au forum, puis au cirque, puis à l'amphithéâtre.

Les combats

Il existe de nombreux types de gladiateurs. À l'origine, ils correspondent aux différentes nationalités des prisonniers de guerre qui entraient dans l'arène avec leur équipement. Les combats opposent toujours deux gladiateurs de type différent, et les avantages de l'un sont compensés par les particularités de l'autre.

LE RÉTIAIRE est armé d'un trident et d'un filet.

LE *SECUTOR* possède un grand bouclier, un glaive et un casque.

Les gladiateurs

L'essentiel des gladiateurs sont de vrais professionnels salariés et entraînés dans des centres (*ludus*), que l'on trouve dans la plupart des grandes villes romaines. Ils sont recrutés par un impresario (*lanista*) qui les loue pour les combats. Certains deviennent de véritables vedettes. Leurs surnoms sont *Ursius*, « Fort comme un ours », *Fulgur*, « la Foudre », *Faustus*, « le Veinard », *Felix*, « le Chanceux »… Jusqu'au IIIe siècle apr. J.-C., il a existé des « gladiatrices » (amazones) très appréciées du public.

LE MIRMILLON est protégé par un casque lourd, armé d'un bouclier allongé et d'un glaive.

LE THRACE possède un petit bouclier, un casque à visière, un sabre à double tranchant, brassard et jambières.

LE MIRMILLON

Son nom vient du nom du poisson de mer, le *mormulos*, qui décore son casque.

LE SECUTOR

Sa spécialité est de poursuivre le rétiaire. Son casque est lisse pour offrir peu de prise au filet de son adversaire.

LE RÉTIAIRE

Il est traditionnellement opposé à un *secutor*. Il est protégé par une épaulière, des chevillères et un brassard.

LE SAMNITE

Le plus ancien type de gladiateur, du nom du peuple vaincu par les Romains. Son arme est le glaive. Il fut remplacé sous l'Empire par l'hoplomaque.

L'HOPLOMAQUE

Il doit son nom au bouclier, l'hoplon, dont il se couvre. Il porte un casque à aigrette. Son épée est droite et longue. Il s'oppose au thrace.

La vie ou la mort

S'il est encore vivant, le vaincu lève le bras gauche pour demander la grâce. L'organisateur des jeux, même si c'est l'empereur, prend l'avis de la foule. Quand il s'est bien battu, les spectateurs pressent le pouce contre l'index et crient : *mitte* (renvoie-le). Si l'empereur acquiesce, le vaincu est renvoyé vivant de l'arène : *missus*. Si la foule crie *jugula* (égorge), l'empereur renverse son pouce, et le vaincu est égorgé.

CHAMPION

Flamma, *secutor*, a vécu 30 ans. Il a combattu 34 fois, il a remporté 21 fois la victoire. Il a été renvoyé debout 9 fois, gracié 4 fois.

FLAMMA SEC VIX AN XXX
PVGNAVIT XXXIIII
VICIT XXI
STANS VIIII
MIS IIII

Piscine pour tous

Les thermes possèdent aussi des latrines.

5 Il poursuit par une pièce chaude et humide (*caldarium*), pourvue de bassins et d'une vasque d'eau (*labrum*).

3 Il entre d'abord dans une pièce non chauffée (*frigidarium*) et prend un bain dans la grande piscine commune autour de laquelle les baigneurs s'assoient sur des gradins.

4 Il passe ensuite dans une pièce tiède (*tepidarium*) pour se détendre et s'habituer progressivement à la chaleur des thermes.

Déjà connus des Grecs, les établissements de bains ont été adoptés et enrichis par les Romains. Ils sont caractéristiques de la civilisation romaine. On en retrouve dans tout l'Empire.

Bains et thermes

Les petits établissements de bains sont appelés *balneae*,
« les bains ». Les grands complexes, richement décorés de
marbre, de statues et dotés d'un espace à l'air libre pour les exercices
physiques, sont appelés *thermae*, « les thermes ». À la fois sauna, piscine
et salle de sport, c'est l'endroit où l'on se retrouve entre amis pour discuter
et passer un moment de détente. À Rome, sous l'Empire, il existe
une dizaine de thermes et près d'un millier de bains.

C'EST GRAND,
MAIS ÇA MANQUE
DE PROFONDEUR.

❶ L'usager se déshabille dans
le vestiaire (*apodyterium*).

❷ Il va à la
palestre faire quelques
exercices sportifs, puis
commence son circuit des
bains.

Hommes et femmes

Au Iᵉʳ siècle apr. J.-C.,
les thermes accueillent
parfois hommes et femmes
en même temps. Ensuite,
l'empereur Hadrien interdit les
bains mixtes pour éviter la
prostitution. Les grands thermes
sont alors construits avec un double circuit :
l'un pour les hommes, et l'autre pour les femmes,
plus petit, où la palestre est parfois remplacée par un
simple jardin. Dans les thermes plus petits, la matinée
est réservée aux femmes, et l'après-midi aux hommes.

LE TOP 10 DES THERMES

Les premiers
thermes romains
connus sont à
Pompéi. Les plus
vastes de
l'Empire
sont à
Rome, ce
sont ceux
de
Dioclétien,
construits
entre 298
et 306. Ils
ont une
superficie de
140 000 m² et
pouvaient accueillir
3 000 baigneurs en
même temps ! Ceux de
l'empereur Caracalla
ont une superficie
de 120 000 m²
et accueillent
1 600 baigneurs.
Pour comparer :
France : Paris, pelouse
du Stade de France :
9 000 m².

DES BAINS PARFUMÉS

Au Iᵉʳ siècle apr. J.-C.,
Suétone et Pline
décrivent des bains qui
sont parfumés par ajout
de parfums dans l'eau,
chaude ou froide, ou en
enduisant les murs
d'onguents parfumés.

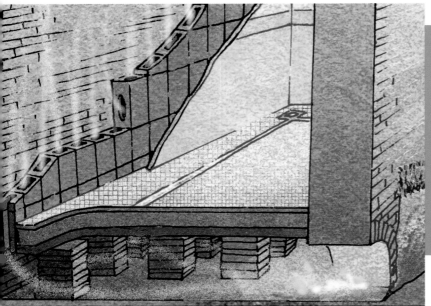

L'air chaud arrive depuis le foyer et circule autour des piles de briques qui soutiennent le plancher. C'est le système de l'hypocauste. Puis l'air monte à l'intérieur des briques creuses des cloisons. La pièce est ainsi chauffée par le sol et par les murs.

Chauffe, Marcellus !

Le succès des thermes au Ier siècle av. J.-C. est dû en partie à l'invention du chauffage par hypocauste. Les thermes sont chauffés au bois, le meilleur étant l'olivier. Après plusieurs heures de chauffe, lorsque les pièces sont à la bonne température, une cloche indique aux usagers que les thermes vont ouvrir. C'est le pisciculteur C. Sergius Orata qui aurait d'abord mis au point ce système de chauffage pour les cuves où il élevait des huîtres, et qui l'aurait adapté pour les thermes privés. Il est reconnu comme une sorte de « bienfaiteur de l'humanité » par les Romains.

Chers et gratuits

Les thermes publics sont offerts à la ville par un riche magistrat ou par l'empereur. Des thermes de taille moyenne coûtent entre 300 000 et 600 000 sesterces ; les thermes impériaux à Rome, plusieurs millions. La décoration des thermes, marbre et statues, revient aussi cher que la construction du bâtiment. L'entrée est très peu chère, un quart d'as à l'époque de Cicéron, et gratuite pour les enfants. Parfois, les citoyens riches offrent, par évergétisme, des journées, des mois, voire des années de bains gratuits à leurs concitoyens.

Un moment de détente

C'est vers 14 ou 15 heures, à la fin de sa journée de travail, que le Romain se rend aux thermes. Muni de ses affaires de bain, souvent portées par un esclave, il va à la palestre pour y faire quelques exercices physiques : boxe, lutte, lancer du poids, marche ou encore jeux de balle. Après le circuit des bains, il peut s'offrir quelques services spécialisés tels que massage, épilation, application d'huiles parfumées, tout en discutant avec ses amis et en mangeant un morceau acheté à la boutique. S'il le désire, il peut même aller à la bibliothèque.

Très bruyant !

« Je suis logé juste au-dessus d'un établissement de bains (…). Quand les champions du gymnase s'entraînent en remuant leurs haltères de plomb, quand ils peinent (…), je les entends geindre (…). Si je suis tombé sur quelque baigneur qui ne veut rien de plus qu'un simple massage, j'entends le bruit de la main claquant sur les épaules avec un son différent, selon qu'elle arrive à creux ou à plat (…). N'oublie pas la piscine et l'énorme bruit d'eau remuée à chaque plongeon (…). » Sénèque

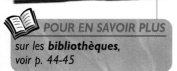

POUR EN SAVOIR PLUS
sur les **bibliothèques**, voir p. 44-45

Les thermes impériaux étaient vastes, luxueux et décorés de marbres colorés et de peintures.

Se nettoyer

Le Romain qui va aux bains apporte avec lui ses affaires de toilette. Il s'enduit le corps d'huile parfumée. Celle-ci est contenue dans une petite bouteille au col très étroit qui ne laisse passer le produit que goutte à goutte. À l'aide d'un strigile, outil recourbé en corne ou en métal, il se racle la peau et enlève la transpiration et la crasse. Les personnes à la peau sensible utilisent des éponges. Pour les plus pauvres, les affaires de toilette sont fournies par l'établissement.

Un strigile

Des vols

Malgré la présence d'un portier qui reçoit quelques pourboires, comme l'atteste une tirelire trouvée dans sa loge des thermes de Pompéi, et la vigilance de l'esclave gardien des vêtements, le vol est fréquent. Certains filous arrivent aux bains avec leurs vieux vêtements et… repartent avec les habits neufs d'un autre. Suite aux nombreuses plaintes et à la baisse de fréquentation des thermes, les autorités décidèrent que les voleurs seraient punis de la peine de mort.

ÉVERGÉTISME

Les citoyens romains les plus riches prennent en charge une partie des dépenses de la cité ou participent à son embellissement : construction de thermes publics, distribution d'huile et de blé à l'occasion des fêtes, organisation de jeux, de spectacles et de banquets gratuits… L'évergétisme est un devoir des plus riches envers la ville et les autres citoyens moins fortunés.

Habiter un immeuble

Dans les villes, les gens peu fortunés louent des logements à l'intérieur d'immeubles. Les plus riches occupent les meilleurs étages, près du rez-de-chaussée. Les plus pauvres logent sous les toits.

Les *insulae*

À Rome, sous Auguste, la population atteint environ 1 000 000 de personnes. Par manque de place, les immeubles atteignent plusieurs étages. Sur le Capitole, dans des immeubles de presque 20 mètres de haut et comptant jusqu'à 7 étages, près de 400 locataires cohabitent. Juvénal cite un immeuble de 200 marches, ce qui correspond à une hauteur de 30 mètres.

Inconfortables et dangereuses !

Les *insulae* sont inconfortables. Sans cheminée, la cuisine se fait sur un réchaud et le chauffage avec des braseros. Il n'y a pas de vitre aux fenêtres. L'eau des aqueducs n'a pas assez de pression pour atteindre les étages ; aussi les habitants vont-ils la chercher à la fontaine, dans la rue. Le pot de chambre remplace les toilettes. Il est vidé dans un grand récipient au rez-de-chaussée, dans la rue ou sur le fumier le plus proche.

À Rome, vers 350, il y avait 1 790 maisons privées et 46 602 *insulae*.

Les petites pièces sont de véritables fagots prêts à s'enflammer… ce qui est fréquent en raison des modes d'éclairage, de chauffage et le manque d'eau courante.

Ça s'écroule et ça brûle !

À Rome, chaque jour et chaque nuit, des immeubles s'effondrent. Cicéron écrit dans une lettre que deux de ses maisons se sont écroulées et que les autres sont tellement lézardées que « les locataires et même les rats ont déménagé ». Les témoignages de propriétaires qui refusent de réparer les murs crevassés sont multiples. Nombre de maisons romaines sont chancelantes et ne tiennent qu'avec des étais.

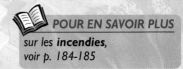

POUR EN SAVOIR PLUS
*sur les **incendies**, voir p. 184-185*

Vivre en ville

On connaît par des auteurs latins les ennuis de la vie quotidienne à Rome.

Les rues

La plupart des rues ne sont pas pavées mais boueuses, et si étroites qu'un seul chariot peut passer à la fois. Les ordures ne sont pas ramassées par un service municipal. Aussi chacun est-il responsable de la propreté de son devant de porte. L'éclairage public n'existe pas. La nuit, les plus riches sortent accompagnés d'esclaves porteurs de torches. Les nuits sont sombres et bruyantes.

Le bruit

Les habitants des *insulae* se plaignent d'une Rome bruyante. Sénèque décrit le barbier, les marchands de boissons, de saucisses, les confiseurs, les pâtissiers, les rôtisseurs, les cabaretiers… chacun poussant des cris différents pour attirer le client. La nuit n'est pas plus tranquille, car depuis César tous les véhicules doivent circuler la nuit pour laisser les rues aux piétons pendant la journée. Seuls les transports de matériaux et quelques litières sont autorisés le jour.

Grâce à une fente verticale pratiquée sur la partie avant du siège, le Romain peut se nettoyer avec une éponge fixée à un bâton.

Des latrines publiques...

Les Romains disposent de nombreuses toilettes publiques (*foricae* ou *latrinae publicae*). C'est une pièce, en général très décorée, où jusqu'à 40 personnes peuvent s'asseoir côte à côte sur des bancs percés de trous circulaires. Au-dessous, de l'eau coule dans une rigole et évacue les déjections dans les égouts. Le papier de toilette n'existe pas, les Romains utilisent une éponge et de l'eau propre qui coule dans une rigole devant les bancs.

... mais payantes

Les latrines publiques sont payantes. Dans les quartiers les moins riches, des récipients sont disponibles dans la rue... mais beaucoup profitent du moindre recoin, comme le seuil des maisons ou des boutiques, pour leurs besoins. Les propriétaires, excédés, ont laissé de nombreuses inscriptions comme celle-ci à Pompéi : « *Cacator cave malum !* » (Si on fait caca ici, gare aux ennuis !)

COLPORTEURS ET MENDIANTS

La rue, le forum, la basilique grouillent de monde. On peut imaginer cette foule d'après la description de Martial :

« (...) un colporteur vend à des badauds attroupés des pois chiches bouillis ; un charmeur de vipères ; un cuisinier enroué qui promène ses saucisses fumantes dans des casseroles chaudes ; un chanteur des rues sans grand talent ; un faux naufragé bavard au torse couvert de bandages ; un Oriental auquel sa mère a appris à mendier... »

ATTENTION CHUTES D'OBJETS !

Être piéton à Rome, c'est risqué ! Bien des objets tombent des fenêtres des *insulae*. Les occupants, qui ont la flemme de descendre leur pot de chambre, en jettent le contenu par la fenêtre... et parfois le pot avec ! Les accidents sont fréquents, et si le responsable est trouvé, il doit payer les frais de soins. Moins habituel est l'incident mentionné par Pline : un bœuf, échappé du marché, gravit trois étages d'un immeuble... et sauta dans le vide !

Habiter une *domus*

Le riche Romain et sa famille ne logent pas dans un immeuble mais dans une maison individuelle : la *domus*. Ces demeures, parfois très grandes, sont plus fréquentes dans les villes de province, comme Pompéi, qu'à Rome.

La maison romaine

Le visiteur frappe à la porte pour se faire ouvrir. Il pénètre dans le vestibule (*vestibulum*). Puis il entre dans une cour intérieure : l'*atrium*. Tout autour de l'*atrium*, il y a les chambres, des entrepôts et le bureau du maître (*tablinum*) où sont rangées les archives de famille.

L'*ATRIUM*

L'*atrium* a son origine dans la simple cabane de bois, où le jour pénètre par la porte et par une ouverture percée dans le toit. C'est là que les riches citoyens conservent les portraits en cire de leurs ancêtres. Plus tard, ces fragiles masques en cire pris sur le visage des défunts seront remplacés par des têtes en marbre. L'autel domestique des dieux lares (*lararium*) est aussi dans l'*atrium*.

CAVE CANEM

À l'entrée, il y a souvent des mosaïques avec des inscriptions comme « *salve* » (bonjour), ou des dessins de chien « *cave canem* » (attention au chien).

POUR EN SAVOIR PLUS

sur le **culte domestique**, voir p. 146-147
sur la **cuisine**, voir p. 80-81
sur la **salle à manger**, voir p. 82-83

Le toit de l'*atrium* est ouvert et l'eau de pluie est recueillie dans un bassin : l'*impluvium*.

Des escaliers de bois permettent d'accéder à de petites pièces à l'étage.

Les pièces de la *domus* en façade sur la rue peuvent être louées comme boutiques (*tabernae*) ou ateliers.

La porte est souvent de bois et parfois de bronze.

Beaucoup de fenêtres possèdent des volets et des rideaux, mais le verre de vitre est un matériau de luxe très rare.

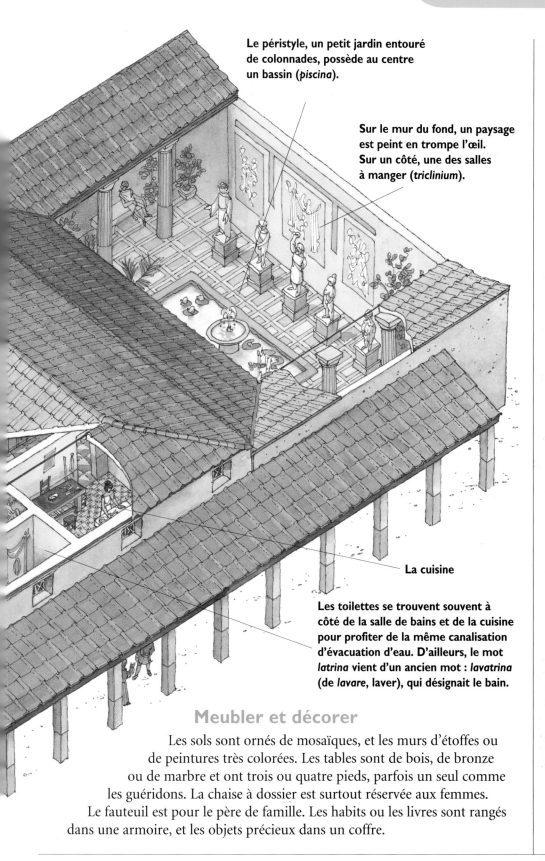

Le péristyle, un petit jardin entouré de colonnades, possède au centre un bassin (*piscina*).

Sur le mur du fond, un paysage est peint en trompe l'œil. Sur un côté, une des salles à manger (*triclinium*).

La cuisine

Les toilettes se trouvent souvent à côté de la salle de bains et de la cuisine pour profiter de la même canalisation d'évacuation d'eau. D'ailleurs, le mot *latrina* vient d'un ancien mot : *lavatrina* (de *lavare*, laver), qui désignait le bain.

Meubler et décorer

Les sols sont ornés de mosaïques, et les murs d'étoffes ou de peintures très colorées. Les tables sont de bois, de bronze ou de marbre et ont trois ou quatre pieds, parfois un seul comme les guéridons. La chaise à dossier est surtout réservée aux femmes. Le fauteuil est pour le père de famille. Les habits ou les livres sont rangés dans une armoire, et les objets précieux dans un coffre.

Y VOIR CLAIR

L'éclairage est fourni par des torches, des chandelles de suif ou de cire, des lampes à huile à un ou plusieurs becs et placées sur des candélabres.

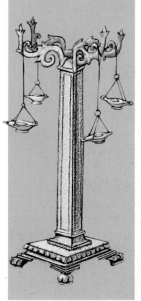

LA CHAMBRE À COUCHER

La chambre à coucher (*cubiculum*) est souvent petite et ne contient qu'un lit à une ou deux places, un coffre de rangement, une chaise et un pot de chambre. Le lit n'a pas de sommier ni de drap : le dormeur s'allonge entre deux couvertures posées sur le matelas, et pose la tête sur un traversin. Les murs peuvent être décorés de fresques.

La *domus* impériale

Sous la République, la colline du Palatin est un quartier résidentiel où habitent d'illustres personnages comme Cicéron, Antoine, Agrippa, Octave... Sous l'Empire, la colline s'enrichit des palais impériaux.

De la cabane aux palais

Les Romains conservaient pieusement sur le Germal, une des pentes du Palatin, une cabane de chaume qu'ils appelaient « Hutte de Romulus ». Ils l'entretenaient depuis des siècles, remplaçant régulièrement ses éléments usés. Cette cabane fut détruite dans un incendie en 12 av. J.-C. Comme pour confirmer la tradition, c'est là que les archéologues retrouvèrent des vestiges de cabanes, les plus anciens de Rome... C'est aussi dans cette zone qu'Auguste décida d'habiter dans une « modeste » *domus*. Il fut le premier...

Le Palatin impérial

À côté des maisons d'Auguste et de Livie, plusieurs constructions impériales s'installent au sommet de la colline, dont un véritable palais construit par Domitien. L'ensemble comprend un « parc » et un belvédère qui offre une vue imprenable sur le Grand Cirque. À partir de la fin du Ier siècle apr. J.-C., ces différentes constructions constituent le palais impérial.

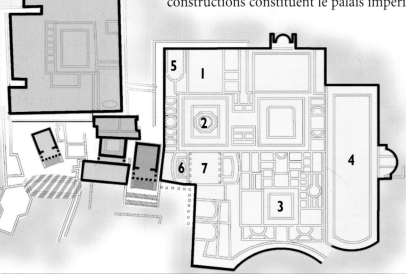

PALAIS DE DOMITIEN

1 *Aula Regia*

2 Cour à péristyle avec fontaine octogonale

3 Cour à péristyle et fontaine

4 Parc

5 Basilique

6 Nymphée

7 *Cenatio Jovis*

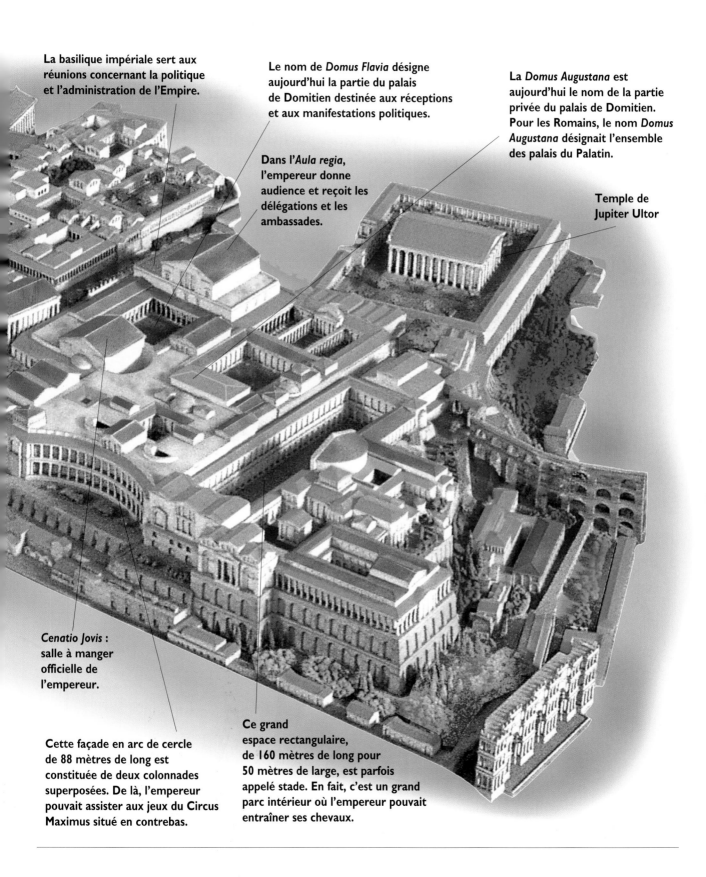

La basilique impériale sert aux réunions concernant la politique et l'administration de l'Empire.

Le nom de *Domus Flavia* désigne aujourd'hui la partie du palais de Domitien destinée aux réceptions et aux manifestations politiques.

La *Domus Augustana* est aujourd'hui le nom de la partie privée du palais de Domitien. Pour les Romains, le nom *Domus Augustana* désignait l'ensemble des palais du Palatin.

Dans l'*Aula regia*, l'empereur donne audience et reçoit les délégations et les ambassades.

Temple de Jupiter Ultor

Cenatio Jovis : salle à manger officielle de l'empereur.

Cette façade en arc de cercle de 88 mètres de long est constituée de deux colonnades superposées. De là, l'empereur pouvait assister aux jeux du **Circus Maximus** situé en contrebas.

Ce grand espace rectangulaire, de 160 mètres de long pour 50 mètres de large, est parfois appelé stade. En fait, c'est un grand parc intérieur où l'empereur pouvait entraîner ses chevaux.

Habiter une *villa*

La *villa* est une grande demeure à la campagne. C'est généralement une ferme (*villa rustica*) destinée à l'exploitation agricole, parfois une résidence de loisirs (*villa urbana*) assez semblable à une *domus*.

Côté cour, côté jardin

La *villa* comprend deux parties plus ou moins développées. La partie agricole, *pars rustica*, est à l'entrée de la *villa*. Ce sont les logements des esclaves et les annexes où ils travaillent : ateliers, granges, étables, entrepôts…
Ces bâtiments s'organisent autour d'une vaste cour et sont séparés de la *pars urbana* par une clôture. La *pars urbana* de la *villa* est la partie résidentielle, réservée au propriétaire et à l'accueil des visiteurs.

Pars urbana

Clôture séparant la *pars urbana* et la *pars rustica*.

Granges

Étable

Entrepôts

Pars rustica

Les vergers fournissent pommes, poires, prunes, noisettes…

De grands domaines

Sous la République, les guerres de conquête et les crises économiques ont ruiné de nombreux petits propriétaires. Leurs terres furent rachetées par les plus riches. À partir du IIe siècle av. J.-C., les grands domaines ainsi constitués possèdent des centaines d'esclaves, et produisent l'huile et le vin de l'Italie. Les exploitations sont souvent implantées sur de bonnes terres, en vallée, parfois près d'une rivière.

Les cultures

Outre la vigne et les oliviers, les Romains cultivent surtout du blé mais aussi de l'orge, de l'avoine, du seigle et du millet. Les céréales récoltées sont conservées à l'abri de la lumière et des rongeurs, dans des greniers surélevés ou des silos hermétiques creusés dans le sol. En plus des céréales, ils cultivent fèves, pois, lentilles, raves, carottes, melons, céleris, poireaux, choux…

L'élevage

Dans une ferme romaine, on peut voir beaucoup d'animaux : bœufs, porcs, moutons, chèvres, chevaux, ânes, mules, coq et poules, oies, canards, pigeons… Certains sont élevés pour leurs produits comme le lait, les œufs, la viande, la graisse, la laine ; d'autres servent à tirer les chariots ou l'araire. Le cheval est surtout utilisé comme monture ou pour la traction des charrettes mais pas pour labourer. Des objets sont fabriqués à partir de leurs os, du cuir et des peaux.

Ateliers

Porcherie

POUR EN SAVOIR PLUS

*sur les **esclaves**, voir p. 60 à 63*

LES TRAVAUX

En plus des travaux agricoles qui varient au rythme des saisons, les nombreux esclaves de la *villa* entretiennent les bâtiments, les outils et exercent diverses activités artisanales pour les besoins courants : textile, vannerie, poterie, métal… Ils s'occupent aussi du bétail, de la basse-cour, des jardins…

La moisson avec le *vallus*.

Le labour se fait avec un araire.

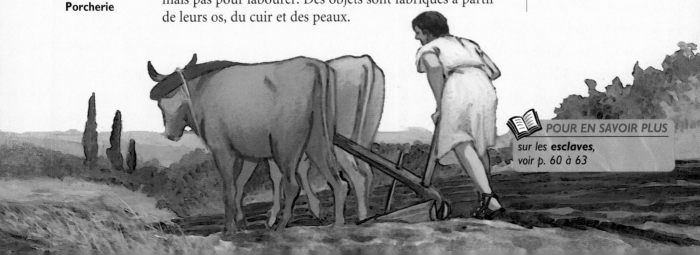

Une *villa* impériale

LE THÉÂTRE MARITIME

Un canal circulaire, bordé par un portique, entoure une petite île sur laquelle se trouve une *villa* miniature avec *tablinum*, *triclinium* et thermes. Les deux petits ponts qui permettent d'y accéder peuvent être retirés du côté de l'île. L'empereur s'y retire pour se reposer et peut-être pratiquer la peinture. Ce bâtiment s'inspire sans doute d'un édifice semblable connu dans un palais de Syracuse.

Quelques empereurs habitèrent en dehors de Rome. Par exemple, Tibère vécut à Capri et Domitien à Albe. Quant à Hadrien, il fit construire une somptueuse *villa* non loin de Rome, près de Tibur.

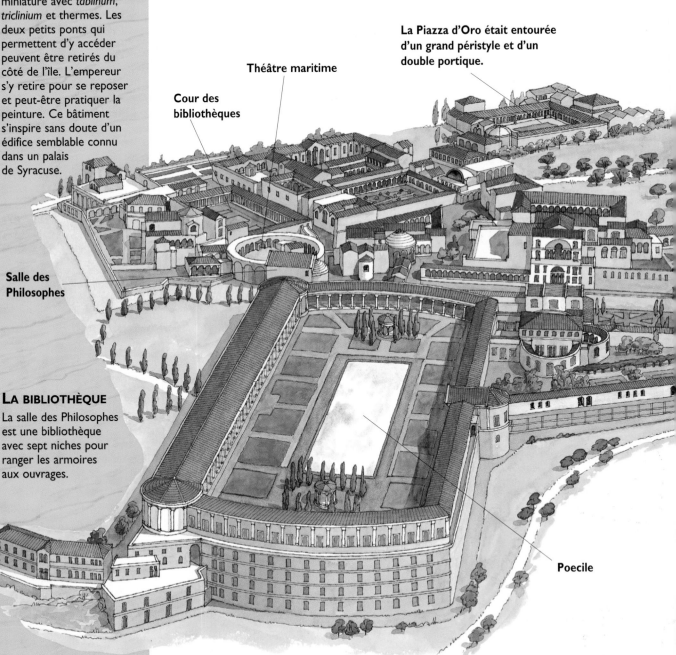

La Piazza d'Oro était entourée d'un grand péristyle et d'un double portique.

Théâtre maritime

Cour des bibliothèques

Salle des Philosophes

LA BIBLIOTHÈQUE

La salle des Philosophes est une bibliothèque avec sept niches pour ranger les armoires aux ouvrages.

Poecile

La villa Hadriana

La *villa* de l'empereur Hadrien, construite entre 118 et 134 apr. J.-C., est la plus somptueuse des résidences impériales. Située à 30 km de Rome, cette très grande *villa* de 120 hectares (la superficie d'une ville) présente des monuments qui s'inspirent parfois de constructions vues par l'empereur au cours de ses voyages. Hadrien habita peu sa *villa*. Il y mourut en 138.

HADRIEN

L'empereur Hadrien fit trois grands voyages pour visiter chaque province de son immense empire. Passionné d'art, d'arithmétique et d'architecture, il s'est certainement très impliqué dans les plans de sa *villa*. Avant qu'Hadrien ne devienne empereur, Apollodore de Damas, le grand architecte de Trajan, lui aurait dit un jour : « Va dessiner tes citrouilles, tu ne comprends rien à l'architecture ! » Une fois devenu empereur, Hadrien dessina le temple de Vénus et de Rome, et comme Apollodore le critiquait, il le fit exiler et tuer. Hadrien ne plaisantait pas...

VALLÉE DE TEMPÉ

Vallée de Thessalie (Grèce) près du mont Olympe, célèbre pour sa beauté et où chassait Diane. Le cours d'eau de la *villa* reproduit aussi le fleuve Pénée qui y coule.

La *villa* était équipée de grands et petits thermes.

Canope

LES SOUTERRAINS

L'entretien de la *villa* est assuré par une équipe d'esclaves qui se déplacent à pied ou en char. Ils circulent sur de nombreux chemins de service qui sont souterrains pour ne pas défigurer la présentation des monuments en surface.

LE POECILE

C'est le nom d'un portique peint d'Athènes. Le portique de la *villa* Hadriana mesure environ 214 mètres, et la promenade (*ambulatio*) consistait à en faire 7 fois le tour. Une grande place rectangulaire (232 x 97 mètres) bordée de portiques fut ajoutée sur le côté sud, avec un bassin au centre.

LE CANOPE

En référence à Canope, actuelle Aboukir en Égypte, et au canal qui conduisait au temple de Sérapis, Hadrien fit construire ce bassin de 119 mètres de long et 18 de large. Entre les colonnes, il plaça des statues, dont quatre copies de cariatides de l'Acropole d'Athènes, des statues du Nil et du Tibre, des divinités telles que Arès, Athéna, Hermès, des statues d'Amazones, copies de célèbres sculptures grecques...

📖 **POUR EN SAVOIR PLUS**
sur **Hadrien**, voir p. 188-189

Les dieux et le temps

150
Les prêtres

148
Sacrifices et malédictions

146
Le culte domestique

142
Par Jupiter !

140
Nom d'un dieu !

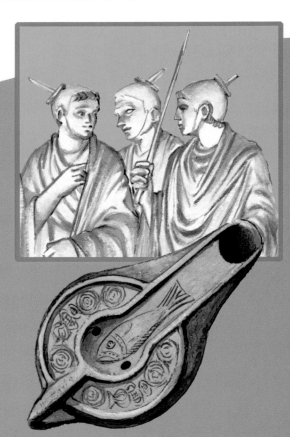

La religion tient une place importante dans la vie d'un Romain. De nombreux dieux viennent d'autres pays et chacun a ses prêtres. Les rites sont scrupuleusement suivis, soit en public dans les temples, soit en privé au foyer familial.

152

Cultes d'ailleurs

154

Le christianisme

156

Sacré temps

160

On fait la fête

Nom d'un dieu !

Dieu de la lumière et des commencements, Janus est représenté avec deux visages.

Pour les anciens Romains, la nature est remplie de puissances invisibles qui dirigent tout : l'homme, les éléments... Pour toute chose, il existe un *numen*. L'univers romain est donc peuplé d'innombrables divinités.

À chaque chose un *numen*

Pour que les gestes de sa vie quotidienne lui soient favorables, le Romain invoque le *numen* correspondant. Par exemple, les parents font appel à Rumina pour l'allaitement du bébé, à Statanus pour ses premiers pas, à Educa pour lui apprendre à manger, à Potina pour lui apprendre à boire, à Fabulinus pour ses premiers mots...

FLORA
Cette puissance dirige tout ce qui fleurit, les arbres et les fleurs. Elle est célébrée lors de la fête des *Ludi Florales*. Le mot « flore » (la végétation) vient de Flora.

JANUS
Avant la fondation de Rome, le roi Janus avait bâti sa demeure sur la colline qui porte son nom, le Janicule. Il serait l'inventeur de l'usage des bateaux et de la monnaie. À sa mort, il fut divinisé. Il aurait sauvé Rome contre les guerriers sabins que Tarpéia avait introduits dans la citadelle. Depuis, les portes de son temple restent ouvertes en temps de guerre pour qu'il puisse porter secours aux Romains.

FORTUNA
Cette puissance symbolise le hasard. Elle est souvent représentée avec un gouvernail car elle « dirige » la vie des hommes. Son culte remonte au roi étrusque Servius Tullius.

FAUNUS
Cette puissance protège les troupeaux et les bergers. Faunus est honoré lors des *Lupercalia*. Le mot « faune » (les animaux) vient de Faunus.

POUR EN SAVOIR PLUS

sur **Tarpéia et le rapt des Sabines**, voir p. 12-13 et p. 264-265
sur **Servius Tullius**, voir p. 14-15

Des divinités plus importantes

Au début de leur histoire, les Romains sont surtout des bergers et des agriculteurs. Les puissances qui contrôlent les éléments essentiels de leur vie quotidienne deviennent peu à peu plus importantes : Jupiter pour le ciel et les phénomènes atmosphériques, Saturne pour les semailles… Anciennement, ces divinités n'ont pas de forme humaine. C'est au contact des autres cultures que les Romains vont les représenter et imaginer des histoires pour décrire leurs vies. Ce sont les légendes et les mythes.

> JE L'APPELLE "ANGELUS"?

> CE N'EST PAS UN PEU MODERNE ?

CONSUS

Cette vieille divinité romaine protège les grains semés ou entreposés pendant l'hiver. Son autel, placé au milieu du Circus Maximus, était souterrain. On le déterrait à l'occasion des *Ludi Consuales* et des courses de chevaux.

QUIRINUS

Il fait partie du plus ancien groupe de trois dieux de Rome, avec Jupiter et Mars. Dieu guerrier d'origine sabine, surtout protecteur des agriculteurs, il est installé sur le Quirinal.
Le fantôme de Romulus apparut au noble Proculus et demanda d'être honoré sous le nom de Quirinus. Il est fêté lors des *Quirinalia* le 17 février.

SATURNE

Chassé de Grèce par Zeus, il fut accueilli par Janus qui l'installa sur le Capitole. Il apprit aux hommes la culture de la terre. Son attribut est la faucille. Il est honoré lors des Saturnales, le 27 décembre. Lors de ces fêtes, ancêtres de notre carnaval, certaines règles de la vie courante sont inversées.
Par exemple, à table, les maîtres servent les esclaves.

TERMINUS

C'est une vieille divinité sabine installée sur le Capitole avant Jupiter. Il est le protecteur des bornes et des limites de terrain. Lorsque Jupiter vint s'installer, il refusa de quitter les lieux, et on dut inclure son sanctuaire dans le temple de Jupiter qui fut aménagé avec une ouverture vers le ciel. Il est fêté le 23 février lors des *Terminalia*.

POUR EN SAVOIR PLUS
sur les **Ludi Consuales**, voir p. 160-161
sur les **courses de chevaux**, voir p. 114-115

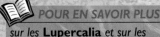

POUR EN SAVOIR PLUS
sur les **Lupercalia** et sur les **Ludi Florales**, voir p. 160-161

Par Jupiter !

À partir du VIe siècle av. J.-C., les dieux romains se confondent avec ceux qui possèdent des pouvoirs équivalents dans les cultures voisines. Douze dieux deviennent plus importants.

DES SURNOMS

Les dieux reçoivent des surnoms qui correspondent à certains de leurs pouvoirs ou en souvenir d'un acte bénéfique pour Rome : Junon reçoit le surnom d'« avertisseuse » (Moneta) après que ses oies sacrées ont alerté et sauvé les Romains d'une attaque gauloise.

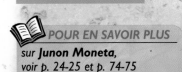

POUR EN SAVOIR PLUS
sur *Junon Moneta*,
voir p. 24-25 et p. 74-75

JUPITER

Dieu du ciel, de la foudre, du temps qu'il fait, **Jupiter** est le dieu suprême. On le dit Jupiter Très-Bon Très-Grand (Jupiter Optimus Maximus).
Il est honoré sur le Capitole avec Junon et Minerve.
Surnoms : Jupiter Stator (« celui qui arrête », car il avait stoppé une armée ennemie à la demande d'un chef romain), Jupiter Custos (« celui qui protège »), Jupiter Elicius (« celui qui attire la foudre »).
Fêtes : *Ludi Romani* (ou *Ludi Magni*) en septembre.

JUPITER
ATTRIBUTS
Aigle
Foudre
Sceptre

JUNON
ATTRIBUTS
Paon
Grenade

JUNON

Épouse de Jupiter, **Junon** devient la protectrice des femmes et du mariage. Elle a un culte sur le Capitole avec Jupiter et Minerve. Elle est aussi honorée sous le nom de Junon Moneta (« celle qui avertit »), Junon Lucina (« celle qui préside aux accouchements »), Junon Sospita (« celle qui protège »).
Fête : lors des *Matronalia* le 1er mars.

	En latin
Jupiter :	**Jupiter**
Junon :	**Juno**
Minerve :	**Minerva**
Diane :	**Diana**
Apollon :	**Apollo**

	En grec
Jupiter :	**Zeus**
Junon :	**Héra**
Minerve :	**Athéna**
Diane :	**Artémis**
Apollon :	**Apollon**

	En étrusque
Jupiter :	**Tinia**
Junon :	**Uni**
Minerve :	**Nenrva**
Diane :	**Aritimi**
Apollon :	**Aplu**

MINERVE

ATTRIBUTS

Chouette
Olivier

DIANE

ATTRIBUTS

Croissant
Arc
Biche

APOLLON

ATTRIBUTS

Arc
Lyre
Laurier
Palmier

MINERVE

Déesse de l'intelligence et des techniques.
Minerve est honorée sur le Capitole avec Jupiter et Junon. La tradition raconte que le roi Numa l'a fait venir d'Étrurie. Puis elle est progressivement assimilée à la déesse grecque Athéna qui possède les mêmes pouvoirs.
Fête : lors des *Quinquatrus* le 19 mars.

DIANE

Déesse de la Lune, de la chasse et de la chasteté.
Diane s'est assimilée très tôt à la déesse Artémis honorée dans les colonies grecques du sud de l'Italie. Dans le vieux sanctuaire d'Aricie, près de Rome, son surnom est Diane des Bois. Son prêtre pouvait être tué à tout moment par celui qui désirait prendre sa place... Diana Lucifera (« celle qui porte la lumière ») est représentée avec une torche à la main.

APOLLON

Dieu de la poésie, de la musique et de la lumière.
Apollon conduit le char du Soleil. Auguste en fit son dieu protecteur personnel après sa victoire navale contre Antoine à Actium.
Fête : *Ludi Apollinares*, du 6 au 13 juillet.

L'EMPEREUR DIVINISÉ

Après son assassinat, Jules César fut divinisé, c'est-à-dire qu'il est devenu un demi-dieu. Auguste, à sa mort, est divinisé lui aussi, et après lui presque tous les empereurs et certaines de leurs épouses. Un temple était construit pour leur culte et ils avaient un prêtre. Peu à peu, les empereurs deviennent des dieux alors qu'ils sont encore en vie.

En latin	
Mercure :	**Mercurius**
Vénus :	**Venus**
Neptune :	**Neptunus**
Vesta :	**Vesta**
Vulcain :	**Vulcanus**
Mars :	**Mars**
Cérès :	**Ceres**

En grec	
Mercure :	**Hermès**
Vénus :	**Aphrodite**
Neptune :	**Poséidon**
Vesta :	**Hestia**
Vulcain :	**Héphaïstos**
Mars :	**Arès**
Cérès :	**Déméter**

En étrusque	
Mercure :	**Turms**
Vénus :	**Turan-Aphru**
Neptune :	**Nethuns**
Vulcain :	**Sethlans**

MARS

Dieu de la végétation, puis de la guerre.
Mars est le père de Romulus et Rémus. Le premier mois de l'année romaine s'appelait d'abord Primus, puis il prit le nom de Mars. Ce mois-là, débutent les activités agricoles et guerrières. Comme dieu guerrier, il est honoré sous le nom de Mars Ultor (« Mars Vengeur ») et Mars Propugnator (« Mars Défenseur »). **Fête :** *Equirria*, le 15 mars.

MARS
ATTRIBUTS
Lance
Casque

VÉNUS
ATTRIBUTS
Colombe

VÉNUS

Vénus est la déesse de la végétation et des jardins, puis de l'amour et de la beauté.

NEPTUNE
ATTRIBUTS
Trident
Cheval

NEPTUNE

Divinité romaine très ancienne de l'humidité et de l'eau douce. Assimilé à Poséidon, **Neptune** devint aussi le dieu de la mer. Son sanctuaire est près du Circus Maximus car il est aussi le dieu des exercices équestres. **Fête :** *Neptunalia*, le 23 juillet.

CÉRÈS
ATTRIBUTS
Gerbe
Faucille

VULCAIN
ATTRIBUTS
Enclume
Marteau

MERCURE
ATTRIBUTS
Caducée
Bourse
Sandales ailées

VESTA
ATTRIBUTS
Feu du foyer

CÉRÈS

Cérès est la déesse des fruits de la terre et de la fécondité. Suite à une famine lors du siège de Rome par le roi étrusque Porsenna, il fut décidé de faire venir de Grèce Déméter, déesse de la terre cultivée et du blé. Depuis cette époque, les deux déesses ne font qu'une. Le mot « céréale » vient de Cérès.
Fête : *Ludi Ceriales*, du 12 au 19 avril.

VULCAIN

Dieu du feu et de la fécondité, **Vulcain** peut déclencher ou éteindre les incendies.
Selon la tradition, c'est le roi des Sabins, Titus Tatius, qui aurait apporté son culte à Rome. On raconte que Romulus a construit son autel au centre du Forum romain. Il sera assimilé au dieu grec Héphaïstos.
Fête : *Volcanalia*, le 23 août.

MERCURE

Mercure est le protecteur des commerçants, des voyageurs et des carrefours. Son premier temple fut élevé près du port de Rome. Assimilé au dieu grec Hermès, il tiendra aussi le rôle de messager de Jupiter.

VESTA

Vesta est la déesse du foyer domestique. Très ancienne divinité, ses prêtresses sont les vestales et son temple est sur le Forum. Il contient le Palladium, une petite statuette divine représentant Minerve (Pallas Athéna). Énée l'a rapportée de Troie, et elle protège la ville qui la détient.
Fête : *Vestalia*, le 9 juin.

Le culte domestique

À côté des grands temples et des cultes publics, les Romains honorent aussi des dieux, en privé, pour s'assurer de leur protection sur la maison et ses habitants : famille et esclaves.

Le temple familial

Pour pratiquer le culte domestique, le Romain dispose d'un petit temple miniature, le laraire, qui est placé dans l'*atrium* de sa maison. Sur l'autel, brûle en permanence un feu. Devant lui sont placées de petites statuettes du Lare familial, des Pénates et du génie du chef de famille. C'est lui, le chef de famille (*pater familias*), qui dépose des offrandes composées de fleurs, encens, parfums, vin, miel et gâteaux, à certaines dates : calendes, nones, ides, anniversaire du maître, ainsi que pour les naissances, mariages et décès.

Sur ce laraire, le chef de famille est entouré de deux Lares qui brandissent une coupe en forme de corne. Le serpent représente son génie.

Les Lares

Les Lares veillent sur la maison, le quartier, le territoire. En plus du Lare familial, il en existe d'autres. Les *Lares compitales* veillent sur les carrefours et les routes ; leurs chapelles sont situées aux croisements des routes. Les *Lares praestites* assurent la paix à l'intérieur de la cité. Les *Lares hostili* protègent la ville des agresseurs...

Les mânes

Les mânes sont les âmes des morts. Ils sont normalement bienveillants, sauf ceux des morts assassinés, et ceux qui ne sont pas honorés. Ceux-ci peuvent alors devenir malfaisants et dangereux. Pour les apaiser, il faut punir le criminel et ne pas oublier de leur offrir des fleurs et des aliments au jour anniversaire des êtres qu'ils représentent. Certaines tombes ont des ouvertures ou des tubes spécialement prévus à cet effet.

Un dieu Lare tenant une coupe et une corne d'abondance

LES MORTS REVIENNENT

« Jadis (...) on omit de célébrer les jours des morts. Cette négligence ne resta pas impunie : à la suite de cette funeste omission, (...) on conte, mais j'ai peine à le croire, que nos ancêtres sortirent de leurs tombeaux et gémirent dans le silence de la nuit ; dans les rues de la Ville, dans les vastes campagnes hurlaient, dit-on, des âmes inconsistantes, un peuple de fantômes. On rendit alors aux tombes les honneurs dont on les avait frustrées, et ce fut la fin des prodiges et des funérailles. »
Extrait d'Ovide, *Fastes* II.

POUR LES MÂNES

« *Les mânes ne demandent que peu de choses (...) du blé répandu avec quelques grains de sel, (...) et quelques violettes éparses : il n'en faut pas davantage ; on déposera ces offrandes sur un tesson qu'on laissera au milieu du chemin.* »
Extrait d'Ovide, *Fastes* II.

Les génies

Chaque homme a son génie qui le protège de sa naissance à sa mort. Pour chaque femme, c'est une Junon qui tient le même rôle. Le génie, souvent représenté sous la forme d'un serpent, est honoré le jour de l'anniversaire. Le génie de l'empereur reçoit un culte particulier : il est supérieur aux autres génies, comme l'empereur l'est aux hommes.

LES LÉMURES

Les lémures sont des morts malfaisants. Il faut faire des exorcismes pour éviter qu'ils n'emportent des vivants de la maison. Cela se passe durant les fêtes des *Lemuria*, les nuits des 9, 11 et 13 mai. Le *pater familias* se lève la nuit et parcourt la maison pieds nus en tournant sur lui-même. Il fait le signe *mano fico*, jette des fèves par-dessus son épaule, et frappe sur un vase de bronze tout en prononçant une formule magique.

Sacrifices et malédictions

L'ÉVOCATION

L'évocation est la promesse faite à une divinité du camp ennemi de l'accueillir à Rome, en échange de sa protection durant la guerre.

LE VŒU

Le vœu est une promesse envers une divinité en échange d'une action immédiate. Si la divinité exauce le vœu, le Romain doit respecter sa promesse. C'est souvent la construction d'un autel, ou d'un temple dédié à la divinité.

Pour obtenir la protection des dieux, le prêtre sacrifie des taureaux, des vaches, des veaux, des brebis, des porcs... Les mâles sont immolés aux dieux, les femelles aux déesses. Il y eut, rarement, quelques sacrifices humains.

Bien faire sinon gare

Le déroulement du rituel est très important. Si une des opérations est mal exécutée, il faut tout recommencer depuis le début... Et parfois, c'est plus grave : le roi latin Tullus Hostilius exécuta mal le rituel d'un sacrifice à Jupiter ; il fut foudroyé et brûlé avec sa maison.

Le sacrifice se déroule en public sur l'autel situé devant le temple.

LES LUSTRATIONS

Les lustrations consistent à effectuer une procession de prêtres, de citoyens et d'animaux tout autour de ce que l'on désire purifier. Ce peut être une ville, des hommes ou même des objets, comme des armes. Les animaux du cortège sont ensuite sacrifiés.

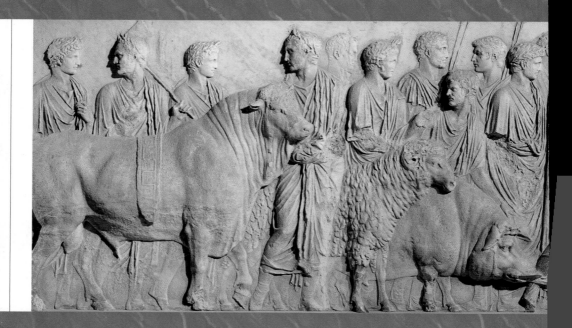

La cérémonie

L'acte le plus important des cultes romains est le sacrifice. Ce rite rend « sacrés » les aliments ou les animaux offerts à la divinité. Les cérémonies commencent tôt le matin. Les officiants se sont baignés, lavés, et portent la toge blanche dont un pan couvre la tête comme un voile. Les animaux sont lavés et entourés de bandelettes de laine blanche ou rouge.

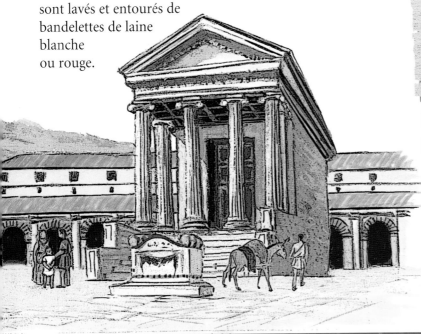

« On trouvait par terre et sur les murs des restes de cadavres humains arrachés aux tombeaux, des formules magiques, des imprécations et le nom de Germanicus gravé sur des tablettes de plomb, des cendres humaines mal brûlées et souillées de sang ainsi que d'autres maléfices par lesquels, croit-on, les âmes sont vouées aux dieux infernaux. »

Tacite

« Saints anges, je vous prie de faire par tous les moyens que cette âme enfermée ici ne puisse pas sortir et soit étouffée et qu'elle ne voie pas la lumière et qu'elle n'ait de résurrection en aucune façon, de sorte que l'âme, la pensée et le corps de Collecticius fils d'Agnella soient enfermés, brûlent et tombent en pourriture ; conduisez jusqu'en enfer pour toujours Collecticius fils d'Agnella. »

MALÉDICTIONS

Pour détruire un adversaire ou, au contraire, s'attirer les faveurs d'une personne, les Romains écrivent leurs vœux sur des tablettes de plomb. Ces tablettes sont ensuite enfouies dans des tombes pour que les mânes malfaisants ou les dieux des enfers accomplissent l'œuvre. Parfois, ces tablettes sont accompagnées d'un clou pour mieux « fixer » la malédiction.

Le sacrifice

D'abord, on verse du vin et de l'encens sur le feu de l'autel. Puis on saupoudre le dos de l'animal avec de la farine salée, et on lui verse du vin sur le front. Enfin, les petits animaux sont égorgés, et les gros abattus d'un coup de hache. L'animal est ouvert et l'haruspice vérifie dans les entrailles que le sacrifice est accepté par la divinité. S'il ne l'est pas, il faut recommencer. Si le sacrifice est accepté, l'animal est partagé : une partie est jetée au feu de l'autel pour la divinité ; le reste est consommé dans un banquet par les hommes.

LA DÉVOTION

La dévotion est le sacrifice d'une personne qui se donne la mort pour obliger la divinité à anéantir l'armée ennemie.

Lors de circonstances importantes, comme un triomphe, on sacrifie en même temps un porc (suo), une brebis (ove) et un taureau (taurus) : c'est le suovetaurile.

 POUR EN SAVOIR PLUS

sur le **suovetaurile**, voir p. 22-23
sur le **vœu**, voir **la légende de Castor et Pollux** p. 264-265

Les prêtres

Les prêtres sont recrutés parmi les riches familles et, sauf les vestales, ils peuvent se marier. Ils forment des collèges, c'est-à-dire des assemblées de prêtres. Pendant l'Empire, c'est l'empereur qui est le chef des prêtres.

Le collège des pontifes

Les 16 pontifes veillent au respect des cultes. Leur nom de pontife vient de leur ancienne fonction qui était d'entretenir le pont Sublicius, premier pont de Rome et sacré. Leur chef est le *Pontifex Maximus*, « grand pontife » ; c'est aussi le chef des vestales.

Flamines mineurs connus	Attachés au culte de
Flamen Carmentalis	Prophétesse Carmenta
Flamen Volcanalis	Dieu Vulcain
Flamen Portunalis	Dieu des ports Portunus
Flamen Cerialis	Déesse Cérès
Flamen Vulturnalis	Dieu du fleuve Vulturne
Flamen Palatualis	Déesse du mont Palatin
Flamen Furinalis	Nymphe Furina
Flamen Floralis	Déesse Flora
Flamen Falacer	Héros Falacer
Flamen Pomonalis	Déesse Pomone

DES CONTRAINTES

Le flamine de Jupiter est soumis à de multiples contraintes. Il ne doit pas : toucher de cadavre, monter à cheval, passer plus de trois nuits hors de son lit, pénétrer dans l'enceinte d'un bûcher funèbre, toucher du lierre, manger des fèves...

Les 15 flamines

Chacun des 15 flamines est au service d'une divinité.
Les trois flamines majeurs se consacrent à Jupiter, Mars et Quirinus.
Les 12 flamines mineurs s'occupent de divinités secondaires. Le flamine de Jupiter, le plus important, siège au Sénat. Il est précédé d'un licteur et possède sa chaise curule. Il porte un bonnet en feutre, surmonté d'un bâtonnet entouré de laine.

PFF ! DE TOUTES FAÇONS, JE N'AIME PAS LES FÈVES.

NI LES CHEVAUX.

Les vestales

Les sept vestales entretiennent le foyer de la cité dans le temple de Vesta. Elles préparent aussi la farine de blé torréfiée et salée qui est employée lors des sacrifices. Elles sont choisies dans les familles riches, quand elles ont entre 6 et 10 ans. Elles font vœu de pureté et exercent 30 années : 10 d'apprentissage, 10 de pratique et 10 d'enseignement. Après ce temps, elles peuvent retourner à la vie civile et se marier.

Chez les vestales, les punitions sont dures : flagellation si le feu sacré s'éteint ; flagellation et enterrée vivante pour une infraction au vœu de chasteté.

VESTALE OU DOT ?

En l'an 19, l'empereur Tibère devait choisir pour vestale entre la fille de Domitius Pollio et celle de Fonteius Agrippa. Cette dernière fut écartée parce que son père était divorcé.
En compensation, l'empereur lui donna une dot d'un million de sesterces.

Simpulum : petite louche pour le vin du sacrifice.

Aspergillum : pour asperger les victimes d'eau sacrée.

Apex : bonnet du prêtre.

Augures et haruspices

Les 16 augures interprètent pour les magistrats les signes donnés par le vol des oiseaux (les auspices). Une inauguration est une cérémonie où les augures interprètent les signes pour savoir si les dieux sont favorables, par exemple à la construction d'un bâtiment.
Les haruspices ne sont pas des prêtres mais des spécialistes de l'examen des entrailles des animaux sacrifiés. L'origine de leur pratique est étrusque.

Couteau de sacrifice

Guttus : vase à libation.

Lituus : bâton recourbé avec lequel l'augure délimite un espace sacré.

Cultes d'ailleurs

Les Romains sont très tolérants pour accueillir de nouvelles divinités, et surtout très prudents : il vaut mieux accepter une divinité plutôt que de la rejeter au risque de s'attirer sa colère.

Les sanctuaires à Mithra apparaissent à Rome à la fin du Ier siècle. On peut y voir le dieu coiffé du bonnet phrygien, tuant un taureau. Les initiés sont baptisés par aspersion avec le sang d'un taureau sacrifié.

MITHRA

Mithra, « l'Ami », est une divinité d'origine perse dont le culte s'est répandu en Europe avec les légions romaines de retour d'Orient. Les fidèles se réunissent dans de fausses grottes dont le plafond peint imite un ciel étoilé. Là, allongés sur des lits, ils partagent un repas. Ce culte est devenu très populaire et on retrouve des autels taurauboliques dans tout l'Empire romain. La fête la plus importante est l'anniversaire de la naissance du dieu Soleil, le 25 décembre, jour que les chrétiens d'Occident choisiront pour fêter la naissance de Jésus-Christ.

JÉSUS-CHRIST

Jésus-Christ est né en Judée. En Palestine, il s'oppose aux prêtres nommés par le pouvoir romain, et le préfet Ponce Pilate le condamne à la crucifixion. Le christianisme devient la religion d'un Dieu unique et bon, dont Jésus est le fils. Les esclaves, et certains nobles, sont séduits par cette religion qui promet le bonheur éternel dans l'autre monde pour les hommes vertueux.

ISIS

Une des déesses les plus populaires à Rome est Isis. Son époux Osiris fut tué, découpé, et ses morceaux éparpillés. Isis les retrouva tous, reconstitua Osiris et le ressuscita. Osiris devint le roi des morts et son fils, Horus, celui des vivants. La déesse égyptienne Isis était donc célébrée comme épouse, mère et magicienne. Son premier temple à Rome date de 58 av. J.-C. Les derniers seront fermés au VIe siècle.

Fresque de la villa des Mystères à Pompéi, liée au culte de Dionysos. Silène, fils de Pan, donne à boire à un satyre.

CYBÈLE

Cybèle est l'une des premières divinités venues d'Orient. La déesse était adorée à Pessinonte, en Anatolie, sous la forme d'une pierre noire, une météorite. Durant la deuxième guerre punique, une prophétie annonce aux Romains que la déesse les aidera à vaincre Hannibal. En 204 av. J.-C., à la demande du Sénat romain, le roi de Pergame envoie la pierre à Rome. Elle est installée dans un temple sur le Palatin.

MYSTÈRES

Certains cultes importés à Rome sont publics, d'autres, les cultes à « mystères », sont réservés à des membres qui reçoivent une initiation secrète lors de cérémonies. « Mystère » vient d'un mot grec qui signifie « celui qui sait ». Certains de ces cultes étrangers sont ouverts aux femmes, ce qui n'est pas le cas de la religion romaine en général.

LES MYSTÈRES DE DIONYSOS

Les membres initiés se réunissent la nuit dans les bois. Le candidat à l'initiation est revêtu d'une peau de faon ; il est couronné de lierre et reçoit une branche de vigne. Une corbeille de fruits (symbole d'abondance) est dévoilée (signe de renouveau) sur sa tête voilée. Puis la cérémonie se termine par une orgie : les gens mangent, dansent et s'enivrent.

Le christianisme

Pour les Romains, les chrétiens sont les adeptes d'une secte juive qui rejettent leurs dieux et le culte impérial. Au début, l'opinion publique leur est défavorable. Quatre siècles plus tard, le christianisme sera la religion officielle de l'Empire romain.

Les persécutions

Contrairement aux adeptes d'autres cultes, les chrétiens du Iᵉʳ siècle refusent certains actes traditionnels romains, comme de jeter de l'encens sur le foyer de l'autel de Rome et d'Auguste. De plus, on raconte des choses à leur sujet : ils sacrifieraient des enfants et mangeraient de la chair humaine…
En 64, Néron les accuse d'avoir allumé l'incendie de Rome et c'est la première répression. Puis suivent les persécutions des empereurs Marc Aurèle, notamment à Lyon en 177, de Dèce en 250, et enfin, la plus terrible, celle de Dioclétien en 303.

Le christianisme s'impose

Avec l'expansion du christianisme, les autres cultes ne sont plus tolérés et disparaissent les uns après les autres. Dès 382, les collèges de prêtres sont dissous, les temples fermés, les statues enlevées. Certains cultes demeurent dans les campagnes, d'où leur nom de païens, qui vient du mot latin *paganus* (paysan). Le christianisme devient la religion officielle de l'État romain.

Extraits d'une lettre de chrétiens de Lyon, pour leurs frères d'Asie Mineure, qui retracent les événements de 177.

Fin mars 177
Les païens se déchaînaient contre nous. La foule réussit à capturer un bon groupe de chrétiens et on les mit en prison, en attendant le retour du gouverneur.

Avril-juin 177
Le gouverneur arriva. Les chrétiens arrêtés furent conduits au Forum et torturés en public pour leur faire avouer toutes sortes de crimes. Blandine, une esclave, supportait toutes les tortures et ne disait qu'une seule chose : « Je suis chrétienne, il ne se fait aucun mal chez nous. »

24 juin 177, jour de la fête du Soleil
Blandine fut attachée à un poteau et exposée aux bêtes féroces lâchées dans l'amphithéâtre. Elle pria à haute voix et aucune bête ne l'attaqua. À la fin de la journée, on la remit en prison.

De nombreux chrétiens subirent le châtiment réservé aux esclaves criminels : jetés dans le cirque parmi les bêtes féroces.

In hoc signo vinces

Le soir du 27 octobre 312, près du pont Milvius, les armées romaines de Maxence et de Constantin se font face. Constantin, songeur, a les yeux levés lorsqu'une croix apparaît dans le ciel avec ces mots en lettres de feu : « *In hoc signo vinces.* » Cela signifie : « Avec ce signe tu vaincras. » Aussitôt, Constantin demande à ses hommes, dont beaucoup sont chrétiens, de reproduire le signe de la croix sur les étendards et les boucliers. Le lendemain, malgré l'infériorité numérique de ses troupes, Constantin remporte la bataille. Il rentre triomphalement à Rome. L'année suivante, dans l'édit de Milan, il annonce que chacun peut « adorer à sa manière la divinité qui se trouve dans le ciel ».

> **Août 177**
>
> Le dernier jour, Blandine parut dans l'amphithéâtre. On la jeta dans un filet et on lâcha un taureau furieux. Blandine fut bien des fois projetée en l'air par les cornes de l'animal, mais on aurait dit qu'elle ne se rendait compte de rien. Enfin on l'égorgea. Les païens eux-mêmes reconnurent que jamais une femme n'avait enduré de telles souffrances.

Avec Constantin, le christianisme bénéficie des mêmes privilèges que les autres religions orientales.

Sacré temps

C'est à Jules César, sur les conseils de l'astronome grec Sosigène, que l'on doit un calendrier avec une année de 365 jours et des mois de 30 et 31 jours, comme maintenant.

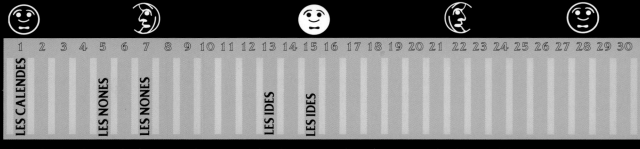

| LES CALENDES | | | | LES NONES | | LES NONES | | | | | | LES IDES | LES IDES | | | | | | | | | | | | | | | | |

Les calendes : le premier jour du mois, jour de la nouvelle Lune.

Les nones : cinquième ou septième jour, jour du premier quartier.

Les ides : huitième jour après les nones, jour de la pleine Lune.

Le mois

À l'origine, le mois est la durée de la révolution de la Lune autour de la Terre. Les mois étaient divisés en trois périodes marquées par trois fêtes : les calendes, les nones, les ides. Un Romain indique la date par rapport à ces jours. Par exemple il dit : « le jour des ides de mars » pour dire « le 15 mars ».

QUINTILIS
(JUILLET)
JULIUS (en – 44)
5e mois (quinque)

JUNIUS
(JUIN)
Mois de la déesse Junon

MAIUS
Mois de la déesse Maia

APRILIS
(AVRIL)
Nom d'origine indéterminée

MARTIUS
(MARS)
Mois du dieu Mars
Premier mois de l'année jusqu'en 153 av. J.-C.

FEBRUARIUS
(FÉVRIER)
Mois des purifications

JANUARIUS
(JANVIER)
Mois du dieu Janus

Point de départ

La date de la fondation de Rome est fixée à 753 av. J.-C. Les Romains comptaient à partir de cette date. Ils disaient, par exemple, qu'un événement avait eu lieu 100 ans après la fondation de Rome. Pour calculer cette date dans notre calendrier, il suffit de soustraire celle-ci de 754. Ainsi lorsqu'un Romain parle de l'an 100 après la fondation de Rome, pour nous c'est 754 – 100 = 654 av. J.-C.

Les noms des mois

Jusqu'en 153 av. J.-C., l'année commence le 1er mars. Ensuite, le début de l'année est fixé au 1er janvier, en l'honneur du dieu Janus, le dieu des commencements. En 44 av. J.-C., le mois Quintilis (cinquième) prend le nom de Julius en l'honneur de Jules César.

DÉCEMBER (DÉCEMBRE) 10e mois (decem)

NOVEMBER (NOVEMBRE) 9e mois (novem)

OCTOBER (OCTOBRE) 8e mois (octo)

SEPTEMBER (SEPTEMBRE) 7e mois (septem)

SEXTILIS (AOÛT) 6e mois (sex)

AUGUSTUS (en – 8)

En 8 av. J.-C., le Sénat romain décrète que le mois Sextilis (sixième) s'appellera Augustus en l'honneur d'Auguste. Et comme Auguste n'était pas inférieur à César, son mois devait avoir autant de jours : c'est pourquoi juillet et août ont 31 jours. Les noms de septembre, octobre, novembre et décembre rappellent leur place dans l'ancien calendrier (7e, 8e, 9e et 10e mois de l'année).

La semaine

À l'époque ancienne, la semaine romaine comptait 8 jours et se terminait le 9e qui était jour de marché. La semaine de 7 jours existe dès le début de l'Empire. La terminaison en « di » des noms de jour (lundi, mardi, mercredi…) vient du mot latin *dies* qui signifie « jour ». Chaque jour est consacré à une divinité.

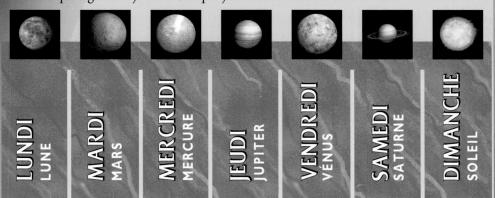

| LUNDI LUNE | MARDI MARS | MERCREDI MERCURE | JEUDI JUPITER | VENDREDI VÉNUS | SAMEDI SATURNE | DIMANCHE SOLEIL |

JOURS FASTES ET NÉFASTES

Pour les Romains, les jours de fête sont appelés « néfastes ». Ces jours-là, toute activité publique est interdite et exclusivement réservée aux dieux. Les jours « fastes », le citoyen peut exercer ses activités publiques. Sous la République, l'année romaine compte 109 jours « néfastes » et 235 jours « fastes » Au IIe siècle, un jour sur deux est férié !

RENVOYER AUX CALENDES GRECQUES

Le mot « calendes », qui a donné notre mot « calendrier », désigne des jours romains et non pas des jours grecs. « Renvoyer aux calendes grecques », c'est renvoyer à une date qui n'existe pas, comme « la semaine des 4 jeudis », ou « le 36 du mois ».

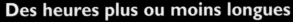

Des heures plus ou moins longues

La journée romaine se divise en 24 heures : 12 heures pour le jour et 12 heures pour la nuit. Mais l'heure ne dure pas 60 minutes… car pour les Romains, l'heure est la douzième partie du temps compris entre le lever et le coucher du soleil. Comme les jours sont plus courts en hiver et plus longs en été, l'heure romaine n'a pas la même durée dans l'année. Si un Romain avait eu une montre, voici ce qu'il aurait lu le jour le plus long et le jour le plus court de l'année.

Le jour le plus court est le 23 décembre.
À Rome, il dure 8 h 54 min :
lever du soleil, 7 h 33 ;
coucher du soleil, 16 h 27.

		JOUR LE PLUS COURT	JOUR LE PLUS LONG
I	Hora prima :	de 7 h 33 à 8 h 17	de 4 h 27 à 5 h 42
II	Hora secunda :	de 8 h 17 à 9 h 02	de 5 h 42 à 6 h 58
III	Hora tertia :	de 9 h 02 à 9 h 46	de 6 h 58 à 8 h 13
IV	Hora quarta :	de 9 h 46 à 10 h 31	de 8 h 13 à 9 h 29
V	Hora quinta :	de 10 h 31 à 11 h 15	de 9 h 29 à 10 h 44
VI	Hora sexta :	de 11 h 15 à midi	de 10 h 44 à midi
VII	Hora septima :	de midi à 12 h 44	de midi à 13 h 15
VIII	Hora octava :	de 12 h 44 à 13 h 29	de 13 h 15 à 14 h 31
IX	Hora nova :	de 13 h 29 à 14 h 13	de 14 h 31 à 15 h 46
X	Hora decima :	de 14 h 13 à 14 h 58	de 15 h 46 à 17 h 02
XI	Hora undecima :	de 14 h 58 à 15 h 42	de 17 h 02 à 18 h 17
XII	Hora duodecima :	de 15 h 42 à 16 h27	de 18 h 17 à 19 h 33

Le jour le plus long est le 25 juin.
À Rome, il dure 15 h 6 min :
lever du soleil, 4 h 27 ;
coucher du soleil, 19 h 33.

L'horloge à eau

Avec la clepsydre, ou horloge à eau, il est possible de connaître l'heure sans soleil. Certaines possèdent un système de flotteur pour émettre des sifflements à chaque changement d'heure. La clepsydre est un récipient transparent où l'eau coule avec un débit toujours identique. Le premier réglage se fait avec un cadran solaire.
À chaque heure de la journée, on marque sur la paroi le niveau de l'eau correspondant. À la fin du jour, les 12 repères correspondent aux 12 heures. Comme les heures varient selon les mois, on recommence l'opération 12 fois, une fois par mois, et les repères sont tracés sur 12 lignes verticales différentes.

Les cadrans solaires

À Rome, avant l'usage du cadran solaire, un personnage annonçait midi au peuple lorsque le soleil passait entre deux édifices du Forum : les Rostres et la *Graecostasis*. Puis les Romains ont importé des Grecs l'usage du cadran solaire et en ont construit de toutes les tailles. Il en existait de gigantesques, mais aussi de minuscules, de trois centimètres de diamètre, véritables montres de poche de toge...

Le plus grand cadran solaire fut l'obélisque installé par **Auguste** au champ de Mars. Son ombre passait sur des lignes de bronze inscrites dans les dalles de marbre.

Les horoscopes

À Rome, l'astrologie est une pratique courante dès la fin de la République. Les Romains appellent ceux qui pratiquent l'astrologie des Chaldéens, du nom du pays où l'astrologie avait été inventée et développée. L'astrologie était utilisée pour prédire l'avenir. Certains y croyaient vraiment. Par exemple, l'empereur Hadrien établissait son horoscope au début de chaque année, et Septime Sévère fit dresser le thème astral de plusieurs jeunes filles afin de savoir laquelle avait un destin de reine : le sort désigna Julia Domna, qu'il épousa aussitôt.

LE ZODIAQUE

Le zodiaque, division de l'année en 12 signes, définit comme aujourd'hui les principaux types de caractères.

	21 mars 20 avril	21 avril 20 mai	21 mai 21 juin	22 juin 22 juillet	23 juillet 22 août	23 août 22 septembre	23 septembre 22 octobre	23 octobre 21 novembre	22 novembre 20 décembre	21 décembre 19 janvier	20 janvier 18 février	19 février 20 mars
Nom latin	Aries	Taurus	Gemini	Cancer	Leo	Virgo	Libra	Scorpio	Sagittarius	Capricornus	Aquarius	Pisces
Dieu associé	Minerve	Vénus	Apollon	Mercure	Jupiter	Cérès	Vulcain	Mars	Diane	Vesta	Junon	Neptune
Nom actuel	Bélier	Taureau	Gémeaux	Cancer	Lion	Vierge	Balance	Scorpion	Sagittaire	Capricorne	Verseau	Poissons

On fait la fête

Les jours de fêtes et de jeux se déroulent avec des rites différents selon le dieu honoré, mais toujours avec des sacrifices. Certaines dates sont fixes, d'autres sont décidées par les magistrats ou les prêtres.

JANVIER

1er JANVIER

C'est le jour où les nouveaux consuls prêtent serment au Sénat. Des taureaux sont sacrifiés dans le temple de Jupiter pour le remercier de sa protection pendant l'année écoulée.

FÉVRIER

13 AU 21 FÉVRIER
PARENTALIA

Neuf jours consacrés aux morts. Les Romains honorent leurs ancêtres sur les laraires. Les autres temples restent fermés et les mariages ne sont pas autorisés. Le dernier jour, on porte sur les tombes des offrandes rituelles.

15 FÉVRIER
LUPERCALIA

Cette fête se déroule au Lupercal, là où la louve aurait élevé Romulus et Rémus. On sacrifie deux chèvres et un chien. Leurs peaux sont coupées en lanières pour confectionner une paire de fouets. Armés de ces fouets, les jeunes gens courent tout nus autour du Palatin et de la ville, en fouettant tout ce qu'ils rencontrent.

17 FÉVRIER
QUIRINALIA

Fête de Romulus divinisé.

23 FÉVRIER
TERMINALIA

Cette fête honore Terminus et marque la fin de l'année pour les Romains. C'est aussi une sanctification des limites des champs.

MARS

1er MARS
MATRONALIA

Fête des mères. Elle commémore l'enlèvement des Sabines. Seules les femmes mariées y participent. Elles offrent des fleurs dans les temples de Junon. Les vestales allument un nouveau feu pour célébrer le commencement du nouvel an.

15 MARS
EQUIRRIA

Fête équestre en l'honneur du dieu Mars. C'est l'ouverture de la saison de la guerre.

17 MARS
LIBERALIA

Fête du printemps, date de la prise de la toge virile pour les jeunes gens.

18 AU 22 MARS
QUINQUATRUS

Festivités de 5 jours, en l'honneur de Minerve. Les armes, les chevaux et les trompettes de l'armée sont purifiés avant la période des campagnes militaires.

AVRIL

4 AU 10 AVRIL
LUDI MEGALENSES

Institués en 204 en l'honneur de Cybèle : théâtre et jeux du cirque (chevaux et chars).

12 AU 19 AVRIL
LUDI CERIALES

Cérémonie joyeuse et très ancienne en l'honneur de Cérès, où chacun s'habille de blanc. Jeux du cirque.

21 AVRIL – PARILIA

Jour anniversaire de la fondation de Rome. Les *Parilia* sont consacrées à Palès, génie protecteur des troupeaux. Les bergers allument de grands feux de paille et sautent à travers.

25 AVRIL
ROBIGALIA

Sacrifice de chiens roux pour conjurer la rouille des blés. Des courses à pied ont lieu à Rome.

28 AVRIL AU 3 MAI
LUDI FLORALES

Festival de Flora, la déesse des fleurs. Les Romains portent des guirlandes de fleurs autour du cou et dansent dans les rues. Théâtre et jeux du cirque.

MES, COPAINS ET MOI, ON FAIT TOUTES LES FÊTES JUSQU'AU TERMINUS.

LÀ, TOUT LE MONDE DESCEND.

MAI

**9 - 13 MAI
LEMURIA**

Pour chasser
les revenants.

JUIN

**9 JUIN
VESTALIA**

Festivités en
l'honneur de Vesta.
Les vestales étaient
fêtées, et les meules
à grains de la ville
étaient décorées de
guirlandes. Les ânes
qui faisaient tourner
ces meules étaient
aussi ornés de fleurs
et défilaient dans les
rues accompagnés
de dames romaines
qui marchaient pieds
nus, jusqu'au temple
de Vesta.

JUILLET

**6 AU 13 JUILLET
LUDI APOLLINARES**

Institués pendant
la deuxième guerre
punique en
l'honneur d'Apollon.
Théâtre, courses,
combats d'animaux
sauvages.

**19 AU 21 JUILLET
LUCARIA**

Fête des bois pour
protéger les
bûcherons contre
les esprits des
arbres.

**20 AU 30 JUILLET
LUDI VICTORIAE
CAESARIS**

Jeux de célébration
des conquêtes
de César.

AOÛT

**21 AOÛT – LUDI
CONSUALES (1)**

Cette fête remonte
à Romulus. Courses
à pied et à dos de
mule en l'honneur
de Consus.

**23 AOÛT
VOLCANALIA**

Concours de pêche.
Le père de famille
jette des poissons
vivants dans la
flamme pour
conjurer les
incendies de
granges. C'est une
fête en l'honneur de
Vulcain, dieu du feu
et de la moisson.

SEPTEMBRE

**LUDI ROMANI OU
LUDI MAGNI**

Institués par
Tarquin l'Ancien
en l'honneur de
Jupiter. Procession,
courses, luttes,
théâtre.

OCTOBRE

**15 OCTOBRE
OCTOBER EQUUS**

Sacrifice d'un cheval
pour marquer la fin
de la saison
guerrière. Jeux.

NOVEMBRE

**4 AU 17
NOVEMBRE
LUDI PLEBEII**

Très anciens.
Jeux du cirque
et théâtre.

**UNE FOIS PAR
SIÈCLE : LUDI
SAECULARES**

DÉCEMBRE

**15 DÉCEMBRE
LUDI
CONSUALES (2)**

Comme le 21 août.

**15 DÉCEMBRE
LUDI CAPITOLINI**

Plusieurs jeux ont
porté ce nom,
notamment ceux
institués en 389
av. J.-C. après
la retraite des
Gaulois. Consacrés
à Jupiter.

AAAAH ! CA FAIT
DU BIEN DE
FAIRE LA FÊTE !

AH
OUAIS !

AÏE !

LES DAMES
QUI NOUS ACCOMPAGNAIENT
SE SONT PERDUES
ET ONT TOURNÉ EN ROND
PENDANT DES HEURES !

QU'EST-CE QU'ON
A RI !!

Arts et métiers

180
Comment
construire

178
Métiers
du bâtiment

174
Musique
et magie

172
Les artisans

170
Une rue romaine

168
Les ressources de
la terre

166
Un port : Ostie

164
Le commerce

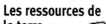

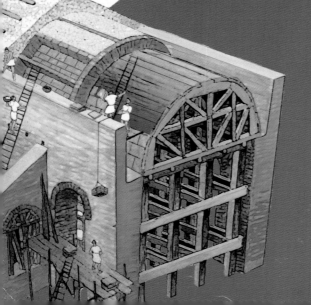

Les Romains étaient plus des ingénieurs que des artistes. Ils développèrent et firent progresser de nombreux métiers et techniques. S'ils ne tenaient pas en grande estime les artisans, leurs œuvres étaient pourtant omniprésentes.

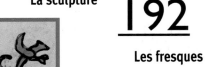

182
Construire un mur

184
La sécurité

186
Néron et les arts

188
Le Panthéon

190
La sculpture

192
Les fresques

194
La mosaïque

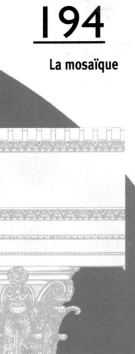

Le commerce

Le commerce entre les provinces de l'Empire concerne surtout les denrées alimentaires (blé, huile, vin) et les métaux. De l'extérieur de l'Empire viennent les marchandises de luxe : ambre, fourrures, soie, épices.

Ville et campagne

Dans la vie quotidienne, l'essentiel des échanges se passe entre les campagnes et les villes. Les domaines ruraux vendent sur les marchés urbains leurs productions issues de l'élevage : lait, fromage, laine, viande, parfois poisson… ; des cultures : céréales, lin, fruits et légumes… ; un peu d'artisanat : vannerie, poterie… Dans les boutiques de la ville, on vient acheter des produits manufacturés : bijoux, tissus, céramiques sigillées, verreries, outils… ; et des marchandises exotiques : épices, *garum*…

LES RICHESSES DE L'EMPIRE

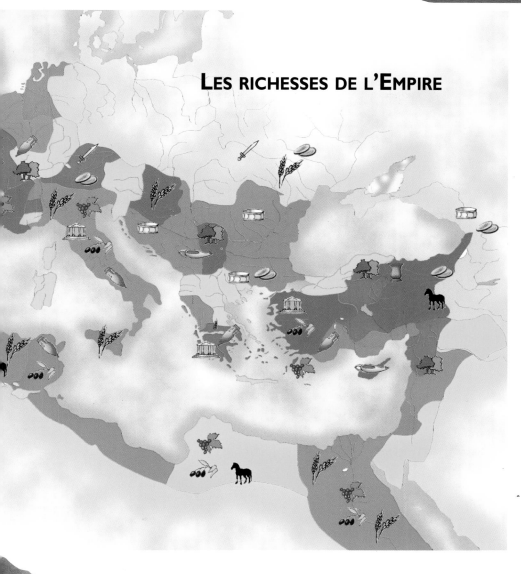

Blé

Vin

Huile

Fer

Or

Argent

Étain

Cuivre

Chevaux

Poteries

Marbre

Bois

Le bateau, c'est moins cher

Malgré les risques de naufrages et les rencontres avec les pirates, la mer Méditerranée constitue le principal axe de transport : c'est bien moins cher que par la route. Le coût du transport du blé en bateau depuis l'Espagne jusqu'à Rome équivaut à son transport sur 80 km par la route.

Les marchandises les plus transportées par bateaux sont les sacs de blé et les amphores d'huile et de vin. Par la route arrivent les produits de luxe comme la soie de Chine, l'encens d'Arabie ou les épices d'Asie. Les Romains exportent de l'or, de la verrerie, de la céramique...

Voies d'eau

En plus des voies terrestres et maritimes, les Romains utilisent les fleuves et les rivières pour transporter les marchandises très lourdes : marbre et céréales sur des embarcations à fond plat, le bois par flottage.

EMBALLAGES

Les objets peu fragiles sont chargés en vrac. Les marchandises plus fragiles sont mises en ballots. Les liquides sont transportés en amphores, ou en tonneaux, plus légers et plus solides. Les tonneaux deviendront les plus utilisés à partir du IIe siècle apr. J.-C. dans l'Occident romain.

Un port : Ostie

Rome

Le port d'Ostie

Ostie

La colonie d'Ostie, à 35 km de Rome, fut fondée aux environs de 340 av. J.-C. À l'origine, c'est un *castrum* au bord de l'eau, placé là pour contrôler l'embouchure du Tibre et l'extraction du sel des marais salants.

Un premier port pour Rome

Presque tout le ravitaillement du million d'habitants de Rome arrivait par bateaux depuis les provinces. Malheureusement, la faible profondeur du Tibre ne permettait pas aux grands navires de remonter jusqu'à Rome. Les bateaux allaient donc à Pouzzoles, dans la baie de Naples, à 245 km. Puis les marchandises étaient transportées à Rome par la route. À la suite d'une pénurie de blé à Rome, l'empereur Claude décide, en 42 apr. J.-C., de faire construire un port à Ostie.

Entrepôts

Les entrepôts sont des bâtiments essentiels dans un port. Ils sont souvent hauts de plusieurs étages et on y range les marchandises déchargées des bateaux. Elles sont ensuite expédiées vers les marchés de la ville, ou exportées par convoi vers d'autres villes. À Ostie, les marchandises pour Rome sont embarquées sur des *caudicariae*, des bateaux à fond plat et à coque large, qui gagnent le Tibre par un canal, puis remontent vers Rome, halés par des bœufs.

LE NOM

Le nom d'Ostie vient du mot *ostium* qui signifie « embouchure ».

STOCKER DE L'HUILE

Un *dolium* est un grand récipient de terre cuite, enfoui dans le sol pour maintenir au frais son contenu : vin ou huile. À Ostie, la capacité moyenne d'un *dolium* est de 1 000 litres. Deux des quatre dépôts d'Ostie pouvaient stocker l'un 38 600 litres, et l'autre 91 000 litres.

Phare

Le port de Claude couvre 60 hectares. Il est profond de 4 à 5 mètres et entouré de débarcadères et d'entrepôts.

Stocker le blé

Les entrepôts spécialisés dans la conservation du blé doivent être clos, sombres et secs pour éviter que les grains ne pourrissent ou ne germent. Les sacs sont à l'abri de l'humidité car le plancher est surélevé au-dessus du sol par des piles de briques. La surface de stockage du rez-de-chaussée d'un des entrepôts d'Ostie est de 7 200 m². Il pouvait recevoir 5 000 à 7 000 tonnes de grain, de quoi alimenter en blé pendant un an entre 20 000 et 25 000 personnes. Et l'étage était aussi vaste.

POUR EN SAVOIR PLUS
sur les **vigiles**, voir p. 184-185

UNE VUE AÉRIENNE

En 64, Néron fait représenter le port d'Ostie sur des monnaies. Au centre, le phare était construit sur un îlot artificiel constitué à partir d'un gigantesque navire, rempli de mortier et coulé. Ce navire avait servi à transporter un obélisque de la ville d'Héliopolis, en Égypte, pour être placé dans le cirque de Caligula à Rome.

Le port de Trajan, plus petit et mieux abrité, a la forme d'un hexagone. Un canal le relie au Tibre.

RISQUES D'INCENDIE

Les ports, avec le bois des installations et des bateaux, le tissu des voiles, les cordages, l'huile et le grain entreposés, sont des lieux très exposés aux risques d'incendie. Aussi Ostie et Pouzzoles possèdent une cohorte de vigiles pour lutter contre de tels événements.

L'âge d'or et l'abandon

Le port de Claude se révéla insuffisant et, en 101, l'empereur Trajan fait commencer les travaux pour un second bassin. Il sera achevé en 113. C'est le début de l'âge d'or de la ville d'Ostie. Mais de terribles inondations apportent des eaux stagnantes et des maladies : paludisme et malaria. De plus, le port s'ensable peu à peu. Ostie sera progressivement abandonnée à partir du IVe siècle apr. J.-C.

Les ressources de la terre

Les Romains, comme beaucoup de peuples avant eux, cultivent la terre pour leur nourriture, et y creusent des mines pour extraire des métaux.

Blé et araire

Le blé est primordial dans l'alimentation romaine, et il est vital de réussir de bonnes récoltes. L'araire est l'outil essentiel de l'agriculteur romain.

Il est en bois, sauf l'extrémité du sep qui est munie d'un soc en fer. Un bon labour se fait en trois passages : le premier enterre les chaumes de la récolte précédente, ce qui enrichit la terre ; le deuxième l'ameublit, ainsi l'eau et l'air pourront assurer une bonne germination au grain ; le troisième ouvre le sillon pour les semences. L'agriculteur possède de nombreux outils : houe, herse, binette, râteau, bêche, pic, serpe et serpette, faucille et faux pour travailler la terre, enlever les mauvaises herbes, récolter.

ARAIRE OU CHARRUE ?

Le soc de l'araire ne peut que fendre la terre. Celui de la charrue la retourne, ce qui assure une meilleure répartition de ses éléments nutritifs. La charrue n'existe pas à l'époque romaine ; elle sera inventée au Moyen Âge.

Du minerai au lingot

Les métaux utilisés à l'époque romaine sont l'or, l'argent, le cuivre, le fer et le plomb. Sauf l'or, qui existe en pépites pures, les autres métaux sont mêlés à la roche : c'est le minerai. Lorsqu'un filon est repéré, les mineurs extraient le minerai à l'aide de pics ou bien en chauffant la roche pour qu'elle éclate. Le minerai est ensuite concassé en petits morceaux qui sont placés dans des fours. Sous l'effet de la chaleur, le métal se sépare de la roche et coule en fusion en une masse sans forme. Cette masse est récupérée et refondue en lingots transportables. Des lingots de métaux différents peuvent être fondus ensemble : le cuivre et l'étain donnent un alliage appelé bronze.

Prendre soin de la terre

Les sels minéraux sont essentiels dans la croissance des plantes. Or les cultures épuisent la terre. Aussi le paysan romain doit-il y épandre du fumier, un engrais naturel, pour l'enrichir. Il pratique aussi l'assolement : le champ est divisé en deux parties : l'une est cultivée, tandis que l'autre sert de pâturage au bétail. Deux ans après, on inverse. Cette pratique économise le sol et empêche aussi le développement des parasites (champignons et insectes) et des mauvaises herbes (chiendent, folle avoine…).

FAIRE FORTUNE

Au Ier siècle apr. J.-C., les mines appartiennent à l'empereur. Le minerai est traité, puis les lingots de métal sont vendus. L'empereur perçoit la totalité de l'argent de la vente, ou une bonne partie lorsqu'il loue les services d'une entreprise pour exploiter la mine. Cette activité a enrichi les empereurs. Ainsi, la fortune de 2,7 milliards de sesterces que laisse Tibère à sa mort est en partie liée à ce monopole.

POUR EN SAVOIR PLUS sur la **province d'Espagne**, voir p. 228-229

POUR EN SAVOIR PLUS sur l'**agriculture**, voir p. 134-135

Effondrer les montagnes

La mine d'or romaine de Las Médulas, en Espagne, est une des plus vastes mines de tout l'Empire. Les Romains creusaient d'abord des puits et des galeries dans la montagne, puis ils remplissaient de grands réservoirs avec de l'eau apportée par des canaux. Ils lâchaient les milliers de mètres cubes d'eau dans les galeries, ce qui entraînait la boue vers des bacs de décantation. Là, les pépites d'or étaient piégées dans les poils des racines de bruyère placées comme filtres. On estime que

Une rue romaine

L'ARGENT N'A PAS D'ODEUR

L'urine était récupérée dans les latrines ou des pots communs placés dans les immeubles, puis vendue aux foulons. L'empereur Vespasien décida de taxer la collecte de l'urine. À son fils Titus, qui le questionnait à ce sujet, il mit un sesterce sous le nez et dit : « Sent-il mauvais ? non. Et pourtant, c'est de l'urine qu'il sort ! » Cette anecdote est à l'origine de la phrase de Juvénal : « *Lucri bonus est odor ex re qualibet.* » (L'argent a bonne odeur d'où qu'il vienne.)

Dans les boutiques sont installés les commerçants, qui vendent des produits finis, et les artisans (*fabri*), « ceux qui fabriquent quelque chose ». Dans la rue, les colporteurs vendent de la nourriture rangée sur des plateaux qu'ils portent sur la tête.

Les boutiques

Une boutique romaine est souvent petite, largement ouverte sur la rue. Le marchand se tient derrière son comptoir et sert ses clients qui restent dehors. La famille vit derrière le magasin ou au-dessus, et parfois de petites annexes contiennent les stocks de marchandises. Quelques boutiques ont une enseigne peinte sur le mur. Le soir, un panneau de bois est encastré dans le seuil pour la fermeture.

Auberges et hôtels

En ville, le passant peut s'arrêter manger dans une taverne ou au *thermopolium*, où l'on vend des plats chauds à consommer sur place ou à emporter. Certains établissements proposent des chambres pour dormir. Mais ils sont plutôt mal fréquentés, bruyants, et les chambres sales. On raconte même que des voyageurs y ont disparu, assassinés dans leur sommeil pour être volés, et que certains auraient été servis comme nourriture le lendemain… Pompéi comptait 118 auberges et 20 hôtels, un établissement tous les 30 mètres dans certaines rues !

« AU PAON »

Au rez-de-chaussée de l'auberge *Au paon* à Ostie, le client passe devant les latrines. Puis il pénètre dans une pièce décorée de fresques, avec un comptoir, et des étagères où sont présentées les galettes de légumes et les saucisses. Le vin de la cave peut être servi frais, ou chaud avec du miel. En été, les clients peuvent s'installer dans une petite cour rafraîchie par une fontaine.

CHEZ « LES FILLES D'ASELLINA »

Un *thermopolium* de la rue de l'Abondance à Pompéi possède au rez-de-chaussée trois comptoirs, recouverts de marbre coloré, et munis d'ouvertures pour les récipients qui contiennent nourriture chaude et boissons. L'un d'eux cache la recette de la journée : 638 sesterces. Sur le mur, à côté de l'entrée, est peint un petit laraire avec Mercure, dieu des commerçants, et Bacchus, dieu du vin. Un escalier conduit aux chambres où les serveuses se livrent à la prostitution.

La blanchisserie de Stéphanus

Les vêtements et les draps sont régulièrement remis en état par le foulon. Chez Stéphanus, le client dépose ses tissus et paie à l'entrée. Dans la zone de lavage, les tissus sont d'abord trempés dans un bassin rempli d'eau et d'urine, puis dans un autre contenant de l'eau et de la « terre à foulon », une argile qui a la propriété de dégraisser les tissus et de les rendre plus doux. Le foulon nettoie les tissus en les foulant de ses pieds nus, puis il les rince. Le séchage se fait sur les terrasses à l'étage, puis les tissus sont passés sous une presse.

L'ARTISAN EST MAL CONSIDÉRÉ

Pour les patriciens romains, les métiers manuels ne visent qu'à améliorer les conditions matérielles de la vie quotidienne. Ce ne sont pas de véritables arts comme ceux de l'enseignement, ou ceux que pratiquent les médecins et les avocats.

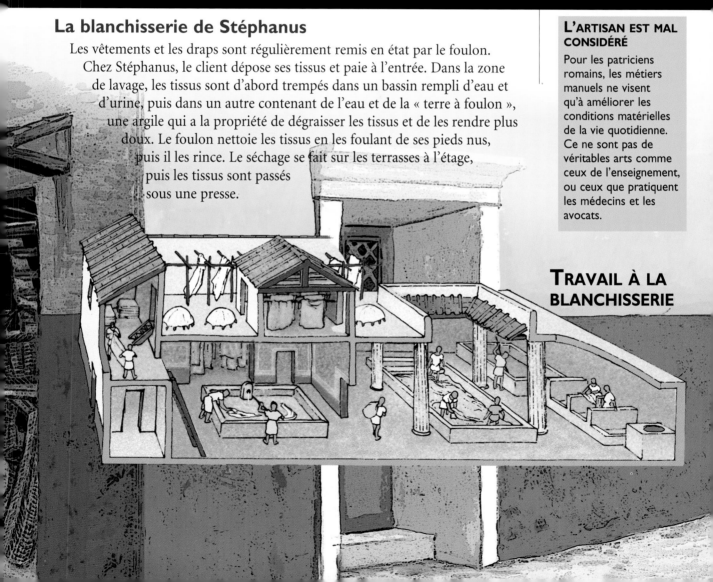

TRAVAIL À LA BLANCHISSERIE

Les artisans

Les artisans viennent à Rome de tous les coins de l'Empire. Chacun apporte les techniques de fabrication réputées dans son pays : verre, cuir, tissu, bois, métal… Les plus talentueux espèrent faire fortune grâce à leur riche clientèle.

Le verrier

Le verre, d'abord importé d'Égypte, est fabriqué à Rome dès le règne de Néron. En 210, les verreries occupent tout un quartier de la ville. Les vases en verre remplacent ceux en métal précieux quand on ne peut pas se les acheter. On emploie du verre blanc, incolore et transparent, mais aussi du verre rouge, bleu, vert, orange… La verrerie romaine courante consiste en coupes, fioles à parfums, bouteilles, vases cinéraires, etc.

Ces récipients en verre étaient souvent déposés dans les tombes.

VERRE SOUFFLÉ

Cette technique apparaît au début de l'Empire et se diffuse très rapidement. À l'aide d'une canne, le verrier souffle dans une boule de verre en fusion qu'il transforme d'abord en bulle, puis en verre, bouteille, vase… Si la bulle est soufflée dans un moule sculpté en creux, le produit fini a un décor en relief.

POUR EN SAVOIR PLUS

sur les **amphores**, voir p. 84-85

LA TERRE CUITE

La quasi-totalité des récipients de transport et de stockage, comme les amphores et les *dolium*, la vaisselle, les tuiles, les briques… sont en terre cuite. La terre cuite est indispensable à la vie quotidienne la plus simple.

Le potier

L'extraction de l'argile, la fabrication et la cuisson des vases et des briques, c'est le métier de gens modestes, parfois d'esclaves. Certains travaillent pour un propriétaire plus riche dans de grands ateliers regroupés dans des bourgades entièrement consacrées à cette activité comme à Condatomagus (Millau), Montans ou Lezoux en Gaule. On y fabrique une poterie recherchée, recouverte d'un vernis rouge brillant, la céramique sigillée, exportée dans tout l'Empire.

UNE FOURNÉE

Dans les ateliers de La Graufesenque à Millau, les potiers cuisent en commun leurs vases dans de grands fours. Pour retrouver leur production après la cuisson, ils décrivent sur une assiette le nombre de vases, par type (assiette, bol, coupe…), mis par chacun.

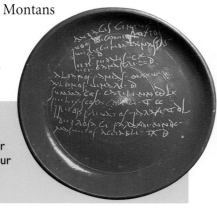

Boulangers et pâtissiers

Beaucoup de *domus* disposent d'un ou de plusieurs fours à pain. Sous Auguste, Rome compte 329 boulangeries, toutes tenues par des Grecs, experts dans l'art de faire du bon pain. Les pâtissiers (*clibanarii*) doivent leur nom au moule (*clibanus*), « tourtière » qu'ils utilisent. Le sucre est inconnu des Romains ; aussi les gâteaux sont-ils au miel.

PAS AU CENTRE-VILLE !

Les artisans qui utilisent le feu pour leur activité, verriers, potiers, forgerons… sont généralement installés dans la périphérie des villes à cause des risques d'incendie.

La boulangerie de Popidus Priscus

Le blé est moulu dans la cour de la boulangerie. La meule se compose d'une partie fixe, la *meta*, conique, en pierre dure, sur laquelle s'emboîte une autre pierre en forme de bobine (le *catillus*) qui peut tourner. La pierre mobile possède des bras de bois auxquels est attelé un âne qui la fait tourner. Les grains de blé, versés dans le *catillus*, sont broyés par le frottement des deux pierres et la farine s'écoule dans des récipients dessous.

DES PAINS

Sous l'Empire, il existe de nombreuses variétés de pain, généralement de forme ronde et marqués d'une double croix pour faciliter le partage. Pain blanc, pain au lait et aux œufs pour accompagner les huîtres, pain au lait avec huile et poivre, pain au jus de raisin, pain à la croûte parsemée de graines de pavot…

Musique et magie

Les musiciens accompagnent les principaux événements de la vie romaine et animent les très nombreuses fêtes du calendrier.

En avant la musique

Dans l'Empire romain, la musique est partout. Les instruments en bois, comme la flûte, sont surtout utilisés pendant les fêtes religieuses, les sacrifices, les funérailles et les pièces de théâtre. On joue de l'orgue dans l'arène, pendant les jeux du cirque. Comme son nom, *hydraulus*, l'indique, c'est un orgue à eau. Pour donner les ordres de marche, les militaires emploient des instruments à vent en métal comme le *cornu* ou le *lituus*. La musique résonne aussi sur les places et dans les rues.

Lituus

Cornu

Orgue à eau

Joueur de *tibia*

LOUVE OU PROSTITUÉE ?

Dans la légende des origines de Rome, Romulus et Rémus sont recueillis par le berger Faustulus et sa femme Acca Larentia, une prostituée qu'il venait d'épouser. Cette prostituée (*lupa*) qui aurait nourri les jumeaux serait peut-être à l'origine de la légende de la louve.

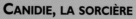

CANIDIE, LA SORCIÈRE

Ce sont souvent des prostituées qui, pour compléter leurs revenus, vendent des philtres d'amour ou, plus criminellement, se livrent à la magie noire. La sorcière Canidie et ses sœurs Sagana et Véia font brûler des plantes arrachées au cimetière de l'Esquilin, des œufs trempés dans du sang de crapaud, des plumes de hiboux et des os… pendant qu'un enfant, enterré jusqu'au visage, agonise de faim en regardant des plats de nourriture inaccessibles. Une fois mort de faim, sa moelle et son foie sont séchés pour faire un philtre…

Les joueurs de percussion

Ces musiciens accompagnent souvent les joueurs de flûte. Parmi leurs instruments, on trouve un genre de castagnettes (*crotala*) qui sont des plaques de bois, d'os ou de métal claquées entre elles ; les cymbales (*cymbalum*) de bronze ; le tambourin (*tympanum*), souvent joué par les femmes ; le *scabellum*, une pédale en bois que le joueur de flûte emploie pour battre la mesure ; le *sistrum*, sorte de crécelle.

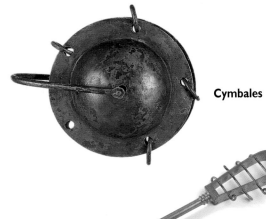

Cymbales

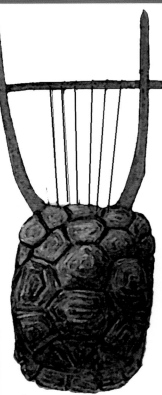

Lyre

Sistrum

Joueur de tambourin

PETIT VOCABULAIRE

Tibia : flûte.
Fistula obliqua : flûte traversière.
Fistula : flûte de Pan.
Crotala : castagnettes.
Cymbalum : cymbales.
Tympanum : tambourin.
Sistrum : crécelle.
Hydraulus : orgue à eau.

ANCÊTRE

L'ancêtre de la guitare est la *cithara*, un instrument doté de 3 à 12 cordes. La lyre a deux bras, et sa caisse de résonance est souvent une carapace de tortue.

POTIONS ET RHOMBE

Pour leurs philtres, les sorcières se servent des substances hallucinogènes ou euphorisantes contenues dans le suc ou les feuilles de plantes, comme la belladone ou l'armoise. Pour leurs cérémonies, elles utilisent le rhombe, un objet lié à une ficelle et qui émet un son lorsqu'on le fait tournoyer dans l'air.

TÉIA, PROSTITUÉE

La prostituée romaine est surnommée *lupa*, « louve », car elle imite le cri de cet animal pour attirer le client. Bien que très répandue et admise, la prostitution est considérée comme une profession infamante. Certaines prostituées sont louées par leur propriétaire pour une somme modique (1 ou 2 as). D'autres, plus belles ou plus cultivées, peuvent être louées pour de longues durées (mois, année…). Un contrat écrit est alors passé avec le client, où sont définis les droits et devoirs des deux parties. Du 28 avril au 3 mai, sont célébrées les *Ludi Florales*, des fêtes nocturnes où les prostituées défilent devant les spectateurs.

UN COLLIER, SIMPLE, ORNÉ D'UNE PIERRE PAS CHÈRE, COMME DEMANDÉ.

Pinarius Cerialis, le lapidaire

Le *gemmarius* travaille les pierres qui orneront les bijoux. Au Iᵉʳ siècle apr. J.-C., les bijoux romains sont simples, et les perles et les pierres de couleur peu employées. À partir du IIᵉ siècle apr. J.-C., le goût pour les bijoux colorés se développe. Les bagues, les colliers et les pendentifs associent des pierres de couleurs différentes. Les artisans qui travaillent les pierres sont arrivés au début du Iᵉʳ siècle apr. J.-C. de Grèce, d'Égypte et d'Orient.

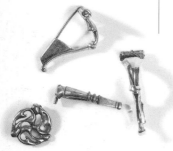

Les fibules sont des agrafes qui maintiennent les vêtements. Très décorées, ce sont aussi des bijoux.

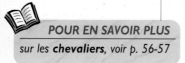

POUR EN SAVOIR PLUS
sur les chevaliers, voir p. 56-57

Le bijoutier

Le bijoutier vend les bijoux qu'il a fabriqués en fondant du métal, souvent de l'or. Les Romains sont très amateurs de bagues et les collectionnent. Ainsi, César en avait donné six collections au temple romain de Vénus Génitrix. Au début de l'Empire, l'anneau d'or est un élément distinctif de la classe des chevaliers. Puis la mode se développe, et les doigts des hommes et des femmes se couvrent de bagues.

L'orfèvre

L'orfèvre fabrique et vend les grands objets en métaux précieux comme la vaisselle de table, les miroirs d'argent… Du IIᵉ siècle av. J.-C. au Iᵉʳ siècle apr. J.-C., la vaisselle d'argent est travaillée au repoussé. Les motifs décoratifs ont un relief très important, et l'argent est presque pur. Aux IIᵉ et IIIᵉ siècles, l'argenterie se compose surtout de plats car, à cette époque, les vases et les coupes de table sont en verre.

L. Pompéius, oculiste

L'oculiste soigne les maladies des yeux avec des collyres, une pâte confectionnée avec de l'ambre, du millefeuille, de la verveine, du lierre, un liant… puis séchée en petites plaquettes. Le malade dissout des fragments de cette plaquette dans du lait ou un autre liquide prescrit, et applique la solution sur l'œil malade. Dans certaines régions de l'Empire, l'oculiste grave de petites pierres, appelées cachets, qu'il applique sur la plaquette de collyre. On peut y lire le nom de l'oculiste, le nom du collyre, la maladie, le mode d'utilisation.

Cachet d'oculiste

POUR EN SAVOIR PLUS

sur la **santé** *et la* **médecine**, voir p. 104-105

LES CORPORATIONS

Les corporations regroupent des personnes ayant les mêmes intérêts. Chaque corporation a ses statuts, se réunit dans un bâtiment, la *schola*, et a un responsable : le *patronus*. À Ostie, les corporations qui ont le plus d'adhérents sont celles des charpentiers de marine et des propriétaires de bateaux. Mais il en existe beaucoup d'autres, par exemple celle des vieux soldats et celle des pauvres, dont le but est la collecte des fonds pour payer les funérailles des membres.

Sur la place des Corporations à Ostie, on trouve plus de 60 bureaux des professions liées au commerce maritime. À l'entrée de chaque bureau, une mosaïque désigne les marchandises ou les activités pratiquées.

Métiers du bâtiment

Levage par pince

Pierre, bois et brique sont utilisés en abondance dans la construction des maisons et des monuments publics. De nombreux métiers y sont liés, depuis l'extraction des matières premières jusqu'à la finition sur le chantier de construction.

Le carrier

Pour la construction des beaux édifices et les statues, les Romains utilisent beaucoup le marbre. Dans la carrière, l'ouvrier aménage d'abord deux des faces du bloc qu'il veut extraire, une horizontale et une verticale. Puis il creuse des rainures verticales sur trois côtés pour dégager le volume du bloc. Pour terminer, il enfonce des coins sous le bloc ainsi délimité pour le détacher du rocher.

DÉPLACER LES BLOCS

Les blocs les plus gros sont sortis de la carrière sur des rouleaux de bois ou des traîneaux tirés par des hommes sur des rampes inclinées. Même les « petits » blocs ne peuvent pas être portés par un seul homme : un bloc calcaire de 80 x 50 x 60 cm pèse 500 kg ! Il doit être déplacé sur des rouleaux de bois. Pour déplacer une colonne, comme celles du Panthéon de Rome qui mesurent près de 12 mètres et pèsent 56 tonnes chacune, on profite de sa rondeur pour la faire rouler sur elle-même, ou la munir de roues en bois, ce qui permet de ne pas l'abîmer.

Le tailleur de pierre

Avant d'être utilisée, la pierre doit subir toute une série de transformations pour lui donner sa forme définitive. Le tailleur de pierre débite les gros blocs de la carrière en pierres plus petites, avec des coins ou bien en les sciant. Puis le moellon reçoit sa forme définitive, avec la phase d'équarrissage réalisée avec un pic à deux pointes ou avec un marteau taillant. Enfin, on utilise des ciseaux lisses ou crantés pour la finition de la pierre et, parfois, un polissage avec du sable.

Les engins

Les Romains disposent de plusieurs types de machines pour monter les pierres au sommet des grands édifices. La plus impressionnante est une grande roue actionnée par plusieurs hommes et qui lève les blocs grâce à un système de poulies. Les pierres sont saisies par des griffes ou grâce à d'autres systèmes. Parfois, le tailleur de pierre laisse des tenons saillants sur la pierre pour y accrocher des cordes ; ces tenons sont enlevés une fois le bloc posé à sa place. Pour terminer, le bloc de pierre taillée est lié aux autres par des crampons de fer ou de bronze.

Compas

Bloc à tenons

Ciseau

Pic à deux pointes

Bûcherons et charpentiers

Les bûcherons abattent les arbres entre le début de l'automne et le début du printemps. Ils les laissent sécher longtemps, parfois plusieurs années pour les bois de charpente, pour que le bois se débarrasse de sa sève. Ensuite, les charpentiers fabriquent des poutres en équarrissant à la hache les troncs, et des planches grâce à la scie de long. Les pièces de bois ainsi obtenues sont finies à l'herminette puis, si nécessaire, au rabot. Les charpentiers les assemblent enfin par des systèmes parfois très élaborés de tenons et mortaises.

Marques sur briques

Les marques sur les briques indiquent souvent le nom du fabricant, privé ou militaire ; parfois la date d'après le nom des deux consuls de l'année en cours ; quelquefois le nom du marchand ou encore le nom du bâtiment auquel elles sont destinées.

Comment construire

Pour construire les grands édifices publics, les Romains se sont servis de l'expérience architecturale des Grecs. Mais ils ont aussi inventé des instruments de mesure et développé des techniques nouvelles.

L'*agrimensor*

Les deux outils du topographe (*agrimensor*) sont la *groma* et le chorobate.
La *groma* est une équerre de visée, à 4 branches, montée sur un pied vertical de la hauteur d'un homme. Avec la *groma*, le topographe trace sur le terrain des lignes droites sur de longues distances pour la construction des routes, des aqueducs, la délimitation des cadastres... Il peut aussi réaliser des relevés de terrain pour dessiner des plans ou des cartes (*forma*). Le chorobate est un niveau à eau de grande taille, jusqu'à 6 mètres de long, qui permet de mesurer les différences d'altitude, pour la construction des aqueducs et le percement des tunnels.

La groma

POUR EN SAVOIR PLUS

sur la **groma**, voir p. 38-39 et 50-51
sur les **coupoles** et le **Panthéon**,
voir p. 188-189

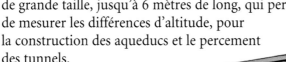

Le chorobate

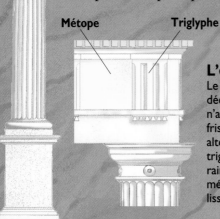

Des colonnes et des chapiteaux

Les Romains ont emprunté aux Grecs trois styles d'architecture que l'on peut observer notamment sur les colonnes des temples. Les styles dorique et ionique seront surtout employés au temps de la République ; le style corinthien sera le plus populaire dès le Ier siècle av. J.-C.

Métope   **Triglyphe**

L'ORDRE DORIQUE
Le chapiteau n'est pas décoré, et la colonne n'a pas de base. La frise est une alternance de triglyphes (trois rainures) et de métopes (panneaux lisses ou sculptés).

L'ORDRE CORINTHIEN
Le chapiteau est composé d'une corbeille à deux ou trois rangs de feuilles d'acanthe. La base comprend deux tores, séparées par une scotie.

Feuilles d'acanthe

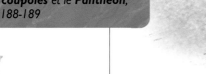

La voûte

La grande différence entre l'architecture romaine et l'architecture grecque, c'est la voûte. Les Romains l'ont empruntée aux Étrusques. Grâce à elle, ils ont pu bâtir de vastes édifices, des égouts, des aqueducs, des ponts, des coupoles comme celle du Panthéon. Ils employaient la technique de la maçonnerie concrète.

❶ On construit un coffrage en bois, de la forme de la voûte, soutenu par des échafaudages.

❷ On pose dedans un lit de briques à plat, et des briques verticales qui forment des arcs.

❸ On coule à l'intérieur du coffrage un mortier de chaux mêlé à des éclats de pierre.

❹ En séchant, la voûte de briques et de mortier ne forme plus qu'un seul bloc. On retire alors le coffrage de bois et les échafaudages. La voûte peut résister des siècles.

CONSTRUCTION D'UNE VOÛTE

La façade des grands édifices, cirque ou théâtre, présentent souvent les trois ordres, chacun à un étage. Les Romains inventent l'ordre composite qui combine les feuilles d'acanthe du style corinthien et des volutes du style ionique.

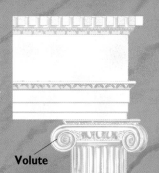

L'ORDRE IONIQUE

Le chapiteau dessine des volutes, la base est moulurée, la frise est ornée d'une série continue de sculptures.

Volute

L'ORDRE COMPOSITE

On retrouve l'acanthe du style corinthien et la volute du style ionique.

Volute

Feuilles d'acanthe

Construire un mur

Selon leur technique de construction et les matériaux employés, les murs ont des aspects différents. Le parement est la partie visible du mur ; les architectes utilisent aussi le mot « appareil » ou *opus* en latin, pour le décrire.

LA CHAUX : DE LA « COLLE »

La chaux, véritable « colle », va permettre de construire de grands édifices à moindres frais. Les bâtisseurs ne sont plus obligés de commander de gros blocs de pierre pour leurs monuments. Ils construisent les murs à partir de petites pierres, de briques, de galets… qui, une fois liés à la chaux, ne forment plus qu'un seul bloc indestructible, l'*opus caementicum*. Les murs construits avec ce mortier de chaux sont plus solides que beaucoup de murs modernes en béton armé.

LE PETIT APPAREIL

Avec la généralisation de l'usage du mortier de chaux, il n'est plus nécessaire de construire des édifices entièrement en pierres de taille ajustées. Les bâtiments sont construits avec de petits blocs de pierre, de moins de 20 cm de long, et liés au mortier. C'est le petit appareil ou *opus vittatum*.

Le petit appareil

L'appareil polygonal

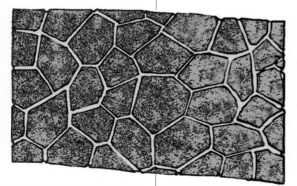

L'APPAREIL POLYGONAL

Dès le Ve siècle av. J.-C., en Étrurie, les remparts des villes sont édifiés avec des pierres polygonales, retaillées sur le chantier pour s'adapter le plus parfaitement possible les unes aux autres. C'est l'appareil polygonal. Il est bien adapté aux constructions très massives comme les fortifications ou les soutènements de route. Cette technique évolue en même temps que celle du grand appareil qui va finir par la remplacer.

L'opus craticium

L'APPAREIL RÉTICULÉ

L'*opus reticulatum* est un petit appareil où les pierres, carrées, ont posées sur la pointe. Cette disposition donne un effet décoratif, comme un filet surtout utilisé dans le centre de l'Italie, et à Pompéi, du Ier siècle av. au Ier siècle apr. J.-C.

L'appareil réticulé

L'OPUS CRATICIUM

C'est une armature de bois dont les vides sont comblés par du torchis, un mélange de paille et d'argile. Ce type de construction est très léger et convient parfaitement aux parois des appartements situés aux étages des immeubles romains. L'inconvénient, c'est que ça prend feu très facilement…

POUR EN SAVOIR PLUS

sur les **immeubles**, voir p. 126-127

L'OPUS TESTACEUM

L'usage des briques pour la construction des murs se généralise à partir de l'époque d'Auguste. Ce mode de construction est fréquent dans les pays où la pierre fait défaut. Cette technique (*opus testaceum*) sera de plus en plus employée, car il est moins onéreux de fabriquer des briques que de faire tailler des pierres. Le marché de Trajan à Rome est construit en briques.

LE GRAND APPAREIL

La technique du grand appareil est héritée des Grecs et les constructions en pierres de taille apparaissent très tôt en Italie. Chaque pierre pèse plusieurs centaines de kilos, et quelques-unes plusieurs tonnes. Elles tiennent entre elles par leur propre poids ou par des crampons de fer ou de plomb. L'*opus quadratum* est un grand appareil de pierres quadrangulaires.

LE SUCCÈS DES ROMAINS

Les constructions en grand appareil exigent beaucoup d'engins et de main-d'œuvre qualifiée pour tailler, déplacer, ajuster les gros blocs de pierre. En revanche, les constructions en mortier de chaux et petites pierres sont réalisées par des ouvriers peu spécialisés. Chaque tâche ne demande que peu d'apprentissage et le transport des matériaux n'exige que la force humaine, fournie par les nombreux esclaves capturés durant les conquêtes. Les plus grandes réalisations de l'architecture romaine seront faites en *opus caementicum* avec un parement de marbre ou de blocs taillés.

L'*opus testaceum*

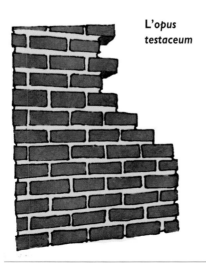

Le grand appareil

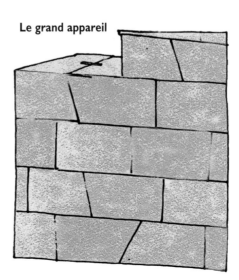

La sécurité

Parti du Circus Maximus dans la nuit du 18 au 19 juillet 64, l'incendie détruisit 130 *domus*, 4 000 immeubles et de nombreux monuments.

Bien qu'il soit interdit de porter des armes à l'intérieur de la limite sacrée (*pomoerium*) de la ville, deux groupes de soldats y seront placés. Le corps des vigiles, à la fois pompiers et gardiens de la paix la nuit, et celui de la police urbaine de jour.

Les incendies

À Rome, les incendies sont fréquents et craints, car ils sont très violents. L'étroitesse des rues et les balcons en bois facilitent la propagation du feu le long des façades et d'un côté de la rue à l'autre. L'incendie de 64 apr. J.-C. fut l'événement le plus terrible à Rome après l'invasion gauloise de 390 av. J.-C. Il dura 6 jours et 7 nuits et fit des dégâts immenses : sur les 14 quartiers de Rome, 3 furent totalement détruits, 7 en ruines et 4 sauvés.

Les vigiles

C'est Auguste qui crée, en 6 apr. J.-C., les sept cohortes de vigiles placées sous les ordres du préfet des vigiles. Chaque cohorte, commandée par un tribun, se compose d'environ 1 000 vigiles, des affranchis qui deviennent citoyens après trois ans de service, sur les 16 ans obligatoires. Une cohorte est cantonnée dans une caserne et est chargée de la surveillance de deux quartiers de Rome. Les vigiles font des rondes la nuit, équipés pour lutter contre les incendies. Ils surveillent les abords des thermes et des entrepôts et interviennent lorsque des troubles se produisent. Les individus arrêtés sont conduits à la caserne, où ils attendent d'être jugés par le préfet des vigiles.

Quartier en ruines

Quartier détruit

Les voleurs

Dans la journée, les vols à l'étalage sont faciles, puisque les boutiques n'ont pas de vitrine. On peut lire des écriteaux de ce type : « Une cruche en bronze a disparu de cette boutique. On donnera 65 sesterces à qui la rapportera… » Au coucher du soleil, les commerçants ferment les volets en bois de leur magasin et les fixent au trottoir avec de solides cadenas. Une des anciennes lois romaines précise que « si quelqu'un commet un vol pendant la nuit, si on le tue, on considérera qu'il a été tué légalement ».

La police

Avant la création par l'empereur Auguste des trois cohortes urbaines, aucune police n'existait. Les cohortes urbaines veillent à la garde de la cité. Elles sont placées sous les ordres du préfet de la ville. Elles portent les numéros X, XI et XII, à la suite des neuf cohortes prétoriennes. Chaque cohorte est commandée par un tribun, et se compose d'environ 500 soldats. Ce sont des citoyens qui feront 20 ans de service.

POUR EN SAVOIR PLUS
sur les **cohortes prétoriennes**, voir p. 198-199
sur les **immeubles**, voir p. 126-127

DANS LES NÉCROPOLES

Les nécropoles sont les lieux les plus mal famés de Rome. C'est là que les miséreux viennent récupérer la nourriture offerte aux morts. On y trouve aussi les pilleurs de tombes, les prostituées les plus misérables, coiffées de leur perruque rousse. Mais c'est surtout le repaire des bandes de voleurs qui cachent leur butin dans les tombeaux et attendent la nuit pour aller piller les riches *domus*.

LA LUTTE CONTRE LES INCENDIES

Chaque cohorte de vigiles est divisée en sept centuries, chacune commandée par un centurion, et a ses spécialistes : les *sifonarii* contrôlent les pompes à bras ; les *aquarii* s'occupent de l'alimentation en eau, les *emitularii* contrôlent la manœuvre des matelas destinés à recevoir les sinistrés qui se jettent des étages… Mais l'essentiel consiste à écrouler les maisons devant le feu pour éviter la propagation. Les *falciarii* utilisent de longues faux, les *uncinarii* ont des crocs, et les *ballistarii* détruisent à coups de boulets les bâtiments dont le feu interdit l'approche.

Néron et les arts

Néron, éduqué par le philosophe Sénèque, devient empereur à l'âge de 17 ans. Il débute son règne dans la droiture, mais le termine dans la folie. En 68, déclaré ennemi public, il s'enfuit de Rome et se suicide en disant : « Quel artiste périt avec moi ! »

Ce couvercle de miroir en bronze porte l'effigie de Néron.

UNE MAISON ASTRONOMIQUE

La *Domus aurea* est orientée selon les quatre points cardinaux, ce qui est unique pour un palais impérial à Rome. Une des salles à manger, à huit côtés, est couverte d'une coupole percée d'une ouverture (*oculus*) de 6 mètres de diamètre à son sommet. Au solstice d'été, le 21 juin, à midi, le cercle lumineux de l'*oculus* est complètement visible sur le sol. Aux deux équinoxes, 23 septembre et 21 mars, le cercle lumineux encadre exactement la porte Nord. Cette salle comportait aussi des plaques d'ivoire qui pouvaient s'ouvrir et d'où des esclaves laissaient tomber des parfums et des fleurs sur les convives.

Les maisons de Néron

La première demeure que se fit construire Néron s'appelait la *Domus transitoria* (Maison du passage) car elle reliait les palais du Palatin et la villa de Mécène, acquise par Néron. Elle fut détruite dans l'incendie de 64. Néron fit alors construire une seconde maison, la *Domus aurea* (Maison dorée), immense, à cheval sur trois collines : le Palatin, l'Esquilin et le Caelius.

AAH ! BIEN SÛR, SI VOUS NE VOULEZ PAS DE MA MAISON DU FUTUR...

Du colosse au Colisée

Pour orner le vestibule de sa Maison dorée, Néron fait appel à Zénodore, un sculpteur grec. Il réalise une statue de Néron en bronze, haute d'environ 30 mètres. Plus tard, Hadrien la fait déplacer devant l'amphithéâtre Flavien, grâce à un attelage de 24 éléphants. Au IVᵉ siècle, elle est décrite haute de 102,5 pieds (29,75 m) ; la tête porte sept rayons, longs chacun de 22,5 pieds (6,50 m). La base, carrée, mesure 8 mètres de côté. La proximité de ce colosse donne, au VIIIᵉ siècle, le surnom de Colisée (*Colisaeus*) à l'amphithéâtre Flavien.

L'opinion d'un contemporain

Suétone nous décrit cette maison : « Pour se faire une idée de son étendue et de son raffinement, il suffit de dire qu'il y avait un vestibule assez grand pour contenir une statue colossale haute de 120 pieds (35 mètres) à son effigie ; la maison était assez vaste pour renfermer un portique, à trois rangs de colonnes, long de 1 000 pas (1 480 mètres), ainsi qu'une pièce d'eau qui imitait la mer, bordée de maisons évoquant des villes, sans oublier des paysages campagnards avec des champs cultivés, des vignobles, des pâturages et des forêts, le tout peuplé de quantité d'animaux domestiques et sauvages de toute espèce. »

POUR EN SAVOIR PLUS

*sur les **palais impériaux**, voir p. 132-133*

ARTISTE ET SPORTIF

Persuadé qu'il possède des dons sportifs et artistiques, Néron conduit des chars dans le cirque et participe à des concours de chant et de poésie. En 66, il fait un voyage en Grèce où il participe à de nombreux concours de théâtre et courses de chars. Évidemment, il est toujours déclaré vainqueur, et revient à Rome avec plus de 1 600 récompenses !

NÉRON LE VOYOU

Suétone, un auteur latin qui n'aime pas trop Néron, nous raconte que l'empereur aime sortir la nuit, incognito. Il va dans les cabarets et se mêle aux ivrognes. En chemin, il frappe les passants, les pousse dans les égouts, brise les volets des boutiques pour les piller. Des gardes le suivent, prêts à intervenir si les gens se rebellent.

PYROMANE OU NON ?

En 64, éclate un des plus violents incendies que connaît Rome. La ville est en grande partie détruite, et Néron décide de la reconstruire et d'en faire une capitale grandiose. Voyant que l'empereur éprouve beaucoup de joie à transformer la capitale comme il le souhaite, certains le soupçonnent d'avoir participé à l'incendie… et des rumeurs prétendent l'avoir vu chanter, s'accompagnant d'une lyre, à la vue des flammes. Néron se défend et accuse une secte de chrétiens qui prêche une imminente fin du monde par le feu. Ils seront exécutés au cirque.

Le Panthéon

C'EST LE PIED !

Pour réaliser les plans des édifices qu'ils construisent, les architectes romains utilisent la règle et le compas. L'unité est le pied romain, et tous les édifices sont construits sur des multiples de ce pied. Sur le terrain, l'architecte, le charpentier et le maçon utilisent une règle en bronze, graduée, de la dimension d'un pied romain, soit 29,60 cm.

L'empereur Hadrien fit bâtir ce temple entre 118 et 128 apr. J.-C. Le Panthéon est différent des temples classiques : le portique, surmonté d'un fronton, précède une salle rectangulaire puis la rotonde, cylindrique, sur laquelle repose une immense coupole.

Les chapiteaux et les bases sont en marbre blanc.

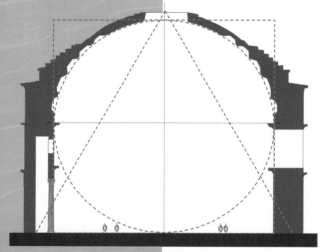

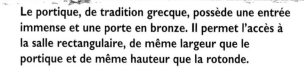

Les différentes parties des monuments, leurs proportions, s'inscrivent dans des figures géométriques simples : cercle, carré, triangle.

Les colonnes sont d'un seul bloc, d'ordre corinthien mais non cannelées. Elles sont en granite gris.

La façade possède huit colonnes sur la longueur et trois sur la largeur.

Le portique, de tradition grecque, possède une entrée immense et une porte en bronze. Il permet l'accès à la salle rectangulaire, de même largeur que le portique et de même hauteur que la rotonde.

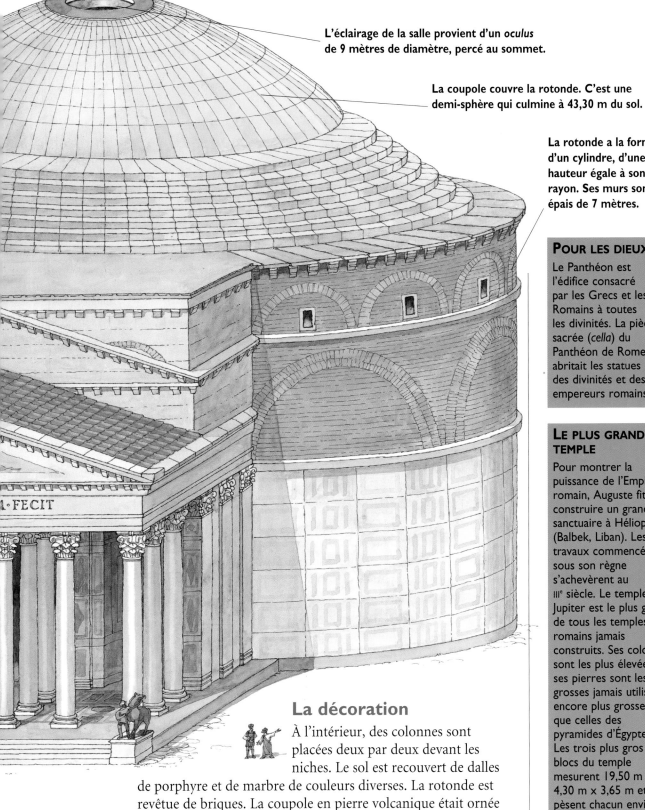

L'éclairage de la salle provient d'un *oculus* de 9 mètres de diamètre, percé au sommet.

La coupole couvre la rotonde. C'est une demi-sphère qui culmine à 43,30 m du sol.

La rotonde a la forme d'un cylindre, d'une hauteur égale à son rayon. Ses murs sont épais de 7 mètres.

M·FECIT

POUR LES DIEUX

Le Panthéon est l'édifice consacré par les Grecs et les Romains à toutes les divinités. La pièce sacrée (*cella*) du Panthéon de Rome abritait les statues des divinités et des empereurs romains.

LE PLUS GRAND TEMPLE

Pour montrer la puissance de l'Empire romain, Auguste fit construire un grand sanctuaire à Héliopolis (Balbek, Liban). Les travaux commencés sous son règne s'achevèrent au IIIe siècle. Le temple de Jupiter est le plus grand de tous les temples romains jamais construits. Ses colonnes sont les plus élevées et ses pierres sont les plus grosses jamais utilisées, encore plus grosses que celles des pyramides d'Égypte. Les trois plus gros blocs du temple mesurent 19,50 m x 4,30 m x 3,65 m et pèsent chacun environ 800 tonnes.

La décoration

À l'intérieur, des colonnes sont placées deux par deux devant les niches. Le sol est recouvert de dalles de porphyre et de marbre de couleurs diverses. La rotonde est revêtue de briques. La coupole en pierre volcanique était ornée de tuiles de bronze.

La sculpture

Les généraux romains rapportent d'Orient quantité d'œuvres d'art qu'ils exhibent lors des triomphes. Par mode, les portiques publics, les jardins des riches *domus* deviennent de véritables musées. En parallèle, la sculpture romaine se développe.

Influencés mais différents...

En Grèce, le corps humain est mis en valeur dans des sculptures de nus athlétiques. Les personnages romains sont plutôt vêtus des habits de leur fonction : toge, cuirasse... Les sculpteurs grecs représentent des dieux ou des héros de la mythologie. Les Romains préfèrent montrer les grands personnages publics.

Marbre et porphyre

Les Romains sculptent leurs statues et leurs vases dans le marbre et le porphyre. Les marbres, blancs ou veinés de couleur, sont des roches dures. Le marbre blanc des carrières de Carrare, en Italie, à grains fins et homogènes, facile à travailler et à polir, est le plus réputé. Le porphyre est une roche rouge foncé, parsemée de taches blanches, venant surtout d'Égypte. L'art de le tailler et de le polir s'est perdu après les invasions barbares. Il ne fut redécouvert que 1 000 ans plus tard.

Statue du dieu Océan, ou d'un fleuve.

QUELQUES CHIFFRES

Au début du IVᵉ siècle apr. J.-C., il existe à Rome : 40 arcs de triomphe, 11 colonnes monumentales, 25 statues équestres, 164 statues de dieux en bronze ou ivoire, 3 785 statues de personnages célèbres de bronze. On ne compte pas les statues de marbre.

❶ ❷ ❸ ❹

Le portrait

Les riches Romains avaient le droit de conserver dans *l'atrium* de leur *domus* les masques en cire de leurs ancêtres défunts. De cette tradition vient celle de se faire faire un buste en marbre de son vivant. Cet art du portrait est typiquement romain. Empereurs, personnes publiques ou privées, hommes ou femmes, jeunes ou vieux, beaucoup de Romains se font sculpter le buste. Ces œuvres paraissent assez fidèles à la réalité même si, au Ier siècle av. J.-C., le sculpteur met en avant l'aspect intellectuel du modèle et si, deux siècles plus tard, le portrait est plus idéalisé.

Le marbre est la roche la plus utilisée pour la sculpture.

Le bronze

Le bronze est un alliage de cuivre et d'étain. Sa couleur est plutôt rouge s'il est riche en cuivre (plus de 90 %), et jaune clair au-dessous de 85 %. Il verdit en s'oxydant à l'air. Une statue en bronze est réalisée en coulant le métal liquide dans un moule obtenu à partir d'un objet sculpté en plâtre. Comme le bronze est lourd et cher, seuls les petits objets sont entièrement en bronze ; les grandes statues sont creuses.

Le fondeur essaie de créer des fontes aussi minces que possible pour diminuer à la fois le prix et le poids.

La statue en bronze de Marc Aurèle, empereur romain de 161 à 180 apr. J.-C., mesure 4,5 m de haut et pèse environ 2,5 t.

ÉCONOMIES

Les Romains qui désirent posséder une statue, ou un buste, de leur empereur ont un support sans tête... Le haut du torse présente une cavité dans laquelle peut être inséré le cou d'une tête. Lorsque l'empereur change, il suffit de mettre sa tête en marbre sculpté à la place de l'ancienne, pas la peine de refaire un buste complet !

ARTISTES ANONYMES

Contrairement à la Grèce, où les artistes signent leurs œuvres et sont connus, à Rome ce sont les riches personnages qui dédicacent les œuvres qu'ils offrent à la cité. Rares sont les noms d'artistes romains connus.

HAUTEUR DES STATUES

❶ Statue de Marc Aurèle 4,5 m.
❷ Obélisque de Louxor 22 m.
❸ Colosse de Néron 30 m.
❹ Colonne Trajane (sans le socle) 30 m.
❺ Statue de la Liberté 46 m.
❻ Statues colossales d'Abou Simbel 26 m.

❺

❻

Les fresques

Les peintures murales romaines les plus remarquables se trouvent à Pompéi et à Herculanum. Elles sont datées entre le IIe siècle av. J.-C. et la seconde moitié du Ier siècle apr. J.-C. Les spécialistes les classent en quatre styles.

LES COULEURS

Pour la fresque, les couleurs sont des pigments, c'est-à-dire des matières, écrasées en poudre et mélangées à de l'eau. La chaux du fond donne la couleur blanche. Pour le noir, c'est de l'os ou de l'ivoire calciné. Pour le jaune, de la terre d'ocre. Pour le rouge, du cinabre (sulfure de mercure). Pour le bleu et le vert, des oxydes de cobalt.

L'imitation du marbre

Dans le style I, le mur est recouvert de stuc peint en imitant des panneaux de marbre ou des blocs de pierre. Ce style imite en peinture les décorations de marbre des luxueuses *domus*. D'origine orientale, il est utilisé à Pompéi entre 200 et 80 av. J.-C.

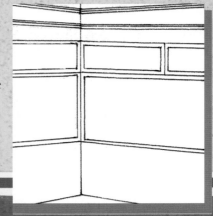

L'imitation de l'architecture

Dans le style II, les peintures imitent, comme dans le style I, des éléments d'architecture, mais ils sont « en trompe l'œil » : la surface du mur est plane, mais les ombres peintes et la perspective donnent l'illusion d'éléments en relief. La pierre et le marbre coloré sont toujours imités. Ce style II débute à Pompéi vers 80 av. J.-C.

Du décoratif

Le style III débute sous l'Empire. La peinture n'imite plus l'architecture. De fines colonnes divisent le mur en panneaux. Les peintures des panneaux représentent des scènes à la campagne, des bords de mer, et souvent, sur le panneau central de grandes dimensions, une scène mythologique.

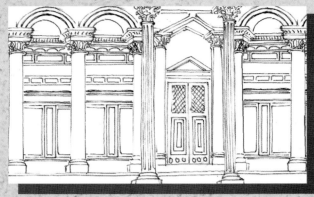

Combinons...

Le style IV combine les fines colonnes du style III et des éléments architecturaux du style II. Les panneaux représentent des paysages lointains.

COMMENT C'EST FAIT ?

Sur le mur, le plâtrier pose trois à sept couches de préparation. L'artiste peint sur la dernière : un enduit de chaux contenant du sable fin pour l'empêcher de craqueler en séchant. Le dessinateur trace les figures en creux, au stylet. Il s'aide d'une règle et d'un compas pour les motifs géométriques. Puis le peintre travaille sur l'enduit de chaux encore humide. Il fait les fonds, puis les encadrements, et enfin les détails. En séchant, la chaux absorbe les pigments, se cristallise, et forme une fine pellicule à la surface du mur. La peinture devient dure et résistante.

Détail d'une mosaïque du Ier siècle av. J.-C. représentant différentes activités près du Nil.

La mosaïque

Les Romains ont emprunté l'art de la mosaïque aux Grecs. Les thèmes sont souvent les mêmes que pour la peinture : scènes mythologiques, chasse, natures mortes...

SUR LE SOL ET LES MURS

Les plus anciennes mosaïques de sol romaines (début du Ier siècle av. J.-C.) ont été trouvées à Pompéi, Palerme et Malte. Ce sont de simples dessins géométriques en noir et blanc : damiers, cercles entrelacés, losanges, carrés, cercles et motifs végétaux stylisés. Les mosaïques peuvent être aussi sur les murs. Cette technique, employée à Pompéi vers 90 av. J.-C., se répand dans l'Empire aux IIe et IIIe siècles.

À Ostie, les mosaïques sont en noir et blanc et souvent inspirées de thèmes marins.

Muse dans un médaillon

Mosaïque de tesselles

Les tesselles sont de petits cubes colorés de terre cuite, de pierre, de marbre ou de verre. Taillées avec soin, elles sont jointes avec le moins d'espace possible entre elles. Selon la taille des tesselles, la mosaïque a des usages différents :
- l'*opus tessellatum*, à cubes de 1 à 2 cm : c'est la mosaïque courante.
- l'*opus vermiculatum*, à cubes de dimensions minuscules, jusqu'à 20 dans 1 cm² : il sert pour les tableaux.

DES MUSES AUX MOSAÏQUES

Les Romains ornent leurs jardins de fontaines ou de grottes, qu'ils dédient aux Muses, d'où le nom de *musaea* pour ces lieux de repos. Leur décor s'appelle *musivum opus*, puis *musium*, et devient « mosaïque » à l'époque moderne pour nommer cette technique.

COMMENT C'EST FAIT ?

Sur le sol, les ouvriers posent trois couches de préparation, un peu comme pour une voie romaine. Sur le sol naturel est posé un hérisson de moellons, c'est le *statumen*. Puis vient le *rudus*, un béton de chaux et de morceaux de tuiles ; et enfin le *radus*, une autre couche de chaux et de morceaux de briques pilées. C'est dans cette dernière couche, encore meuble, que les tesselles sont fichées.

Mosaïque de galets

Les plus anciennes mosaïques (Asie Mineure, VIIIe siècle av. J.-C.) sont constituées de petits galets non taillés et placés verticalement dans un lit de ciment. Les galets sont blancs pour le motif et sombres pour le fond. Au Ier siècle av. J.-C., en Égypte, en Grèce et en Italie du Sud, les galets sont remplacés par des éclats plus petits.

En Afrique

À partir de la fin du Ier siècle apr. J.-C., l'Afrique (Maroc, Algérie, Tunisie, Libye) développe un art de la mosaïque qui atteint son âge d'or au milieu du IIe siècle.

L'armée

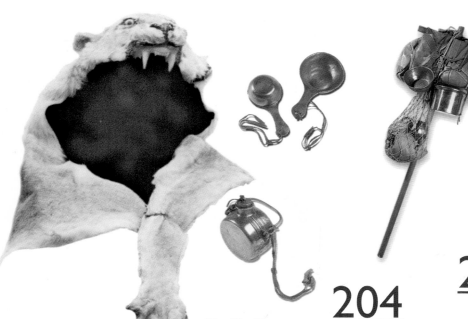

206
Camper et marcher

204
Enseignes et médailles

202
En tenue de combat

200
Qui c'est qui commande ?

198
Engagez-vous !

Beaucoup de pages du livre de l'histoire romaine, de la République à l'Empire, ont été écrites par des généraux et leurs légions. Des conquêtes au maintien de la paix, sur terre et sur mer, l'armée fut l'un des éléments importants de la puissance de Rome.

208
Une colonne d'Histoire

210
État de siège

212
Combat et religion

214
Batailles navales

216
Le triomphe

Engagez-vous !

Aux débuts de Rome, l'armée n'est recrutée qu'en temps de guerre. Au IIe siècle av. J.-C., elle devient permanente. Sous Auguste, au Ier siècle apr. J.-C., elle compte 25 légions, soit environ 130 000 légionnaires, auxquels s'ajoutent autant d'auxiliaires.

LA CENTURIE

Chaque centurie comprend environ 80 légionnaires.

LES COHORTES PRÉTORIENNES

Créées par Auguste, les neuf cohortes prétoriennes forment la garde personnelle de l'empereur. Chacune compte 500 soldats d'élite. Sous Tibère, les prétoriens s'installent à la limite de la ville de Rome, dans un camp de 440 mètres sur 380 mètres, entouré de murs crénelés, hauts de trois mètres.

La légion

Une légion (*legio*) est composée de citoyens répartis dans dix cohortes, numérotées de I à X. La première cohorte est la plus prestigieuse. S'ajoutent dans chaque légion environ 120 cavaliers. Cela représente près de 5 200 hommes commandés par des officiers et des sous-officiers.

VIII

V

IV

LA PREMIÈRE COHORTE

La première cohorte comprend cinq centuries de 160 hommes.

Les auxiliaires

Les troupes auxiliaires combattent aux côtés de la légion. Elles sont composées de cavaliers et de fantassins. Ces soldats sont souvent des non-citoyens recrutés dans les provinces. La cavalerie est divisée en ailes d'environ 500 cavaliers. Les fantassins sont divisés en cohortes de 500 hommes.

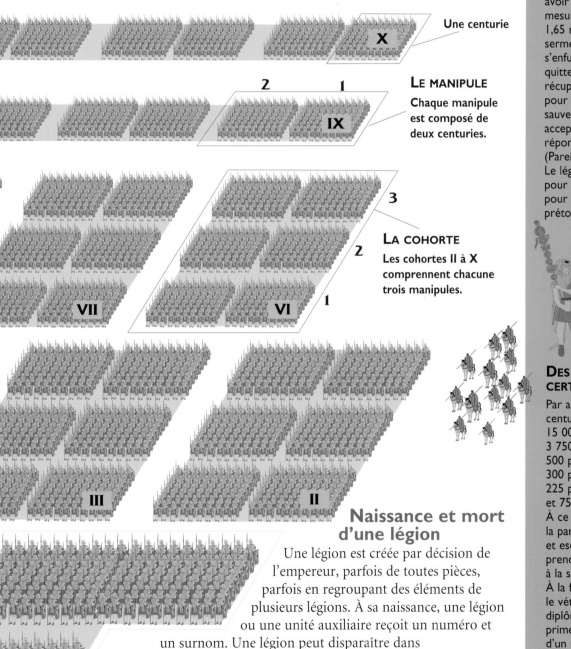

Une centurie

LE MANIPULE

Chaque manipule est composé de deux centuries.

LA COHORTE

Les cohortes II à **X** comprennent chacune trois manipules.

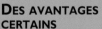

Naissance et mort d'une légion

Une légion est créée par décision de l'empereur, parfois de toutes pièces, parfois en regroupant des éléments de plusieurs légions. À sa naissance, une légion ou une unité auxiliaire reçoit un numéro et un surnom. Une légion peut disparaître dans une bataille, comme les légions XVII, XVIII et XIX détruites par les Germains en 9 apr. J.-C. Elle peut aussi être dissoute par l'empereur.

Qui c'est qui commande ?

L'empereur est le chef de toutes les forces militaires. Puis, selon les unités, légion ou auxiliaire, la hiérarchie est différente. La légion compte aussi de nombreux soldats affectés à des tâches diverses : musiciens, forgerons, charpentiers…

LÉGAT DE LA LÉGION

C'est l'officier supérieur de la légion, de rang sénatorial et expérimenté.

COHORTES PRÉTORIENNES

Le préfet du prétoire commande l'ensemble des neuf cohortes. À la tête de chacune : un tribun et six centurions.

PRÉFET DU CAMP

Officier inférieur au tribun laticlave, il gère le camp et commande l'artillerie.

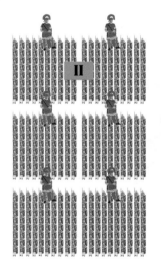

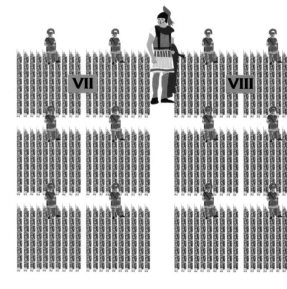

TRIBUN LATICLAVE

C'est un jeune officier, sénateur en début de carrière. Il porte la tunique laticlave à large bande pourpre. Il y a un tribun laticlave par légion. Il conseille le légat et peut le remplacer.

TRIBUN ANGUSTICLAVE

Ils sont cinq par légion. Chacun commande deux cohortes. Ce sont des chevaliers, souvent des jeunes issus de familles riches, et sans expérience militaire. Ils portent la tunique angusticlave à bande pourpre étroite.

CENTURION

Ils sont 59 par légion, un à la tête de chaque centurie. Les cinq centurions de la cohorte I sont de rang plus élevé que les 54 autres. C'est le *pilus prior*, le plus âgé des six centurions d'une cohorte, qui la commande. Le centurion le plus gradé de la légion est le *pilus prior* de la cohorte I, son nom est le primipile (*primus pilus*).

SOLDAT

La carrière du soldat peut être la suivante : simple soldat (*gregalis*), il débute comme *munifex*, soldat qui reçoit les corvées. Puis il devient *immunis*, soldat exempté de corvées. Toujours soldat, sa solde peut être doublée puis triplée. Il peut devenir *optio*, adjoint d'un centurion, et enfin centurion. Le poste de primipile est le plus haut qu'il puisse atteindre.

INTENDANCE ET MÉTIERS

Pour être autonome dans ses déplacements en pays étrangers, la légion comprend de nombreux personnels de métiers divers. Les ouvriers, charpentiers, forgerons, armuriers… sont commandés par le *praefectus fabrum*. Les musiciens, qui transmettent les ordres de bataille, sont nombreux : les *cornicines* jouent du cor, les *tubicines* de la trompette, les *liticines* de la trompette de cavalerie, les *bucinatores* jouent du buccin, une trompette en spirale. Médecins et infirmiers soignent les blessés dans une infirmerie. Il y a aussi le responsable du bétail, l'architecte…

En tenue de combat

La tenue de combat varie selon que le soldat appartient à l'armée terrestre ou à la marine, et selon son grade, s'il est fantassin ou cavalier, légionnaire ou auxiliaire. Son armement se perfectionne au cours du temps.

LE LÉGIONNAIRE ET SON ÉQUIPEMENT AU MILIEU DU Ier SIÈCLE APR. J.-C.

Casque de centurion

PIGEONS ET CODE SECRET

Les militaires romains connaissent les pigeons voyageurs pour communiquer. Parfois, les messages sont codés pour être illisibles par l'ennemi. Le code secret de César consiste à remplacer chaque lettre du message original par la 3ᵉ qui la suit dans l'alphabet : A devient D, B = E (…) Y = B, Z = C, etc. Dans notre alphabet, le message : « ATTAQUE À L'AUBE » donne « DWWDTXHDOD XEH ».

Le **casque de fer** à visière protège la nuque et possède un couvre-joue.

Un **poignard**, le *pugio*, se porte sur la hanche gauche.

Le **foulard** empêche les irritations sur le cou dues au métal.

Le *scutum* est un bouclier de bois recouvert de cuir d'environ 1,20 m. Il est renforcé par des bords métalliques et possède une bosse métallique au milieu. Il se porte au bras gauche.

La *lorica segmentata* est une cuirasse. Elle est composée d'une quarantaine de lames de fer reliées entre elles. Poids : 5,5 kg environ.

Le *gladius* est un glaive à large lame d'environ 60 cm de long. Il est suspendu au baudrier sur le côté droit.

Le *cingulum* est un tablier fixé à la ceinture. Il est fait de lanières de cuir ornées de plaques métalliques.

Les deux **javelots** (*pilum*) sont longs de 1,70 m à 2 m avec une hampe de bois et une pointe de fer. Il y a un léger et un plus lourd.

La **tunique courte**

Les *caligae* sont des chaussures de cuir, à la semelle épaisse et cloutée.

POUR EN SAVOIR PLUS

sur les armes du légionnaire, voir p. 212-213

Le centurion

Le centurion se reconnaît à :
• son casque surmonté d'une crinière de cheval, ou de plumes ;
• une armure d'écaille (*lorica plumata*) ou une cotte de mailles ;
• le *vitis*, un cep de vigne avec lequel il a le droit de corriger un soldat, même si celui-ci est un citoyen romain.
Il porte son glaive sur le côté gauche, et non à droite comme le légionnaire. Il a des jambières et un manteau de laine, le *sagum*, agrafé sur l'épaule.

Le centurion

Le bouclier est toujours très décoré.

La boucle de la ceinture porte l'emblème de la légion.

Le fantassin auxiliaire

Il se distingue du légionnaire par son épée (*spatha*) et sa lance (*hasta*). Les unités d'étrangers sont munies de leurs propres armes. Ce sont des frondeurs de Syrie, de Rhodes et des Baléares, des archers crétois et arabes, des Celtes armés de pieux, des Germains Suèves avec leur massue…

Une paire de *caligae*

Le fantassin auxiliaire

Le cavalier romain

Le cavalier

Les Romains ne sont pas de bons cavaliers. Aussi, aux côtés des cavaliers romains, la cavalerie auxiliaire s'enrichit des compétences de cavaliers expérimentés, tels les Maures armés de javelots.

Enseignes et médailles

Les enseignes ne sont pas de simples signes de reconnaissance. Elles font l'objet d'un véritable culte et sont gardées dans une chapelle, à côté de l'image de l'empereur.

LE SIGNUM

Le *signum* est terminé par une main ou une pointe, et décoré de phalères. Il est porté par le *signifer*. Le *signifer* appartient à la première centurie de chaque manipule. Chaque manipule a son *signum*. Le *signum* du premier manipule est aussi celui de toute la cohorte.

Pour se voir de loin

Grâce aux enseignes, visibles de loin, le général et les officiers connaissent la position de leurs unités pendant la bataille, et peuvent organiser la tactique du combat. L'aigle est l'enseigne la plus importante de la légion. Le plus grand désastre qui peut arriver à une légion est de perdre son aigle au combat.

Récompenses pour tous

Un bon soldat est exempté de corvées ; sa solde est doublée, puis triplée ; il monte en grade… Pour chaque acte de bravoure, il peut recevoir une décoration : une phalère (disque décoré), un torque ou un bracelet. Ces décorations se portent sur la cuirasse lors des parades.

LA BATAILLE DE PYDNA

D'après le récit de Plutarque sur la bataille de Pydna, un officier romain, Salius, saisit l'enseigne de son unité et la jeta au milieu des ennemis. Ses hommes se précipitèrent pour la récupérer, car ç'eut été le plus grand déshonneur que de la perdre. Ils ouvrirent ainsi une brèche dans l'armée ennemie, et la bataille fut gagnée.

LE SIGNIFER

Le *signifer*, celui qui porte le *signum*, a une peau d'ours sur la tête, et un masque pour les parades.

Décorations pour les braves

Un centurion reçoit des couronnes. Il en existe différentes : la *corona muralis* d'or, pour le premier qui atteint le mur ennemi ; la *corona vallaris* d'or pour le premier sur le rempart ; la *corona civica* de feuilles de chênes pour celui qui sauve la vie d'un citoyen.

La plus prisée est la *corona obsidionalis* d'herbes tressées pour celui qui secourt une armée assiégée. Un tribun a droit à trois types de décorations : de petits étendards d'argent, de petites lances d'argent ou « lances pures », puis les couronnes en or.

ILS SONT FOUS CES ROMAINS !

L'inscription S.P.Q.R. figure sur de nombreux monuments romains. Ces initiales des mots *Senatus PopulusQue Romanus* signifient « le Sénat et le peuple romain ». S.P.Q.R., c'est aussi les initiales de *Sono Pazzi Questi Romani*, une phrase que les Italiens d'aujourd'hui adressent aux habitants de Rome, et qui veut dire : « Ils sont fous ces Romains ! » C'est la phrase que prononce souvent Obélix à la vue des légions romaines...

POUR EN SAVOIR PLUS

sur les **punitions**, voir p. 62-63
sur les **triomphes**,
voir p. 216-217

L'AQUILA

L'*aquila* ou aigle est d'argent ou d'or, aux ailes déployées et posé sur des éclairs. Il est sous la responsabilité du primipile, le centurion le plus gradé de la légion. Dans le camp, l'aigle est honoré le jour anniversaire de la naissance de la légion. L'aigle est porté par l'*aquilifer.*

LE *VEXILLUM*

Le *vexillum* est la bannière de la *vexillatio*, un détachement de soldats de la légion. Dessus est inscrit le nom de la légion, et parfois son emblème. Elle est portée par le *vexillarius*. Ici, un *vexillum* de la IIe légion Augusta dont l'emblème est le capricorne.

L'IMAGO

L'*imago* est une sorte de petit autel qui contient un buste de l'empereur. Il est porté par l'*imaginifer.*

PUNI !

Un officier ou un soldat peut être puni par son supérieur. Une faute minime n'entraîne que quelques tours de garde supplémentaires, la bastonnade du centurion avec le cep de vigne, des amendes. Mais, pour une faute plus grave, c'est la dégradation, la mutation... voire la peine de mort.

NON, JE NE ME BATS PAS. JE SUIS PUNI, NA !

Camper et marcher

Une armée romaine en marche construit chaque soir un camp fortifié. Son plan est toujours identique, et tout est toujours placé au même endroit. Si l'armée s'installe pour un temps plus long, les défenses et les bâtiments sont construits en dur.

Lors des déplacements, les légionnaires dorment sous une tente par groupes de huit.

Le camp de marche

Le général choisit un point surélevé, proche d'un point d'eau et de pâturages. Il prend les auspices pour avoir l'avis des dieux. Sur la limite du camp, les soldats creusent un fossé. La terre est rejetée vers l'intérieur et aplanie pour former un talus avec chemin de ronde. Le camp provisoire est entouré d'une palissade de pieux.

À VOS ORDRES !

Ad gladios : Aux armes !
Legio expedita : Garde à vous !
Signa inferre : En avant !
Signa statuere : Halte !
Certo gradu : Au pas !
Concursu : Pas de charge !

Le camp permanent

Un camp pour deux légions mesure environ 800 x 550 mètres. Deux allées perpendiculaires aboutissent à quatre portes. À peu près au centre du camp, se trouvent les *principia* avec la chapelle des enseignes et le *praetorium* avec le logement du général. On trouve aussi les logements des sous-officiers, des légionnaires et des auxiliaires, les écuries, l'hôpital, les ateliers, une prison.

PROVISOIRE OU PERMANENT ?

Les camps de marche s'appellent *castra aestiva* : « camps d'été », car c'est à cette période que l'armée se déplace pour la guerre. Les camps permanents s'appellent *castra hiberna* : « camps d'hiver ».

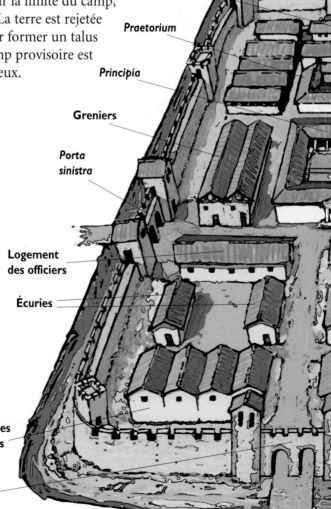

La *porta decumana* est à l'opposé de l'ennemi.

Ateliers

Praetorium

Principia

Greniers

Porta sinistra

Logement des officiers

Écuries

Baraques des légionnaires

La *porta praetoria* se trouve du côté de l'ennemi.

L'armée se déplace

Lorsqu'une armée se déplace, le général doit envoyer des éclaireurs pour explorer le terrain, et protéger avec soin les chariots qui transportent le matériel et le ravitaillement. L'ordre de marche choisi par Germanicus, dans sa campagne contre le chef germain Arminius en 14-16 apr. J.-C. est typique.

Une partie de la cavalerie et de l'infanterie auxiliaire est en avant-garde ; les bagages sont encadrés devant par la légion I, à gauche par un détachement de la légion XXI, à droite par un détachement de la légion V, et derrière par la légion XX. L'arrière-garde est assurée par le reste des auxiliaires.

UN CAMP PERMANENT

La vie au camp

Les soldats sont organisés en chambrées de huit installées dans des tentes de cuir de 30 à 35 m^2. Les officiers disposent d'une habitation de plusieurs pièces.

Les familles des militaires habitent parfois au camp, et les habitants des environs s'installent souvent à proximité pour faire du commerce et bénéficier de la protection du fort.

Decumanus maximus

Prison

Hôpital

Thermes

Greniers

Porta dextra

CHARGÉ COMME UNE MULE

Avec son équipement, qui pèse entre 25 et 40 kg, le légionnaire parcourt de 25 à 30 km par jour. César mentionne une marche de 74 km en 28 heures environ, avec 3 heures de repos nocturne. En plus du bouclier, des pilums, et des pieux pour la palissade du camp, il porte son paquetage suspendu à une perche. Le sac de toile contient les vêtements ; dans un filet, il porte de la nourriture ; dans une sacoche sont rangés différents ustensiles : rasoir, dés, etc. Sur le côté, pendent une gourde, une petite marmite… Chaque militaire doit payer tout son équipement.

Une colonne d'Histoire

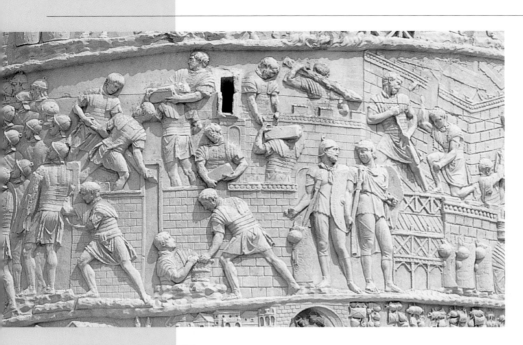

TRAJAN

Marcus Ulpius Trajanus est né en 53 apr. J.-C. dans une famille italienne installée à Italica en Espagne. D'abord soldat sous les ordres de son père en Syrie, il devient consul en 91 et gouverneur de la Germanie supérieure en 96. L'année suivante, l'empereur Nerva l'adopte et, à la mort de celui-ci en 98, il est proclamé empereur par le Sénat. C'est sous son règne que l'Empire romain aura sa plus grande extension. Il meurt en 117.

Réalisée par l'architecte Apollodore de Damas vers 107-110, cette colonne commémore la conquête de la Dacie par Trajan. Sur le socle, une inscription rappelle qu'elle est aussi haute que la colline qui existait avant sa construction.

Une colonne creuse

Le monument, situé sur le *forum* de Trajan à Rome, est composé d'un piédestal rectangulaire orné d'armes, de trophées et de Victoires, sur lequel est érigée une colonne de 30 mètres de haut et d'un diamètre d'environ 3,70 m. La colonne est constituée de 17 blocs de marbre blanc. À l'intérieur, un escalier en colimaçon est éclairé par 43 fenêtres étroites, peu visibles de l'extérieur. Son sommet fut d'abord couronné par un aigle de bronze, puis par une statue de Trajan qui fut remplacée en 1587 par une statue de saint Pierre.

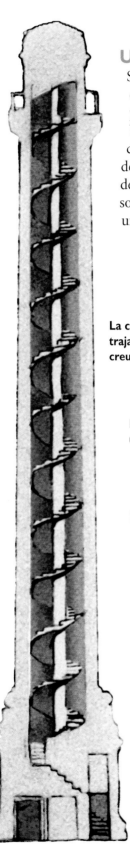

La colonne trajane est creuse.

Une BD de 200 mètres !

Si l'on pouvait dérouler les spires de la colonne, cela donnerait un ruban d'environ 200 mètres de long : plus de 100 scènes avec 2 500 personnages gravés en bas-reliefs, peints à l'origine. Elles racontent les deux campagnes militaires de Trajan contre les Daces : celle de 101-102 et celle de 105-106. Elles sont séparées par une Victoire ailée.

UN TOMBEAU

Dans le soubassement de la colonne, une niche renfermait une urne en or contenant les cendres de Trajan et de son épouse Plotina. Elle fut pillée par les Wisigoths.

Durant la première guerre, les Daces font un raid sur le territoire romain. Les archers attaquent le fort romain tenu par des auxiliaires.

À gauche, les légionnaires tracent un chemin à travers la forêt ; au centre, les auxiliaires de la cavalerie passent à côté de têtes de Daces empalées sur des pieux.

Les cavaliers romains ont rattrapé le roi dace Diuppaneus, surnommé Décébale. Agenouillé au pied d'un arbre, il va se couper la gorge.

Stratégie du *blocus* employé à **Alésia** : deux lignes de fortifications romaines encerclent l'*oppidum* gaulois.

État de siège

Bien souvent au cours d'une guerre, les ennemis se réfugient dans une ville, ou un camp fortifié. Prendre une place forte est une science militaire : la poliorcétique ou « art du siège ». Les Romains l'ont apprise au contact des Grecs.

Le *blocus*

Le *blocus* est l'encerclement du lieu fortifié de l'ennemi. L'objectif est d'affamer les assiégés pour les obliger à capituler. Les Romains installent deux lignes de fortifications. La première est face à l'ennemi et empêche toute sortie de l'armée assiégée. Une seconde ligne de fortifications est dirigée vers l'extérieur et protège les Romains d'une éventuelle attaque par une armée qui viendrait au secours des assiégés. Un *blocus* typique est celui d'Alésia par Jules César.

LE SIÈGE

Le siège est l'attaque, plus ou moins longue, de la place forte ennemie. Le but des assiégeants est d'amener près du rempart les hommes et le matériel nécessaire pour le franchir ou le détruire. Le siège de Massada, dont le nom signifie « la Forteresse », est typique.

Flèches et boulets

L'artillerie romaine est constituée de machines qui lancent des javelots, des flèches et des boulets de pierre. Les noms de ces engins varient. Au Ier siècle, la *catapulta* désigne un engin qui tire des flèches. Le scorpion est une petite catapulte très précise jusqu'à 300 mètres. La baliste envoie des flèches ou des petits boulets ; elle est en usage surtout au IIIe siècle apr. J.-C. Une légion possède 50 catapultes.

L'onagre lance des boulets de 1,8 kg à 300 mètres.

Enfoncer les défenses

Le bélier est une lourde poutre de bois dont une extrémité métallique a la forme d'une tête de bélier. Des soldats la font osciller pour frapper la porte ou le rempart. Aucun ne leur résiste.

Certains béliers atteignent 60 mètres de long. Il faut plus de 200 hommes pour les manier.

À l'abri

Pour s'approcher des remparts, les soldats utilisent des *vineae* et des tortues, sorte de baraques roulantes. À l'abri des pierres et des flèches ennemies, les soldats romains creusent des galeries souterraines pour écrouler le rempart ; ou, équipés de perches munies d'un crochet, ils en arrachent les pierres.

Lors du siège, de grandes tours sont construites pour approcher le rempart ennemi.

Le toit des *vineae* est recouvert de peaux mouillées pour protéger les soldats des projectiles enflammés.

LE SIÈGE DE MASSADA

En 70 apr J.-C., la guerre oppose Romains et Juifs dont un groupe s'est réfugié à Massada. Flavius Silva et la Xe légion construisent un mur et huit forts pour encercler la forteresse. Pour atteindre la citadelle, Flavius Silva fait construire une rampe d'assaut longue de 209 mètres et haute de 91 mètres. Au sommet, il installe une tour en bois de 30 mètres de haut, recouverte de plaques de fer. Du haut de cette tour, les archers romains tirent sur les défenseurs. Pendant ce temps, au niveau du sol, un bélier défonce le mur. Sachant qu'un affreux massacre suivra la prise de leur citadelle, les Juifs préfèrent brûler leurs biens, mettre à mort leurs propres familles, et, pour les derniers, se suicider. Les Romains ne trouveront aucun butin à partager, seulement deux femmes et quelques enfants cachés dans un puits.

Combat et religion

Sur le champ de bataille, l'armée romaine a développé au cours des siècles différentes tactiques de combat. Mais avant et après le combat, et durant toute l'année, la religion est toujours présente.

En quinconce !

Les officiers disposent leurs troupes selon le relief du terrain et les forces de l'ennemi. Voici la formation connue sous le nom de *triplex acies* au temps de César. Les cohortes sont en quinconce. L'espace entre elles permet de bons mouvements d'avance et de repli entre les unités.

À l'attaque !

Le combat débute par les tirs des catapultes, des archers et des frondeurs. Puis, si cela est possible, on enchaîne par le lancer des javelots. Le légionnaire lance son *pilum* léger lorsque l'ennemi est à 30 mètres, puis le *pilum* lourd à 20 mètres. La tige en fer doux du *pilum* se plie si elle touche le sol, ainsi le *pilum* n'est pas réutilisable par l'adversaire. Si le *pilum* atteint un bouclier, il y reste planté. L'adversaire, gêné dans ses mouvements, doit se séparer de son bouclier. Il devient alors sans défense face au légionnaire qui l'attaque au glaive. La cavalerie part à la poursuite des ennemis en déroute.

Déclaration de guerre

Sous la République, le collège des 20 féciaux est chargé des déclarations de guerre. Leur chef, le père patrat, va chez l'ennemi et demande réparation. S'il n'obtient pas satisfaction au bout de 33 jours, il retourne à Rome, et le Sénat vote la guerre. Le fécial retourne alors à la frontière et envoie un javelot dans le territoire ennemi en prononçant la déclaration de guerre. Ce rituel fut encore pratiqué par Octave contre Cléopâtre en 32 av. J.-C.

UN TROPHÉE POUR LES DIEUX

Après une victoire, les soldats remercient les dieux en élevant un trophée. À l'origine, c'est un mannequin fait à partir des dépouilles des vaincus. Par la suite, les trophées sont sculptés dans du marbre, gravés sur des monnaies ou des monuments, comme les arcs de triomphe, qui commémorent des victoires.

La guerre de mars à octobre

Les Saliens sont 12 patriciens consacrés au culte du dieu Mars. Ils exécutent des danses guerrières et des chants pour marquer l'ouverture des activités guerrières en mars, et la clôture des campagnes militaires en octobre.

Du coin à la tortue

La formation « en coin » *cuneus*) forme un angle aigu, et a pour but d'enfoncer les lignes adverses. Les soldats font le cercle (*orbis*) pour résister de tous les côtés. Pour la tortue (*testudo*), les soldats de la première rangée mettent les boucliers devant la poitrine. Les rangées suivantes les lèvent au-dessus de la tête pour former un toit. Ils avancent ainsi, complètement protégés. C'est une formation très utilisée au moment de l'assaut des remparts ennemis.

La formation « en tortue » permet aux soldats, totalement protégés par leurs boucliers, d'aller à l'assaut des remparts ennemis.

27 FÉVRIER ET 15 MARS Equirria, course de chevaux au champ de Mars.

19 MARS Quinquatrus, purification de l'armée réunie au champ de Mars.

23 MARS Tubilustrinum, purification des trompettes. Fête d'ouverture de la guerre.

15 OCTOBRE October Equus, une course de chars est organisée, le cheval de droite du char vainqueur est sacrifié au dieu Mars.

19 OCTOBRE Armilustrium, purification des armes pour effacer les crimes de la guerre. Fête de clôture de la guerre.

La formation « en coin » : les légionnaires forment un angle aigu pour pénétrer les lignes adverses.

POUR EN SAVOIR PLUS

sur les **auspices**, voir p. 38-39, 42-43, 150-151
sur les **guerres puniques**, voir p. 26-27

CHARGEZ !

LES POULETS SACRÉS

Avant une bataille, le général romain prend toujours les auspices pour connaître l'avis des dieux. Pour cela, l'augure pratique le *tripudium* ou observation du repas des poulets sacrés. Pendant la deuxième guerre punique, le général romain Caius Flaminius refusa d'écouter la réponse négative du prêtre et d'attendre le « bon appétit » des poulets. Au moment de prendre les enseignes pour partir au combat, un porte-enseigne ne put retirer la sienne du sol, même avec l'aide de plusieurs légionnaires. Flaminius refusa de tenir compte de ce nouvel avertissement divin : trois heures après, son armée était taillée en pièces et lui-même tué... Les auteurs romains rapportent de telles fins tragiques pour les militaires qui n'ont pas écouté la « voix des poulets ».

Batailles navales

C'est pour affronter la puissante marine carthaginoise que Rome construisit sa première flotte, 150 navires. Avant les guerres puniques, les Romains ne disposaient que d'une vingtaine de vaisseaux. Trente ans plus tard, ils en possédaient 570.

Contre Carthage

Les Romains, certainement sur les conseils techniques de leurs alliés grecs de Syracuse, imitent la quinquérème carthaginoise. Ils inventent le *corvus* (corbeau), une passerelle d'abordage articulée, fixée sur le pont à la proue. Lorsqu'elle s'abat, son crochet se plante sur le pont du bateau ennemi qui se trouve immobilisé. L'infanterie romaine passe alors à l'abordage.

ENGAGEZ-VOUS DANS LA MARINE !

Faire son service dans la marine apporte peu d'avantages et peu de Romains veulent s'y engager. Rameurs et matelots sont recrutés parmi les citoyens les plus pauvres, les affranchis et les esclaves des provinces. Le commandement de chaque escadre revient à un préfet, qui est souvent un chevalier. Le commandant d'un bateau est le triérarque ; c'est l'équivalent d'un centurion de la légion. Les soldats s'engagent pour 26 ans.

La marine impériale

Auguste crée une marine de guerre forte d'environ 45 000 hommes répartis dans huit escadres et trois flottilles. Deux escadres sont basées à Misène et à Ravenne et protègent l'Italie. Les autres sont en Syrie, en Égypte à Alexandrie, en mer Noire, en Manche et en mer du Nord, en Gaule à Fréjus, et en Libye. Le rôle essentiel de ces flottes est de convoyer des troupes et d'en assurer le ravitaillement.

Aborder ou éperonner

Très vite, le *corvus* est remplacé par le *harpago*, un harpon lancé par une catapulte sur le navire ennemi qui est immobilisé puis tiré. Depuis les tours, les archers attaquent les soldats ennemis au moment de l'abordage.

Depuis le pont, les pièces d'artillerie projettent des pierres, des flèches ou des projectiles enflammés. Le bateau romain dispose aussi d'un éperon de bronze, ou rostre, avec lequel il peut créer une brèche dans le flan du navire adverse pour le couler.

La *deceris* ci-dessus a dix rameurs répartis sur les trois bancs superposés : 4-3-3. Une quinquérème n'a que cinq rameurs sur trois bancs : un sur le banc inférieur et deux sur les deux autres bancs.

La trirème était le navire de guerre le plus courant. Elle mesurait environ 36 mètres de long sur 6 mètres de large. Elle possédait trois rangs superposés avec un seul rameur : 170 en tout.

La *deceris* était le plus gros des navires de guerre : environ 570 rameurs, 30 marins, 250 soldats, deux tours de combat et deux à six catapultes.

Le triomphe

Le plus grand honneur qu'un général victorieux peut recevoir est le triomphe. Cette cérémonie, militaire et religieuse, est accordée par le Sénat. La procession triomphale, acclamée par la foule, traverse la ville.

Pas facile de triompher !

Pour obtenir un triomphe, le général vainqueur doit posséder l'*imperium* le jour de la victoire. C'est donc un consul, un dictateur ou un prêteur. La victoire doit marquer la fin d'une guerre en pays étranger, avec au moins 5 000 ennemis tués. Si ces conditions sont remplies, le Sénat accorde le triomphe et fixe la date. Il n'y aura que 350 triomphes en 13 siècles d'histoire à Rome. Le triomphe est la seule occasion où des citoyens armés sont admis dans le *pomoerium*.

Dieu d'un jour

Le général est vêtu des habits du triomphe : la *tunica palmata* et la *toga picta*, pourpre et brodée d'étoiles d'or. Il est couronné de laurier, tient un sceptre d'ivoire surmonté d'un aigle et un rameau de laurier. Le char et les quatre chevaux blancs sont également ornés de couronnes. Durant cette cérémonie, le général est considéré comme un dieu. Aussi un esclave à ses côtés est-il chargé de lui rappeler, sur tout le trajet, qu'il n'est qu'un homme. De même, ses soldats dans le cortège lui crient des louanges…
et des chansons satiriques.

COURONNE DE LAURIER

Le laurier, attribut du dieu Apollon, est un symbole de victoire. La couronne de laurier récompense les vainqueurs de compétitions sportives ou littéraires, et les militaires.

La route du triomphe

À Rome, le général attend la décision du Sénat au champ de Mars. Parfois, cela prend plusieurs jours. La date arrivée, le cortège s'élance, traverse le circus Flaminius, le forum Boarium, le Circus Maximus, puis suit la via Sacra jusqu'au temple de Jupiter sur le Capitole. Là, le général sacrifie à Jupiter deux taureaux blancs, et la fête se termine par un banquet public.

Le cortège

En tête du cortège viennent les sénateurs, les magistrats et les musiciens ; puis les brancards chargés des armes, des enseignes et du butin des peuples vaincus. Des écriteaux indiquent le nom des villes conquises. Ensuite viennent les animaux du futur sacrifice à Jupiter, les chefs capturés, chargés de chaînes. Ils seront exécutés dans la prison Mamertine à la fin de la cérémonie. Puis arrivent les captifs. Au centre, précédé de licteurs, de musiciens et de porteurs d'encens, le général sur son char. Suivent les soldats, puis la foule. Un grand triomphe, avec beaucoup de butin, peut durer plusieurs jours.

L'ARC DE TRIOMPHE

L'arc de triomphe est un monument typiquement romain. À l'origine, le général victorieux rentrait dans la ville par la *porta triomphalis*, une porte ornée de trophées et d'objets pris à l'ennemi. Ensuite, des arcs furent spécialement construits sur les rues principales pour célébrer les victoires. Ils restèrent comme monuments. Un arc peut être simple, double, et même triple avec un arc central pour les véhicules, et deux passages latéraux pour les piétons. Les arcs sont ornés de sculptures et de bas-reliefs.

L'Empire romain

232
Les Gaules

236
Les Germanies

230
La Bretagne

238
Le limes danubien

228
L'Hispanie

226
Les îles

222
L'Italie

220
Administrer
et protéger

L'Empire était un ensemble de territoires aux cultures différentes… Des vieux temples grecs aux pyramides d'Égypte, des déserts de Maurétanie aux brumes de la Germanie, un riche Romain pouvait faire de fabuleux voyages tout autour de la « Mare Nostrum ».

240
La Grèce

242
L'Asie Mineure

244
L'Orient

246
L'Égypte et la Cyrénaïque

248
Afrique et Numidie

252
Les Maurétanies

254
La fin de l'Empire romain

Administrer et protéger

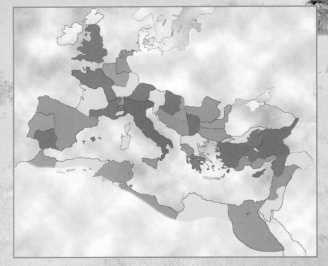

À partir du IIIe siècle av. J.-C., Rome donne peu à peu le statut de province aux territoires conquis. Quatre siècles plus tard, l'Empire compte 47 provinces. Chaque province a une capitale et des lois fixées par Rome.

La province de qui ?

Un territoire conquis ne devient pas automatiquement une province. Lorsque la décision est prise, un gouverneur est nommé, une administration est mise en place et Rome décide de ses lois. En 27 av. J.-C., l'empereur Auguste et le Sénat romain se partagent la gestion des provinces existantes. Le Sénat se charge des provinces les plus pacifiées et nomme à leur tête des responsables sans pouvoir militaire. Les autres provinces dépendent de l'empereur et sont gouvernées par des fonctionnaires aux pouvoirs civils et militaires.

QUELLE LANGUE ?

Deux langues deviennent dominantes : le latin progresse plus ou moins vite dans les provinces occidentales ; le grec domine à l'est et dans certaines classes sociales ou métiers, même à Rome.

ÉCHANGE

Toute province créée après 27 av. J.-C. reçoit le statut de province impériale. Mais ce statut peut être modifié. Ainsi, pour des raisons politiques, l'empereur et le Sénat peuvent s'échanger des provinces.

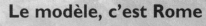

Le modèle, c'est Rome

En 212 apr. J.-C., tous les hommes libres de l'Empire deviennent des citoyens romains. Avant cette date, ils avaient des statuts et des droits différents qui dépendaient du statut que Rome avait accordé à leur cité. Ceux qui habitaient une cité de droit romain avaient les mêmes droits qu'un habitant de Rome. Mais ceux qui vivaient dans une cité pérégrine n'avaient aucun de ces droits. Au milieu du Ier siècle, les cités conquises reçoivent le statut de « cité latine » : la ville et son territoire forment un « municipe » qui est géré sur le modèle de Rome par des magistrats et des assemblées.

POUR EN SAVOIR PLUS

sur les *citoyens*, voir p. 56-57
sur les *pérégrins*, voir p. 60-61

Unité et différences

Les municipes reçoivent les cadres administratifs et leurs lois de Rome, mais conservent toujours des éléments de leur culture d'origine, par exemple gauloise en Gaule ou grecque en Grèce. Le modèle est romain, mais chaque province possède ses particularités, dans les pratiques religieuses ou les techniques artisanales entre autres. Les Romains apportent de nouvelles formes de bâtiments comme les thermes ou les cirques et les techniques qui permettent de les construire. Mais la réalisation de ces ouvrages varie selon les provinces : un théâtre gallo-romain n'est pas la copie exacte d'un théâtre de Rome.

Libre circulation

Dans l'Empire, les individus circulent librement et ont le choix de leur résidence. Un riche patricien peut acquérir une *villa* et un domaine dans une région plus ensoleillée ou plus fertile ; un artisan peut s'installer dans une autre province pour y exercer sa pratique et espérer faire fortune. Les échanges commerciaux sont facilités par l'existence de monnaies d'or, d'argent et de bronze valables dans tout l'Empire. Le commerce, d'abord dirigé essentiellement des provinces vers Rome, s'organise peu à peu entre provinces ; il est favorisé par l'absence de taxes entre provinces et par le réseau routier achevé au IIe siècle apr. J.-C.

SÉCURITÉ DES FRONTIÈRES

Certaines provinces, convoitées par des voisins belliqueux, sont plus militarisées que d'autres. À proximité de ces frontières sensibles sont cantonnées des troupes et undispositif de surveillance est mis en place : le *limes*.

LES *LIMES*

Le *limes* est une zone frontière, fortifiée par endroits, qui sépare le monde romain des barbares. Cette zone est pourvue de voies de communication rapides et de postes d'observation. En cas d'incursion ennemie, les troupes romaines les plus proches sont immédiatement alertées. Les forts implantés tout le long de cette frontière servent aussi de postes de douane pour les échanges commerciaux.

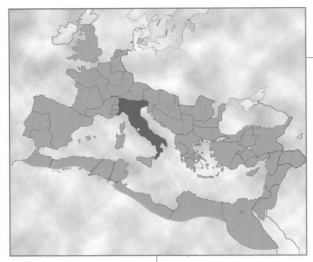

L'Italie

L'Italie est une langue de terre, bordée par les mers et les montagnes, et contrôlée par Rome à partir du IIIe siècle av. J.-C. C'est à partir de l'Italie que s'est diffusée la civilisation romaine qui marqua l'Europe pour tous les siècles suivants.

LES VILLES DU VÉSUVE

Le 24 août 79 apr. J.- C., l'éruption du Vésuve ensevelit des villes entières comme Pompéi, Herculanum, Stabies, Oplontis et Taurania. Cette catastrophe a favorisé la conservation de vestiges et d'objets qui ont permis aux archéologues de reconstituer, mieux que nulle part ailleurs, la vie quotidienne en Campanie au Ier siècle.

La mémoire du passé

C'est Rome qui a unifié peu à peu l'Italie, durant 500 années de guerres et d'alliances successives avec les cités voisines. Étrusques, Latins, Samnites, Celtes, Grecs…, soumis par les armes ou alliés par raison, ont apporté à Rome leurs inventions techniques et artistiques, leurs idées d'organisation politique, leurs dieux. De nombreuses villes italiennes ont gardé les témoignages de ce passé, mais les plus riches d'enseignement sont celles qui furent enfouies lors de l'éruption du Vésuve.

Une ville commerçante

Pompeii (aujourd'hui Pompéi) fut d'abord une ville soumise à l'influence étrusque. Puis elle fut conquise par les Samnites au Ve siècle av. J.-C. La ville n'est devenue romaine qu'en 89 av. J.C. Lors de l'éruption du Vésuve, c'était une ville d'environ 25 000 habitants, très commerçante.

Pompéi a inspiré ce peintre du XIXe siècle qui a placé des Romains parmi les ruines, comme dans un rêve.

Une ville résidentielle

La légende raconte qu'Herculanum (aujourd'hui Ercolano) aurait été fondée par Hercule. En fait, la ville a été occupée par les Osques, puis par les Samnites. Comme Pompéi, elle fut conquise par les armées du général romain Sylla en 89 av. J.-C. Lors de l'éruption du Vésuve, 5 000 habitants environ vivaient à Herculanum. De riches patriciens y avaient leur *domus*, dont les étages supérieurs sont souvent bien conservés.

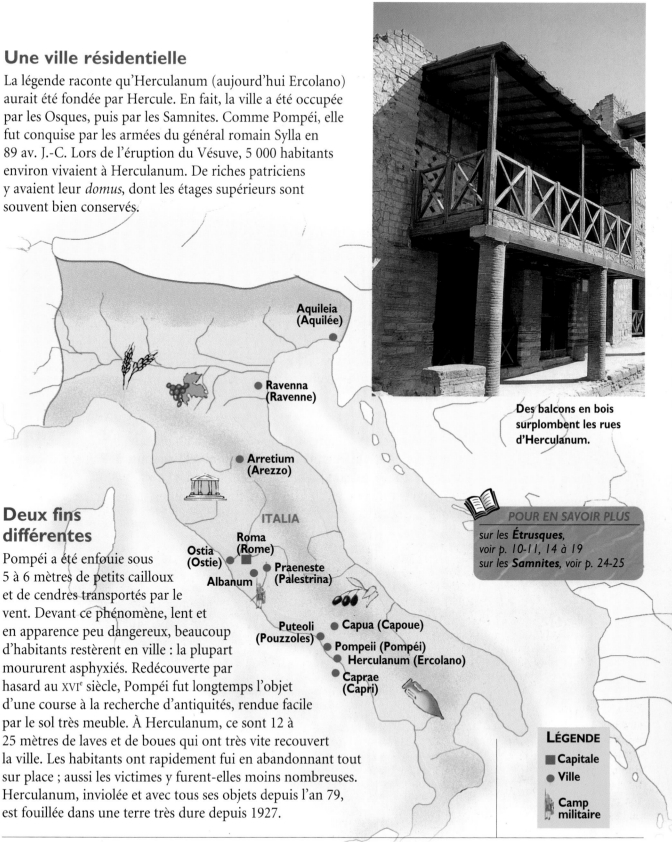

Des balcons en bois surplombent les rues d'Herculanum.

POUR EN SAVOIR PLUS

sur les **Étrusques**, voir p. 10-11, 14 à 19
sur les **Samnites**, voir p. 24-25

Deux fins différentes

Pompéi a été enfouie sous 5 à 6 mètres de petits cailloux et de cendres transportés par le vent. Devant ce phénomène, lent et en apparence peu dangereux, beaucoup d'habitants restèrent en ville : la plupart moururent asphyxiés. Redécouverte par hasard au XVIᵉ siècle, Pompéi fut longtemps l'objet d'une course à la recherche d'antiquités, rendue facile par le sol très meuble. À Herculanum, ce sont 12 à 25 mètres de laves et de boues qui ont très vite recouvert la ville. Les habitants ont rapidement fui en abandonnant tout sur place ; aussi les victimes y furent-elles moins nombreuses. Herculanum, inviolée et avec tous ses objets depuis l'an 79, est fouillée dans une terre très dure depuis 1927.

LÉGENDE
■ Capitale
● Ville
Camp militaire

224

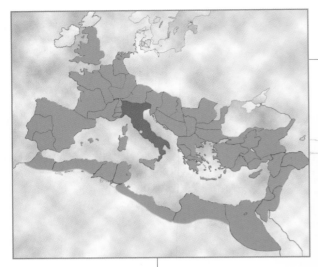

Praeneste

Praeneste (aujourd'hui Palestrina) est une des plus anciennes villes du Latium. En 82 av. J.-C., le général romain Sylla la détruit, massacre tous les hommes, et la repeuple avec les vétérans de l'armée. Le sanctuaire de la *Fortuna Primigenia* qui y est construit est une des plus grandes œuvres architecturales de l'Antiquité. Sous l'Empire, la ville devint un lieu de repos pour les riches Romains : Auguste y avait une villa.

POUR EN SAVOIR PLUS

sur les **guerres puniques**, *voir p. 26-27*
sur **Hannibal**, *voir p. 26-27*

Le *mithraeum* découvert par hasard sous une maison à **Capoue** est une pièce souterraine de 5 m x 2,5 m. Sur le mur du fond, le dieu Mithra sacrifie un taureau.

Caprae

Caprae (aujourd'hui Capri) est une île située dans la baie de Naples. Depuis Auguste, l'île était réputée pour sa beauté et plusieurs villas impériales y furent construites. La villa Jovis fut la résidence de Tibère durant les dix dernières années de son règne (27-37 apr. J.-C.).

Capua

Ville de Campanie, Capua (aujourd'hui Capoue) fut la capitale d'une fédération de 12 cités étrusques comprenant Herculanum et Pompéi. Ralliée à Carthage lors des guerres puniques, Hannibal s'y reposa durant l'hiver 216-215 av. J.-C. C'est aussi de cette ville que partira la révolte de Spartacus en 73 av. J.-C.

Puteoli

Puteoli (aujourd'hui Pouzzoles) était un important port de la flotte qui servait au transport du blé d'Égypte. Il ne coûtait qu'un sesterce par mois pour stocker 75 tonnes de blé dans un de ses entrepôts. L'antique marché, entouré de boutiques, abritait dans une abside la statue de Sérapis, dieu protecteur des commerçants.

Cette fresque trouvée à Stabies montre un port romain au Ier siècle apr. J.-C., peut-être Puteoli. On voit des bâtiments, des bateaux et des pêcheurs sur la jetée.

Arretium

Les céramiques arétines, c'est-à-dire fabriquées dans la région d'Arretium (aujourd'hui Arezzo), produites entre la fin du Ier siècle avant et le Ier siècle apr. J.-C., étaient expédiées dans tout l'Empire romain. Elles furent copiées puis remplacées par celles produites dans les ateliers de la Gaule.

Aquileia

Fondée par les Romains en 181 av. J.-C., Aquileia (aujourd'hui Aquilée) connut la prospérité grâce à son port et au commerce vers Alexandrie. Ses productions de verre et de lampes à huile étaient vendues dans tout l'Empire romain. Ville riche, elle fut détruite par les Huns d'Attila en 452.

TIBÈRE

Tibère a 3 ans lorsque sa mère Livie épouse le futur empereur Auguste. Il a 45 ans lorsque Auguste l'adopte et 55 ans quand il lui succède en 14 apr. J.-C. À partir de l'an 27, il s'isole à Capri et confie les affaires courantes de l'État à Séjan, le chef des gardes prétoriens. Ce dernier complote pour s'emparer du pouvoir et fait empoisonner Drusus, le fils de Tibère. L'empereur, averti du complot, ordonne l'exécution de Séjan et de toute sa famille. Tibère restera à Capri jusqu'à son décès en 37. Le peuple n'appréciait pas trop cet empereur, et s'écriera à sa mort : « *Tiberius ad Tiberium.* » (Tibère dans le Tibre !)

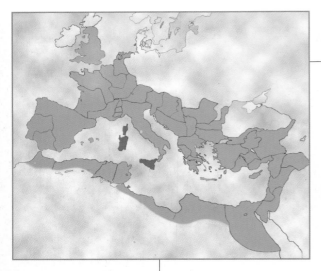

Les îles

Les grands peuples marins et commerçants de la mer Méditerranée, Grecs ou Phéniciens par exemple, possédaient des colonies et des ports dans les grandes îles comme la Sardaigne, la Sicile et la Corse. Ces îles devinrent les premières provinces romaines.

CORSICA (Corse)

Aleria (Aléria)

SARDINIA (Sardaigne)

Carales (Cagliari)

La première province

La Sicile est la plus grande île de Méditerranée. Elle est montagneuse et dominée par un volcan, l'Etna. Elle touche presque le sud de l'Italie et se trouve seulement à 150 km de l'Afrique, ce qui lui assure une position stratégique commerciale très importante. Lorsque la première guerre punique éclate, la Sicile est sous domination carthaginoise. Mais les Romains victorieux gagnent l'île, qui devient ainsi la première province romaine en 241 av. J.-C. De grands domaines s'installent dans les vallées et le blé produit est exporté vers Rome.

Agrigentum

La ville d'Akragas, fondée en 580 av. J.-C. par des Grecs de Gela et de Rhodes, reçut le nom d'Agrigentum (aujourd'hui Agrigente) par les Romains en 210 av. J.-C. Vers le Ve siècle av. J.-C., cinq temples y sont dédiés à Hercule, à la Concorde, à Junon, à Zeus et aux Dioscures Castor et Pollux.

Le temple de la Concorde, de style dorique, construit vers 430 av. J.-C., est un des temples grecs les mieux conservés du monde.

Piazza Armerina

La *villa* romaine del Casale fut construite aux III-IVᵉ siècles apr. J.-C. On ignore qui fut son propriétaire : l'empereur Maximien Hercule ? Son fils ? Les fouilles archéologiques ont révélé quelques indices. Le propriétaire était très riche, il possédait des propriétés en Afrique et vendait des animaux sauvages pour les chasses du cirque. Il aimait la chasse, la musique et la poésie. Les feuilles de lierre sont un signe distinctif de sa famille. Il était païen et soutenait l'équipe des Verts dans les courses de chevaux. Les fouilles ne sont pas achevées…

Piazza Armerina.
Un détail de la mosaïque
de la grande chasse
(66 m sur 6 m de large).

Syracusae

Syracusae (aujourd'hui Syracuse) fut fondée en 734 av. J.-C. par des Grecs de Corinthe. En 212 av. J.-C., lors des guerres puniques, elle est conquise par des Romains et Archimède y est tué. D'après Tite-Live, les œuvres d'art rapportées en butin à Rome furent à l'origine de l'admiration des Romains pour la culture grecque.

Une terre d'exil

La Sardaigne, la deuxième île de Méditerranée par sa taille, et la Corse sont aussi perdues par les Carthaginois. Elles forment une seule province romaine de 227 av. J.-C. jusque sous le règne de Néron. Le centre de la Sardaigne est montagneux et peu accessible. Aussi, malgré l'Italie toute proche, sa romanisation sera faible. En Sardaigne, Rome contrôle surtout l'exportation de la laine, des moutons, du fer et du cuivre. En 19 apr. J.-C., l'empereur Tibère y envoie en déportation 4 000 juifs et membres de cultes égyptiens.

LES GUERRES SERVILES

Les grandes exploitations agricoles siciliennes possèdent de nombreux esclaves, souvent maltraités. Une première révolte de 200 000 esclaves, dirigés par Eunus d'Apamée et Cléon de Cilicie, éclate en 135 av. J.-C. Plusieurs armées romaines seront défaites avant que l'ordre soit rétabli trois ans plus tard. En 104 av. J.-C., une autre guerre servile éclate : 40 000 esclaves, conduits par Tryphon et Athénion, s'opposent avec succès à 17 000 soldats romains. Des renforts romains sont expédiés et les esclaves, vaincus, préfèrent se suicider.

L'Hispanie

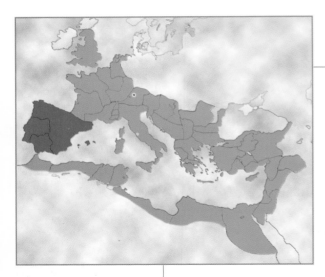

L'Hispanie était peuplée de Celtibères, un mélange de Celtes venus de Gaule et d'Ibères d'Afrique du Nord. Comme l'écrivait Strabon, un géographe grec de l'époque d'Auguste, la forme du pays est « semblable à une peau étirée de l'ouest vers l'est… », certainement une peau de taureau.

LAPINS PARTOUT

Le lapin fut considéré si caractéristique de l'Espagne qu'il apparaît sur les monnaies auprès de l'allégorie de Hispania. Varron le nomme *cuniculus*, un mot qui signifie « trou, mine, galerie » et qui convient à cet animal qui creuse des galeries pour son terrier. Lorsque le poète Catulle parle de *cuniculosa celtiberia*, son expression peut aussi bien signifier « l'Espagne pleine de mines », car ce pays était riche en mines, que « l'Espagne pleine de lapins ».

Encore une défaite carthaginoise…

Les Carthaginois, qui viennent de perdre la Sicile, conquièrent le sud et l'est de l'Hispanie. Depuis ces territoires, Hannibal attaque Rome. De nouveau vaincus, les Carthaginois doivent livrer leurs possessions hispaniques aux Romains. Ceux-ci terminent la conquête en attaquant les Celtibères jusqu'à la prise de leur capitale, Numance, en 133 av. J.-C. Cent vingt ans plus tard, Auguste crée les trois provinces : Lusitanie, Bétique et Tarraconaise. Les colons romains s'installent dans le pays au début du Ier siècle apr. J.-C. L'Hispanie deviendra une des régions les plus prospères de l'Empire romain, avec de grandes villes et un commerce important : céréales, métaux, chevaux, huile, *garum*…

Segovia (aujourd'hui Ségovie) est célèbre pour son aqueduc romain construit probablement vers l'an 50. Long de 17 km, il reste encore aujourd'hui 128 de ses arches, dont la plus haute s'élève à 30 mètres au-dessus du sol.

Tarraco

Tarraco (aujourd'hui Tarragone) devint cité romaine en 218 av. J.-C., puis capitale de la province de Tarraconaise. Son port de commerce la reliait à Rome en quatre jours de bateau. Auguste et Hadrien y séjournèrent.

Augusta Emerita

Fondée par Auguste en 25 av. J.-C., Augusta Emerita (aujourd'hui Mérida) accueillit les vétérans de l'armée. Elle devint la capitale de la province romaine de Lusitanie, et les empereurs Trajan et Hadrien la dotèrent de beaux édifices publics.

TRAJAN

Trajan est né en 52 apr. J.-C. à Italica (près de Séville). Il deviendra le premier empereur romain né dans une province. Hadrien, son successeur, est lui aussi né à Italica en 76. Aux Ier et IIe siècles, la fortune de familles comme celles de Trajan et d'Hadrien repose sur l'agriculture et l'exportation de vin et d'huile d'olive.

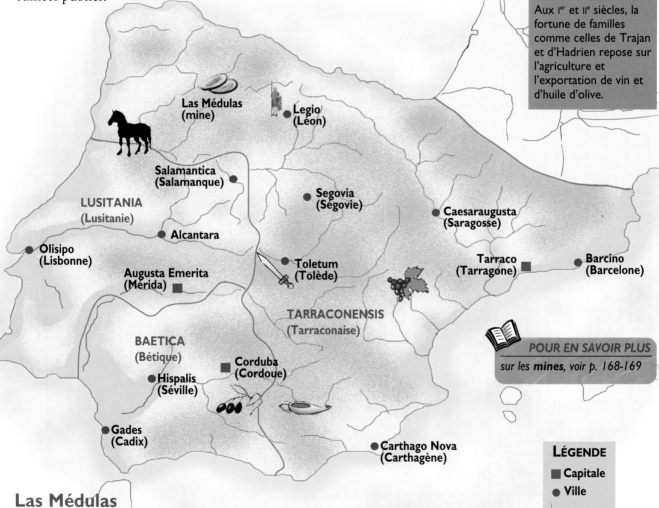

Las Médulas
(mine)

Legio
(Léon)

Salamantica
(Salamanque)

Segovia
(Ségovie)

Caesaraugusta
(Saragosse)

LUSITANIA
(Lusitanie)

Alcantara

Olisipo
(Lisbonne)

Toletum
(Tolède)

Tarraco
(Tarragone)

Barcino
(Barcelone)

Augusta Emerita
(Mérida)

TARRACONENSIS
(Tarraconaise)

BAETICA
(Bétique)

Corduba
(Cordoue)

POUR EN SAVOIR PLUS
sur les mines, voir p. 168-169

Hispalis
(Séville)

Gades
(Cadix)

Carthago Nova
(Carthagène)

LÉGENDE
■ Capitale
● Ville
Camp militaire

Las Médulas

C'est dans les provinces de l'Hispanie que l'exploitation romaine des mines s'est le plus développée : or, argent, fer, cuivre, plomb… À Las Médulas, des pans entiers de la montagne ont été abattus pour recueillir les quelques kilogrammes de paillettes d'or qu'ils contenaient.

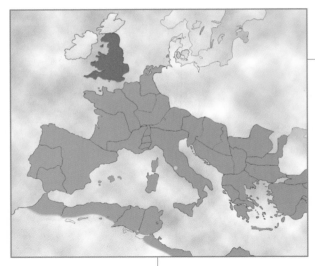

La Bretagne

Lorsque César fit deux brèves incursions en Bretagne, l'île était encore mal connue des Romains. Ils en connaissaient les récits de voyageurs, et surtout l'étain, un métal très important car il sert à fabriquer le bronze.

Les hommes peints

C'est l'empereur Claude qui envahit la Bretagne (la Grande-Bretagne actuelle) avec 40 000 hommes, en 43 apr. J.-C. Cette invasion apporte à l'Empire un pays riche de mines d'étain, de cuivre, fer et argent, et elle assure à Claude le prestige dont il a besoin à Rome. Le nord de l'île est appelé Caledonia et leurs habitants sont nommés les Pictes (*Pictii*) ou « hommes peints » car les guerriers se peignent le corps en bleu. Ces guerriers arrêtent la progression romaine vers le nord et ne se sont jamais soumis. Pour empêcher leurs incursions dans la partie romaine au sud, les empereurs Hadrien puis Antonin feront construire deux murs.

BOUDICCA

Prasutagus était le roi des Icéniens, une tribu celtique alliée de Rome. À sa mort, il lègue la moitié de son royaume à Rome et l'autre moitié à sa femme et à ses deux filles. Le gouverneur romain chargé de récupérer la part impériale abuse de la reine et fait fouetter ses filles. Les Icéniens, conduits par leur reine Boudicca, se révoltent, incendient Camulodunum (Colchester), Londinium (Londres) et Verulamium (Saint Albans). L'armée romaine se regroupe pour affronter les révoltés. À la suite de sa défaite, la reine Boudicca se suicide. Camulodunum fut reconstruite et Londinium devint la capitale de la province.

La ville d'Aquae Sulis (aujourd'hui Bath, Angleterre) possède des thermes très réputés, alimentés par une source sacrée d'eau à 46 °C.

Des « Grands-Bretons » aux Bretons

Au Ve siècle apr. J.-C., les légions romaines quittent la Bretagne vers d'autres fronts militaires. Des guerriers germains en profitent pour débarquer : ce sont des Angles du Danemark et des Saxons d'Allemagne du Nord. À leur arrivée, certaines tribus celtes vont s'installer en Gaule, dans ce qui deviendra la Bretagne de la future France.

Le mur d'Hadrien

L'idée d'Hadrien est de protéger l'Empire derrière un mur fortifié. Pour cela, les Romains construisent en Bretagne, de 122 à 128 apr. J.-C., un mur long d'environ 110 km, de 3 mètres d'épaisseur, et d'une hauteur allant jusqu'à 6 mètres. Seize forts sont répartis le long du mur, chacun pouvant contenir une cohorte. Entre ces forts, environ tous les milles romains, un bastion de quelques soldats est placé. La plupart de ces 80 bastions commandent deux tours de guet, de part et d'autre du rempart. Vers le sud, du côté romain, un fossé de 6 mètres de large et 3 mètres de profondeur est creusé. La terre rejetée de part et d'autre, à 9 mètres de distance, constitue des buttes de 6 mètres de large environ. Ce *vallum* sert de protection contre d'éventuelles attaques de l'intérieur.

LÉGENDE
■ Capitale
● Ville
Camp militaire

Inchtuthil ●

Mur d'Antonin

Luguvalium (Carlisle)

Mur d'Hadrien

Mamucium (Manchester)

Eburacum (York)

Segontium (Caernaevon)

Deva (Chester)

Lindum (Lincoln)

Viroconium cornoviorum (Wroxeter)

BRITANNIA (Bretagne)

Isca (Caerleon)

Glevum (Gloucester)

Durolipons (Cambridge)

Aquae Sulis (Bath)

Londinium (Londres)

Camulodunum (Colchester)

Durovernum (Canterbury)

Dubris (Douvres)

Le mur d'Hadrien est bâti d'un sommet de colline à l'autre depuis la mer du Nord jusqu'à la mer d'Irlande et son tracé n'est pas parfaitement rectiligne.

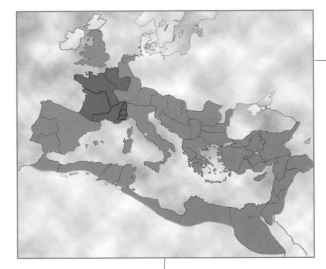

Les Gaules

Lorsque les Romains envahirent les territoires au nord-ouest de l'Italie, ils trouvèrent de nombreuses tribus d'origine celte. Elles disposaient de leur propre monnaie, de leur religion et de leur art. C'étaient aussi d'habiles artisans qui échangeaient avec les peuples voisins, Étrusques et Grecs.

PRODUITS GAULOIS

Les produits gaulois s'exportent bien à Rome : jambon, huîtres, vin, foie gras… Les Gaulois apporteront à l'Empire l'usage de la moissonneuse et du tonneau de bois.

Arles était un lieu de passage et un port fluvial important sur le Rhône.

Une première de l'autre côté des Alpes

En 125 av. J.-C., la colonie grecque de Massalia (aujourd'hui Marseille) appelle les Romains pour les défendre contre les tribus des Voconces et des Saliens. Les Romains, victorieux de ces tribus et de leurs alliés, deviennent maîtres de la région. Le proconsul Domitius Ahenobarbus fonde Narbo Martius (aujourd'hui Narbonne). C'est la première colonie de citoyens en Gaule transalpine. Puis il construit la via Domitia qui relie l'Italie à ses cités alliées en Hispanie. C'est ainsi que naît la *provincia*, qui prendra le nom de Narbonnaise sous Auguste, en 22 av. J.-C.

Arelate

Au VIᵉ siècle av. J.-C., les Celto-Ligures vivaient dans la ville de Théliné, « la Nourricière », dont le nom devint Arelate (aujourd'hui Arles), « la Ville aux marécages ». En 49 av. J.-C., Arelate soutint César contre Pompée allié à la ville de Marseille. Après sa victoire, César créa la colonie romaine de Colonia Julia Paterna Arelate Sextanorum où s'installèrent les vétérans de la VIᵉ légion.

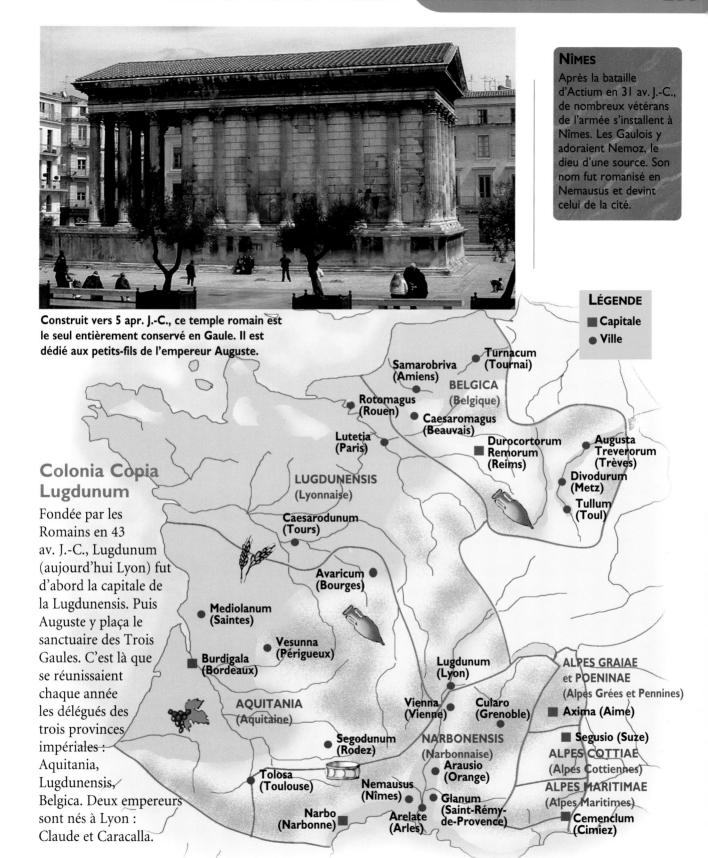

Construit vers 5 apr. J.-C., ce temple romain est le seul entièrement conservé en Gaule. Il est dédié aux petits-fils de l'empereur Auguste.

NÎMES

Après la bataille d'Actium en 31 av. J.-C., de nombreux vétérans de l'armée s'installent à Nîmes. Les Gaulois y adoraient Nemoz, le dieu d'une source. Son nom fut romanisé en Nemausus et devint celui de la cité.

LÉGENDE
■ Capitale
● Ville

Colonia Copia Lugdunum

Fondée par les Romains en 43 av. J.-C., Lugdunum (aujourd'hui Lyon) fut d'abord la capitale de la Lugdunensis. Puis Auguste y plaça le sanctuaire des Trois Gaules. C'est là que se réunissaient chaque année les délégués des trois provinces impériales : Aquitania, Lugdunensis, Belgica. Deux empereurs sont nés à Lyon : Claude et Caracalla.

Turnacum (Tournai)
Samarobriva (Amiens)
BELGICA (Belgique)
Rotomagus (Rouen)
Caesaromagus (Beauvais)
Lutetia (Paris)
Durocortorum Remorum (Reims)
Augusta Treverorum (Trèves)
Divodurum (Metz)
Tullum (Toul)
LUGDUNENSIS (Lyonnaise)
Caesarodunum (Tours)
Avaricum (Bourges)
Mediolanum (Saintes)
Vesunna (Périgueux)
Lugdunum (Lyon)
ALPES GRAIAE et POENINAE (Alpes Grées et Pennines)
Burdigala (Bordeaux)
AQUITANIA (Aquitaine)
Vienna (Vienne)
Cularo (Grenoble)
Axima (Aime)
Segodunum (Rodez)
NARBONENSIS (Narbonnaise)
Segusio (Suze)
ALPES COTTIAE (Alpes Cottiennes)
Arausio (Orange)
Tolosa (Toulouse)
Nemausus (Nîmes)
Glanum (Saint-Rémy-de-Provence)
ALPES MARITIMAE (Alpes Maritimes)
Narbo (Narbonne)
Arelate (Arles)
Cemenclum (Ciméez)

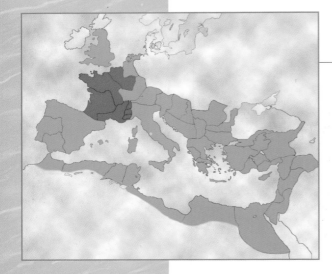

CLAUDE, NÉ EN GAULE

Tiberius Claudius Nero Drusus naît à Lyon en 10 av. J.-C. De santé fragile, boiteux, bégayeur et de faible caractère, il est très instruit : c'est l'un des derniers à lire et comprendre la langue étrusque. Il devient empereur à l'âge de 51 ans, à la mort de son neveu Caligula. Il crée le port d'Ostie, conquiert la Bretagne, l'Arménie, la Thrace, la Maurétanie… Sa vie familiale est moins réussie : il fait tuer Messaline, sa scandaleuse troisième épouse, et se remarie avec sa nièce Agrippine qui a déjà un fils : Néron. Lorsque Claude l'eut adopté, on dit qu'Agrippine fit empoisonner son mari avec un plat de champignons.

POUR EN SAVOIR PLUS

sur le **port d'Ostie**, voir p. 166-167
sur les **temples**, voir p. 42-43

Pas une mais quatre…

À l'époque de Jules César, la Gallia togata, la « Gaule en toge », désigne la Gaule cisalpine, c'est-à-dire située du côté italien des Alpes. La Gallia comata, la « Gaule chevelue », est la Gaule transalpine, située du côté français des Alpes. Auguste organise la Gallia comata en trois provinces impériales : la Gallia Lugdunensis, capitale Lugdunum (Lyon) ; l'Aquitania, capitale Burdigala (Bordeaux) et la Belgica, capitale Durocortorum Remorum (Reims). Au sud se trouve la province sénatoriale de Narbonnaise avec Narbo Martius (Narbonne) pour capitale.

Vesunna

Vesunna (aujourd'hui Périgueux), bâtie aux Ier et IIe siècles apr. J.-C., doit son nom à la déesse gauloise Vesunna. Elle était la capitale de la *civitas petrocoriorum*, la « cité des Pétrocores », dont il nous reste aujourd'hui les noms de Périgueux et de Périgord. Sur le *forum* de la cité, un grand temple, ou *fanum*, est construit au IIe siècle. Il possède au centre une grande tour.

La tour au centre de ce temple est sa partie la plus sacrée : la *cella*. Elle est encore conservée de nos jours sur une hauteur de 27 mètres pour un diamètre de 20 mètres.

L'arc de Germanicus à Mediolanum Santonum (aujourd'hui Saintes) ressemble à un arc de triomphe. En fait c'est un arc votif, offert par Caïus Julius Rufius, pour honorer l'empereur Tibère et ses fils Drusus et Germanicus, vers 19 apr. J.-C.

TRÉSOR

En 1987, les archéologues ont découvert à Elusa (aujourd'hui Eauze) un trésor comprenant plus de 28 000 monnaies en argent, six en or et de nombreux bijoux en or et pierres semi-précieuses : boucles d'oreilles, colliers, bracelets et bagues. Les bijoux ont été fabriqués dans des ateliers d'orfèvres du nord de la Gaule à partir de matériaux précieux venant de tout l'Empire.

La Belgique

Jules César disait : « De tous les peuples de la Gaule ce sont les Belges (Belgae) les plus braves. » Cette zone est importante pour les Romains, car elle marque la frontière avec les territoires germaniques. Ils y construisent un réseau routier et des ports comme Bononia (aujourd'hui Boulogne). Les voies permettaient aux troupes d'accéder rapidement au Rhin et à la mer du Nord, et le ravitaillement était assuré par les ports. Ensuite voies et ports permirent au commerce de se développer. La capitale fut Durocortorum (aujourd'hui Reims) puis Augusta Treverorum (aujourd'hui Trèves).

POUR EN SAVOIR PLUS

sur la fin de l'Empire, voir p. 254-255

AUGUSTA TREVERORUM

La porta Martis (porte de Mars) est une des quatre portes du mur d'enceinte, de près de 6 400 mètres, qui entourait Augusta Treverorum (aujourd'hui Trèves, Allemagne). Sa construction débuta vers 180 apr. J.-C., mais des troubles en 197 empêchèrent son achèvement. À la fin du IIIe siècle, l'empereur Dioclétien fit de la ville une résidence impériale.

La porte de Mars doit son surnom de « Porte noire » aux mousses sombres incrustées sur ses blocs de pierre.

Les Germanies

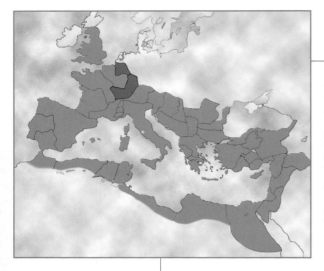

La Germanie n'était pas un pays d'aspect très accueillant pour les Romains. Il était fertile pour l'agriculture mais couvert de forêts et de marécages et ne possédait pas de mine d'or ou d'argent. Le territoire fut surtout occupé pour barrer la route de l'Empire aux tribus de l'Est.

En 90 apr. J.-C., la Germanie est divisée en Germanie supérieure et Germanie inférieure.

LE PÈRE RHIN

Sur cette monnaie de l'empereur Postumus, le Rhin est représenté sous la forme d'un personnage allongé, comme toutes les allégories de fleuves. Il s'agit d'un homme barbu, cornu, la main droite posée sur la proue d'un navire. Les auteurs anciens, comme Virgile, parlent du Rhin aux deux cornes, allusion aux deux bras qui se jettent dans la mer. L'inscription « Salus Provinciarum » signifie que le Rhin est la « protection » (*salus*) « des provinces » (*provinciarum*).

Les enseignes perdues

Auguste veut une frontière plus à l'est du Rhin, sur l'Elbe. C'est lors de cette campagne militaire que les légions subissent une de leurs plus grandes défaites. En 9 apr. J.-C., Varus et ses trois légions sont attaqués par les Germains dans la forêt du Teutobourg (Allemagne). Plus de 20 000 soldats sont massacrés. Varus et son état-major se tuent pour ne pas être prisonniers et, déshonneur suprême, les aigles des légions sont capturées. Les Romains restent sur le Rhin dont ils font une zone fortifiée de 600 km : le *limes* rhénan.

En 41 apr. J.-C., Galba vaincra la tribu des Germains Chattes et récupérera les enseignes perdues par Varus.

LÉGENDE

■ Capitale
● Ville
Camp militaire

Vetera (Xanten)

GERMANIA INFERIOR
(Germanie inférieure)

Colonia Agrippina (Cologne)

Bonina (Bonn)

Moguntiacum (Mayence)

Argentorate (Strasbourg)

Aquae (Baden-Baden)

GERMANIA SUPERIOR
(Germanie supérieure)

Dibio (Dijon)

Augusta Raurica (Augst)

Besontis (Besançon)

Colonia Agrippina

Colonia Agrippina (aujourd'hui Cologne, Allemagne) porte ce nom en
l'honneur d'Agrippine, femme de Claude et mère de Néron, qui y naquit.
Camp militaire important, la ville devint la capitale de la Germanie inférieure.

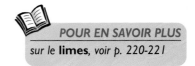

POUR EN SAVOIR PLUS

sur le **limes**, voir p. 220-221

La frontière nord-est de l'Empire, près
du Rhin, était l'une des mieux protégées
car souvent attaquée.

Argentorate

Argentorate (aujourd'hui
Strasbourg) était un camp
militaire établi par les Romains
au bord du Rhin.

AH! CES GERMAINS!
AUCUNE FINESSE.

LES GERMAINS, VUS PAR UN ROMAIN

Hû! Hû!
Hû! Hû!

D'après Tacite, lorsqu'un Germain
recevait en cadeau un vase en or, il
ne lui portait pas plus d'attention
qu'à ceux en céramique.
Passionnés par le jeu
des dés, ils jouaient leur
liberté quand ils
n'avaient plus de biens à
miser : le vaincu
acceptait de devenir
esclave, et le vainqueur,
honteux de l'avoir ainsi
gagné, s'empressait de le
vendre.

Le *limes* danubien

Augusta Vindelicorum
(Augsbourg)

RAETIA
(Rhétie)

Constantia
(Constance)

Brigantium
(Bregenz)

Veldidena
(Innsbruck)

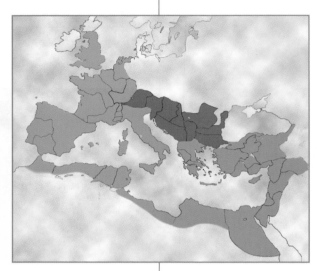

Les 2 700 km du *limes* danubien suivaient le plus long fleuve d'Europe, le Danube. La zone était exposée aux invasions venant de l'Est et cela n'a pas favorisé l'implantation de riches domaines agricoles. Ceux qui s'y installèrent furent surtout des militaires à la retraite et des marchands.

POUR EN SAVOIR PLUS

sur la **colonne Trajane**, voir p. 208-209
sur le **limes**, voir p. 220-221

Besoin d'argent

De toutes les provinces du *limes* danubien, seule la Dacie est conquise pour ses richesses. Le roi des Daces Diuppaneus, surnommé Décébale, « cœur vaillant », attaque les Romains en 85 apr. J.-C. et oblige l'empereur Domitien à négocier une paix. Vingt ans plus tard, l'empereur Trajan traverse le Danube et remporte la victoire. Diuppaneus Décébale se suicide et la capitale, Sarmizegetusa, est rasée. La colonne Trajane à Rome et le Tropaeum Trajani (aujourd'hui Adamclisi, Roumanie) commémorent cette conquête. Les fabuleuses richesses de la Dacie permirent à Trajan de construire un grandiose *forum* à Rome et un nouveau port à Ostie.

LES PANNONIES

Cette monnaie a été émise par l'empereur Trajan Dèce qui naquit près de Sirmium en Pannonie inférieure en 201 apr. J.-C. Les deux personnages représentent les deux Pannonies tenant des étendards militaires. Dèce, proclamé empereur en 249 apr. J.-C., sera le premier empereur tué par les barbares, les Goths, en 251.

La Dacie tient une enseigne typique de la cavalerie militaire romaine : un « dragon ».

Aspalathos

Sous l'Empire romain, la capitale de la Dalmatie était Salonae (aujourd'hui Salone, Croatie), mais c'est à une dizaine de kilomètres, à Aspalathos (aujourd'hui Split, Croatie), que l'empereur romain Dioclétien fit construire son palais au début du IVe siècle.

Le palais de Dioclétien était une véritable forteresse dont l'enceinte longeait la mer.

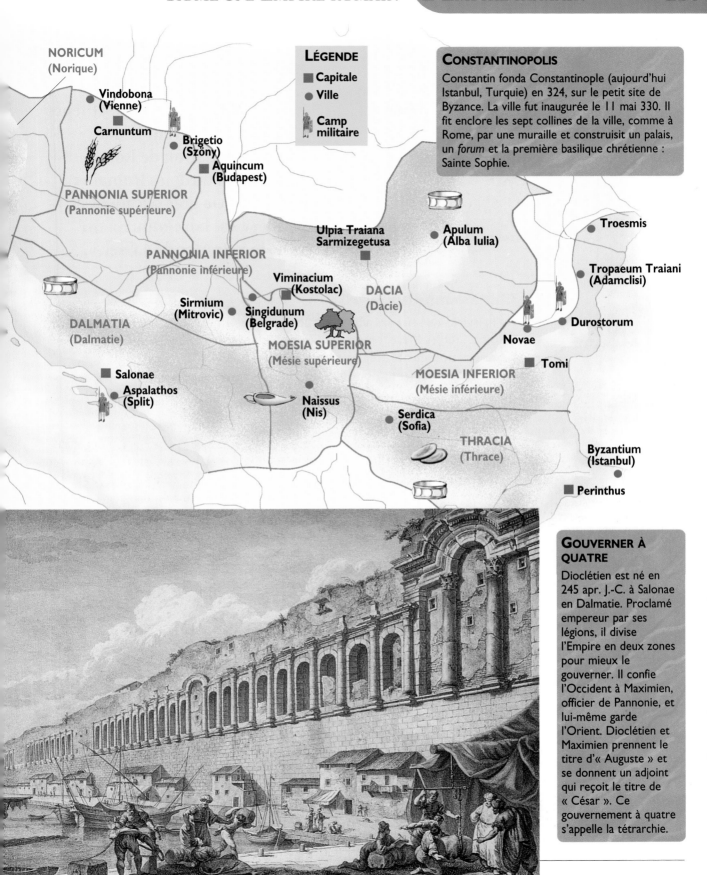

NORICUM
(Norique)

Vindobona
(Vienne)

Carnuntum

Brigetio
(Szöny)

Aquincum
(Budapest)

PANNONIA SUPERIOR
(Pannonie supérieure)

PANNONIA INFERIOR
(Pannonie inférieure)

Ulpia Traiana
Sarmizegetusa

Apulum
(Alba Iulia)

Troesmis

Tropaeum Traiani
(Adamclisi)

Viminacium
(Kostolac)

DACIA
(Dacie)

Sirmium
(Mitrovic)

Singidunum
(Belgrade)

Durostorum

Novae

DALMATIA
(Dalmatie)

MOESIA SUPERIOR
(Mésie supérieure)

MOESIA INFERIOR
(Mésie inférieure)

Tomi

Salonae

Aspalathos
(Split)

Naissus
(Nis)

Serdica
(Sofia)

THRACIA
(Thrace)

Byzantium
(Istanbul)

Perinthus

LÉGENDE

- ■ Capitale
- ● Ville
- 🛡 Camp militaire

CONSTANTINOPOLIS

Constantin fonda Constantinople (aujourd'hui Istanbul, Turquie) en 324, sur le petit site de Byzance. La ville fut inaugurée le 11 mai 330. Il fit enclore les sept collines de la ville, comme à Rome, par une muraille et construisit un palais, un *forum* et la première basilique chrétienne : Sainte Sophie.

GOUVERNER À QUATRE

Dioclétien est né en 245 apr. J.-C. à Salonae en Dalmatie. Proclamé empereur par ses légions, il divise l'Empire en deux zones pour mieux le gouverner. Il confie l'Occident à Maximien, officier de Pannonie, et lui-même garde l'Orient. Dioclétien et Maximien prennent le titre d'« Auguste » et se donnent un adjoint qui reçoit le titre de « César ». Ce gouvernement à quatre s'appelle la tétrarchie.

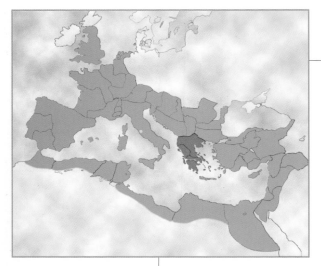

La Grèce

Les premiers jeux Olympiques d'Athènes ont lieu en 776, 23 ans avant la date légendaire de la fondation de Rome. Cinq cents ans plus tard, les Romains jugent le mode de vie grec décadent et, à cette époque, c'est faire injure à un Romain que de le traiter de « Grec ».

UN MÉCÈNE : HÉRODE ATTICUS

Tiberius Claudius Herodes Atticus est né vers l'an 101 à Marathon (Grèce). Cultivé et très riche, il est consul en 143 et participe à la reconstruction de nombreuses cités grecques durant le règne d'Hadrien. Nommé précepteur du futur empereur Marc Aurèle, il est surtout connu pour avoir financé par évergétisme de nombreux édifices publics : à Athènes, l'Odéon et le stade ; à Delphes, le stade ; à Olympie, le nymphée ; aux Thermopyles, les thermes, à Alexandria Troas (aujourd'hui Odun Iskelesi, Turquie), des bains ; à Canusium (aujourd'hui Canosa di Puglia, Italie), un aqueduc…

📖 POUR EN SAVOIR PLUS
sur l'*évergétisme*, voir p. 124-125

Qui a conquis l'autre ?

Au IIIe siècle av. J.-C., les cités grecques en guerre contre les Macédoniens s'allient à Rome… et les Macédoniens s'unissent aux Carthaginois. Les Romains victorieux dominent la région et, lorsque des cités grecques veulent s'opposer à leur présence, elles sont durement châtiées : Corinthe est détruite en 146 av. J.-C. et les Athéniens massacrés en 86 av. J.-C. Après plusieurs décennies de guerres entre elles, puis contre Rome, les cités grecques sont ruinées. Les Romains organisent les territoires conquis en provinces, mais on peut dire que c'est la culture grecque qui a envahi l'Empire romain.

Conçue par l'ingénieur Andronicos de Cyrrhos au Ier siècle av. J.-C., cette tour construite à Athènes abritait une horloge à eau. Elle possédait plusieurs cadrans solaires, une girouette et une frise représentant les huit vents.

DELPHES

Dès le VIIe siècle av. J.-C., le sanctuaire d'Apollon à Delphes était réputé pour sa prêtresse, la Pythie, dont les oracles étaient considérés par tous comme de précieux conseils. Attaquée par les Celtes en 279 av. J.-C., pillée par les Romains en 105 av. J.-C., la ville perd de son importance au Ier siècle apr. J.-C. Le musée possède une statue d'Antinoüs. Ce jeune homme, né en Bithynie, à la beauté remarquable, était le favori de l'empereur Hadrien lorsqu'il se noya dans le Nil.

À sa mort (122 apr. J.-C.), Antinoüs fut divinisé et Hadrien créa la ville d'Antinopolis (Égypte).

Athenae

Hadrien fit achever en 132 apr. J.-C. l'Olympéion dont le projet avait débuté en 515 av. J.-C. Ce temple dédié à Zeus était le plus grand de Grèce. Il comptait 104 colonnes de 17 mètres de haut. En remerciement, les Athéniens lui érigèrent une porte monumentale avec une inscription face à l'Acropole : « Ici c'est Athènes la ville antique de Thésée » et, de l'autre côté : « Ici c'est la ville d'Hadrien et pas de Thésée. »

Corinthus

Corinthus (aujourd'hui Corinthe, Grèce) fut longtemps l'une des plus importantes cités grecques. Les Corinthiens ont notamment créé la colonie de Syracuse en Sicile. Pour avoir pris la tête de quelques cités rebelles contre Rome, la ville fut détruite, les hommes tués et les femmes et les enfants vendus en esclavage. Un siècle plus tard, Jules César fonda une nouvelle ville qui deviendra la capitale de la province d'Achaïe. Au IIe siècle, la ville s'enrichit grâce à l'empereur Hadrien et au mécène Hérode Atticus.

Au centre, les vestiges de l'Olympéion et, à gauche, la porte d'Hadrien.

LÉGENDE
- ■ Capitale
- ● Ville

MACEDONIA (Macédoine)

● Apollonia

● Philippi (Philippes)

■ Thessalonica (Thessalonique)

EPIRUS (Épire)

■ Nicopolis

Delphi (Delphes) ●

● Corinthus (Corinthe)

ACHAÎA (Achaïe)

● Athenae (Athènes)

● Olympia (Olympie)

THESSALONICA

La Macédoine fut la première province romaine sur le sol grec en 148 av. J.-C. Sa capitale était Thessalonica (aujourd'hui Thessalonique, Grèce). Le roi Cassandre l'avait baptisée du nom de son épouse, sœur d'Alexandre le Grand. La via Egnatia joignait Thessalonica à Dyracchium (aujourd'hui Durrës, Albanie) et renforçait le rôle commercial et militaire de la ville. En 380 apr. J.-C., l'empereur Théodose proclama l'édit de Thessalonica, qui fit du christianisme la religion officielle de l'Empire romain.

L'Asie Mineure

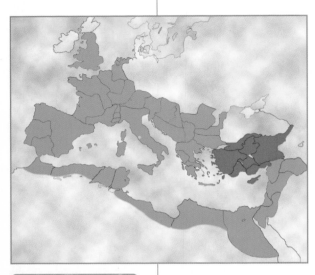

C'est de la cité de Troie (actuellement Hissarlik, Turquie) que serait parti Énée dont les descendants fonderont Rome.

Un passage obligé

En 133 av. J.-C., Attale III lègue au peuple romain le royaume de Pergame qui devient la province d'Asie quatre ans plus tard. Beaucoup de royaumes amis de Rome sont ainsi intégrés dans l'Empire à la mort de leur roi. Ces provinces sont sur le trajet le plus rapide pour aller de l'est à l'ouest de l'Empire. En les contrôlant, les Romains disposent d'une zone frontalière protectrice face à leurs ennemis parthes et perses.

Ephesus

En 88 av. J.-C., Éphèse (aujourd'hui Éfiz, Turquie) et d'autres villes d'Asie Mineure se révoltèrent contre Rome en s'alliant à Mithridate. Les combats furent acharnés et violents, et les auteurs anciens rapportent qu'en un seul jour, principalement à Éphèse, 80 000 citoyens romains périrent. Sous Auguste, Éphèse deviendra la capitale de la province d'Asie, à la place de Pergame, et une des villes les plus importantes de l'Empire.

SAINT PAUL DE TARSE

Saul, citoyen romain né à Tarse, la capitale de la Cilicie, est un juif anti-chrétien. Il reçoit la mission de réduire les communautés chrétiennes d'Asie Mineure. Sur le chemin de Damas, il rencontre le Christ, ce qui le rend aveugle. Miraculeusement guéri, il se convertit et se fait baptiser. Puis il se rend à Jérusalem auprès de Pierre et des apôtres. Dès lors, il va prêcher en Asie Mineure, à Chypre où il prend le nom de Paul, en Grèce et en Italie. Il s'établit à Éphèse, vers 57. Il sera décapité à Rome en 67.

La bibliothèque de Tiberius Celsius à Éphèse date du début du IIe siècle apr. J.-C. Elle contenait 12 000 rouleaux.

Le stade romain le mieux conservé de l'Antiquité se trouve à Aphrodisias. Il accueillait environ 20 000 spectateurs.

SAINTE BARBE

Barbe, née à Nicomedia, est enfermée dans une tour par son père qui veut la soustraire à l'influence de la religion chrétienne. Mais un prêtre déguisé en médecin réussit à la convertir et elle s'enfuit. Dénoncée et jetée en prison, elle y est atrocement torturée pour abjurer le christianisme, et c'est son père qui lui tranche la tête. Il mourra frappé par la foudre et consumé sans laisser de cendres. Pour cette raison, sainte Barbe est devenue la patronne des pompiers.

Pergamum

Pergame (aujourd'hui Bergama, Turquie) fut un important centre économique grâce au commerce du parchemin, concurrent du papyrus égyptien, des textiles et des parfums. La bibliothèque de Pergame aurait contenu 200 000 volumes. Antoine les offrit à Cléopâtre pour remplacer ceux disparus dans l'incendie de la bibliothèque d'Alexandrie.

LÉGENDE
- ■ Capitale
- ● Ville
- Camp militaire

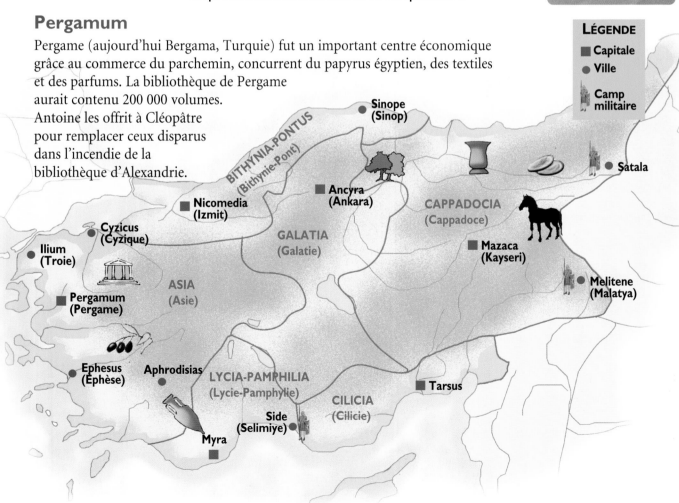

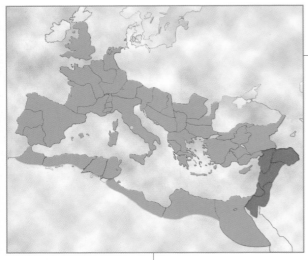

L'Orient

Conquise par le général romain Pompée, la Syrie devint la première province romaine de cette région. Peu à peu, d'autres annexions vinrent compléter cette partie orientale de l'Empire qui sera un des lieux privilégiés du commerce international.

Palmyra

Le petit théâtre de Palmyre construit au Iᵉʳ siècle apr. J.-C. possède 12 rangées de gradins et un mur de scène à cinq portes.

Palmyre (« cité des palmiers », Syrie) fut vraisemblablement annexée par les Romains en même temps que Pétra, en l'an 106 av. J.-C. Tibère finança la construction du temple de Bêl et rattacha la ville à la province romaine de Syrie. Hadrien, en 130, en fit une ville libre, qui devint colonie romaine en 217. Ses citoyens étaient égaux en droits aux citoyens romains et dispensés de payer l'impôt foncier. Ses archers étaient réputés. La XXᵉ cohorte d'archers palmyréniens était cantonnée à Doura-Europos.

Pétra

Pétra fut baptisée du mot grec qui désigne la roche. Les Nabatéens, Bédouins qui dominaient la région au temps des Romains, firent de Pétra leur capitale. Ils y bâtirent une nécropole avec plus de 800 tombeaux aux façades sculptées dans la roche. L'accès se fait par une gorge étroite, le Siq, qui débouche sur le Khazneh, « le trésor ».

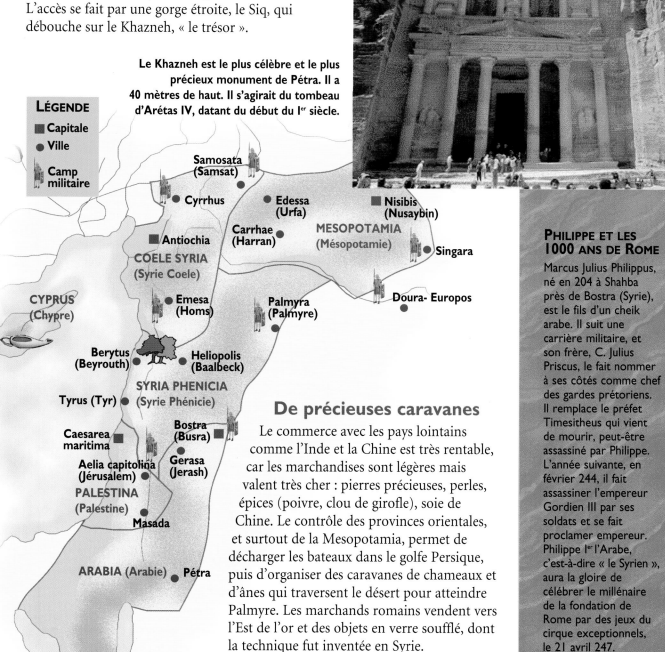

Le Khazneh est le plus célèbre et le plus précieux monument de Pétra. Il a 40 mètres de haut. Il s'agirait du tombeau d'Arétas IV, datant du début du Ier siècle.

LÉGENDE
■ Capitale
● Ville
Camp militaire

Samosata (Samsat)
● Cyrrhus
● Edessa (Urfa)
■ Nisibis (Nusaybin)
■ Antiochia
Carrhae (Harran)
MESOPOTAMIA (Mésopotamie)
● Singara
COELE SYRIA (Syrie Coele)
CYPRUS (Chypre)
● Emesa (Homs)
● Palmyra (Palmyre)
● Doura- Europos
Berytus (Beyrouth)
● Heliopolis (Baalbeck)
SYRIA PHENICIA (Syrie Phénicie)
Tyrus (Tyr) ●
Bostra (Busra)
■ Caesarea maritima
● Gerasa (Jerash)
Aelia capitolina (Jérusalem)
PALESTINA (Palestine)
■ Masada
ARABIA (Arabie) ● Pétra

De précieuses caravanes

Le commerce avec les pays lointains comme l'Inde et la Chine est très rentable, car les marchandises sont légères mais valent très cher : pierres précieuses, perles, épices (poivre, clou de girofle), soie de Chine. Le contrôle des provinces orientales, et surtout de la Mesopotamia, permet de décharger les bateaux dans le golfe Persique, puis d'organiser des caravanes de chameaux et d'ânes qui traversent le désert pour atteindre Palmyre. Les marchands romains vendent vers l'Est de l'or et des objets en verre soufflé, dont la technique fut inventée en Syrie.

PHILIPPE ET LES 1000 ANS DE ROME

Marcus Julius Philippus, né en 204 à Shahba près de Bostra (Syrie), est le fils d'un cheik arabe. Il suit une carrière militaire, et son frère, C. Julius Priscus, le fait nommer à ses côtés comme chef des gardes prétoriens. Il remplace le préfet Timesitheus qui vient de mourir, peut-être assassiné par Philippe. L'année suivante, en février 244, il fait assassiner l'empereur Gordien III par ses soldats et se fait proclamer empereur. Philippe Ier l'Arabe, c'est-à-dire « le Syrien », aura la gloire de célébrer le millénaire de la fondation de Rome par des jeux du cirque exceptionnels, le 21 avril 247.

L'Égypte et la Cyrénaïque

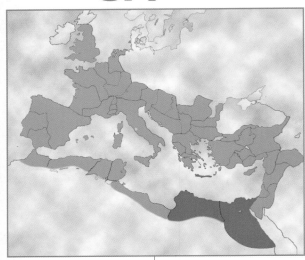

Rome importe d'Égypte et de Cyrénaïque beaucoup de céréales, d'où le surnom de « grenier à blé de Rome » de cette région. Comme le dit un dicton romain, « celui qui possède l'Égypte peut affamer Rome ».

Ptolémaïs

Le port antique de Ptolémaïs (aujourd'hui Tulmaytha, Libye) passa sous la domination romaine en 96 av. J.-C. et fut la capitale de la Cyrénaïque. Des palais et de nombreux monuments furent construits. Dans ce pays désertique, l'eau était conservée dans d'énormes citernes sous l'agora, c'est-à-dire la place publique.

CLÉOPÂTRE VII

Fille de Ptolémée XII, Cléopâtre accède au trône à l'âge de 17 ans, avec son frère et époux Ptolémée XIII âgé de 10 ans. Pompée, cherchant à échapper à César, se réfugie en Égypte, mais le jeune Ptolémée XIII le fait assassiner et offre sa tête à César. Des troubles éclatent et Ptolémée XIII meurt. En 47 av. J.-C., Cléopâtre règne avec son deuxième frère Ptolémée XIV, âgé de 12 ans, qu'elle fait empoisonner trois ans plus tard. Avec Jules César, Cléopâtre a un fils, Césarion, avec lequel elle régnera de 44 à 30 av. J.-C. Elle séduit Marc Antoine, successeur de César. Assiégés, ils se suicident et Octave (futur Auguste) fait assassiner Césarion.

Le petit théâtre romain de Kom al-Dekka, à Alexandrie, est très bien conservé. Ses 12 gradins, le premier de granite rose et les autres de marbre blanc, accueillaient 800 spectateurs dont les places sont numérotées en grec. Les colonnes sont de marbre vert d'Asie Mineure et de granite rouge d'Assouan. Les sols sont recouverts de mosaïques.

Des pays riches

Après le suicide de Cléopâtre en 30 av. J.-C,
l'Égypte passe sous le pouvoir d'Octave, le futur
empereur Auguste. Les bateaux qui partent
d'Alexandrie vers Rome transportent du blé, des
amphores de vin, des fruits, du lin, du papyrus...
À l'intérieur du pays, les Romains exploitent de
nombreuses mines et carrières : émeraude et or,
granite rouge et gris, porphyre rouge…
La Cyrénaïque tient sa réputation de ses chevaux de
course et surtout d'une plante : le *silphium*, appelé
aussi « laser ». Cette plante, utilisée comme épice
en cuisine et comme médicament pour toutes
sortes de maladies, vaut son poids en argent.
L'espèce, exportée massivement, est devenue très
rare sous le règne de Néron.

L'île de Philae était consacrée au culte d'Isis et ce kiosque a été
construit par Trajan vers 100 apr. J.-C. C'est là qu'arrivaient
les prêtresses et la barque sacrée de la déesse Isis lors des
cérémonies religieuses.

LÉGENDE
■ Capitale
● Ville

Gortyn
CRETA
(Crète)

Ptolemais
(Tulmaytha)
Cyrene
(Shahhat)
Euphesperides
(Benghazi)

CYRENAICA
(Cyrénaïque)

Alexandria
(Alexandrie)

Memphis

AEGYPTUS
(Égypte)

Antinopolis

Thebae
(Louxor)

Philae

LES PAPYRUS

La sécheresse du climat égyptien permet au papyrus de se
conserver dans le sol. Écrits en égyptien, copte, grec ou latin,
plus de 50 000 fragments ont été publiés depuis 1788, sur les
presque 400 000 découverts. Grâce à eux, certains aspects de
la vie quotidienne sont mieux connus : médecine, économie,
justice, poésie.

Afrique et Numidie

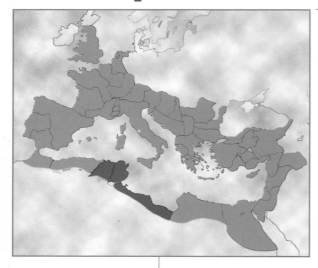

Les premiers voyageurs, grecs puis romains, décrivaient un pays peuplé d'animaux sauvages et dangereux : serpents gigantesques, lions, éléphants, ours, aspics, créatures à tête de chien, créatures sans tête aux yeux placés sur la poitrine…

Une province riche

Dès le Ier siècle apr. J.-C., la fertilité de la zone côtière située entre le désert du Sahara et la mer Méditerranée permet à l'Afrique de devenir, avec l'Égypte, le « grenier à blé » de Rome. On dit que l'Afrique fournissait le ravitaillement de Rome les deux tiers de l'année et l'Égypte l'autre tiers. Au IIe siècle apr. J.-C., de riches patriciens romains possèdent de vastes propriétés en Afrique. Le pays devient un important producteur d'huile.

Du grand port de Caput Vada (aujourd'hui La Chebba, Tunisie), de nombreux bateaux marchands partaient. Cette mosaïque du IIe siècle apr. J.-C. représente Neptune, dieu de la mer, entouré par quatre jeunes filles symbolisant les quatre saisons.

Hippo Regius (Annaba)

Utica (Utique)

Bulla Regia (Bulla)

Cirta (Constantine)

Cartago (Carthage)

Thamugadi (Timgad)

NUMIDIA (Numidie)

Thugga (Dougga)

Hadrumetum (Sousse)

Caput Vada (La Chebba)

Lambaesis (Lambèse)

Thapsus

Thysdrus (El Djem)

LÉGENDE
- ■ Capitale
- ● Ville
- Camp militaire

Une province calme

À cette époque, les risques d'invasion par la mer sont inexistants. Le *limes* africain surveille les territoires situés au sud d'où surgissent des tribus berbères qui effectuent des razzias. Les troupes romaines sont surtout constituées d'auxiliaires recrutés sur place et connaissant bien la steppe et le désert : cavaliers maures ou syriens, archers de Palmyre.

Sabratha

Oea (Tripoli)

Leptis Magna

AFRICA (Afrique proconsulaire)

Thugga est l'une des cités romaines les mieux conservées. Son théâtre, construit en 168 apr. J.-C., possède 25 rangées de gradins qui pouvaient contenir 3 500 personnes. La cité romaine en comptait 5 000.

Cartago

La légende raconte que c'est Didon, reine de Tyr en Phénicie, qui fonda Carthage en 814 av. J.-C. Son nom latin Cartago vient du phénicien Qart Hadasht, « la ville neuve ». Auguste supprima la malédiction lancée sur le sol de Carthage et recréa la ville, qui redevint capitale à la place d'Utique. La région de Carthage était réputée pour ses productions de céramique sigillée et de lampes à huile, souvent décorées, exportées dans les provinces occidentales de l'Empire du IIe siècle jusqu'au Ve siècle apr. J.-C.

Réunion et séparation...

Pour les Romains du IIe siècle av. J.-C., l'Africa n'est que la portion de territoire autour de Carthage. À l'ouest, se trouve le royaume de Numidie. En 27 av. J.-C., l'empereur Auguste réunit l'Africa et la Numidie pour créer la province d'Afrique. En échange de la Numidie, il donne à son ami Juba II le royaume de Maurétanie. La Numidie deviendra une province en 208 apr. J.-C.

L'Afrique, allongée, est coiffée d'une peau d'éléphant et tient un scorpion. Ce sont deux animaux caractéristiques. La corne d'abondance dans sa main gauche et un panier de fruits à ses pieds symbolisent les richesses du pays.

BERBÈRES ET AFRIQUE

Les Berbères étaient déjà en Afrique avant l'arrivée des Phéniciens, mais leurs origines sont mal connues. Leur nom vient du mot latin *barbari* que les Romains donnaient à tous les peuples dont ils ne comprenaient pas la langue. Le nom d'Afrique viendrait du mot Afarik, « la terre des Afarak », une tribu berbère qui vivait au sud de Carthage. La Numidie devrait son nom aux berbères nomades.

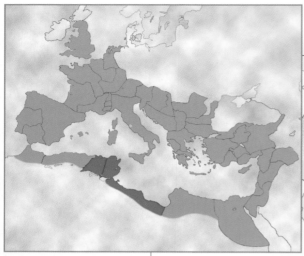

Hippo Regius

Ancien comptoir phénicien implanté au XIe siècle
av. J.-C., Hippo Regius ou Hippone (aujourd'hui
Annaba, Algérie) devint une ville numide prospère et
alliée de Carthage. Après la défaite de Jugurtha, la ville
fut annexée à la province romaine d'Africa et, 500 ans
plus tard, elle devint le siège épiscopal de saint Augustin.

Utica

Utica (aujourd'hui Utique, Tunisie) fut un moment la
capitale de l'Afrique après la destruction de Carthage. Son port lui conférait un
rôle économique et commercial important dans toute la Méditerranée.

Thamugadi

À côté de Lambaesis (aujourd'hui Lambèse, Algérie)
où s'installa la IIIe légion Augusta, Trajan créa la ville
résidentielle de Thamugadi (aujourd'hui Timgad, Algérie)
aux somptueuses mosaïques.

SAINT AUGUSTIN

Né à Tagaste
(aujourd'hui Souk-
Ahras, Algérie) en 354,
Augustin est nommé
professeur de
rhétorique à Carthage
en 374, puis à Milan en
384 où il se fait
baptiser en 387.
Nommé évêque
d'Hippone en 395,
il meurt dans la ville
assiégée par les
Vandales en 430. Il a
écrit de nombreux
ouvrages
philosophiques
défendant la foi
catholique, qui ont
marqué les religions
occidentales.

À Thamugadi
(Timgad), la grande
voie orientée est-
ouest (*decumanus
maximus*) est large
de 5 mètres, dallée
de calcaire et
bordée de trottoirs
couvrant les égouts.
L'arc de Trajan
ouvre la route vers
Lambaesis
(Lambèse) à l'ouest.

Hadrumetum

Hadrumetum (aujourd'hui Sousse, Tunisie), fondée au IX⁰ siècle av. J.-C. par les Phéniciens, devint la troisième cité punique après Carthage et Utique. Prenant position contre Carthage lors de la dernière guerre punique, elle bénéficia pendant plus de trois siècles et demi du statut de ville libre, accordé par Rome en récompense.

Cette mosaïque du début du III⁰ siècle apr. J.-C. représente le dieu Dionysos sur un char tiré par quatre tigres.

Bulla Regia

Bulla Regia (aujourd'hui Bulla, Tunisie) connut son apogée aux II⁰ et III⁰ siècles. La cité possédait des maisons d'habitation à deux étages, dont un étage souterrain avec cour à péristyle, un *triclinium* et deux chambres. Il ne s'agissait pas d'un simple sous-sol, mais d'une luxueuse *villa* ventilée et éclairée naturellement. La Maison de la chasse, qui doit son nom à la mosaïque qui figure une scène de chasse, est la plus vaste et l'une des mieux conservées.

ALLONS, LES ENFANTS. ALLEZ EMBRASSER VOTRE COUSIN JUGURTHA !

JE NE SAIS PAS POURQUOI, MAIS IL NE NOUS INSPIRE RIEN DE BON, CELUI-LÀ.

Sabratha

Sabratha (Libye) fut un comptoir phénicien dès la fin du V⁰ siècle av. J.-C. La plupart des vestiges romains datent des règnes des empereurs Antonin le Pieux et Marc Aurèle. Sabratha était renommée pour le commerce de l'ivoire. Elle fut pillée par les Vandales en 455 apr. J.-C.

JUGURTHA

Jugurtha naît en 160 av. J.-C. Il est le petit-fils de Masinissa, roi de Numidie. Son oncle lègue le royaume de Numidie à ses deux fils et à Jugurtha. Celui-ci envahit les possessions de ses cousins et réunifie le royaume. Après le massacre de marchands romains à Cirta (aujourd'hui Constantine, Algérie), Rome lui déclare la guerre. Après cinq ans de guérilla dans le désert, c'est son beau-père Bocchus, roi de Maurétanie, qui le trahit et le livre aux Romains en 105 av. J.-C. Emmené à Rome, il est exhibé au triomphe du général Marius en 104 av. J.-C. Jugurtha est étranglé dans la prison où, 50 ans plus tard, Vercingétorix subira le même sort.

Les Maurétanies

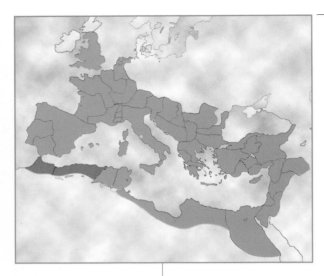

L'extrémité ouest de ces provinces fait face à l'Hispanie. Ainsi un auteur romain a écrit qu'un voyageur pouvait parcourir tout le tour de la Méditerranée en 347 jours, sans quitter l'Empire romain.

La mer et les plaines

En 40 apr. J.-C., le royaume berbère de Maurétanie est indépendant et allié de Rome. Mais Caligula fait périr dans l'amphithéâtre de Lyon son cousin, le roi Ptolémée XVII, fils et successeur de Juba II. La Maurétanie se soulève alors et il faut deux ans à l'empereur Claude pour annexer le royaume. Il le divise en deux provinces : la Maurétanie Césarienne, du nom de sa capitale Césarée (aujourd'hui Cherchell, Algérie), et la Maurétanie Tingitane, capitale Tingis (aujourd'hui Tanger, Maroc).

Volubilis

Volubilis (Maroc), de son ancien nom Oualili, « lauriers roses », était la ville la plus célèbre de Tingitane. Aux IIe et IIIe siècles, Volubilis prospéra grâce au commerce de l'huile (presque une maison sur deux possédait un pressoir), du blé et à la vente d'animaux sauvages : lions, panthères, éléphants...

JUBA II

Le roi de Numidie, Juba Ier, se donne la mort après sa défaite contre Jules César à Thapsus en 46 av. J.-C. Son fils, Juba II, est emmené et élevé à Rome. Cléopâtre Séléné, la fille d'Antoine et de Cléopâtre, est aussi éduquée à Rome. En l'an 20 av. J.-C., Juba II et Cléopâtre Séléné se marient et deviennent les souverains du royaume de Maurétanie. Juba II, roi allié de Rome, fut un savant très célèbre à son époque.

L'arc de triomphe de Volubilis fut érigé en 217 en l'honneur de l'empereur Caracalla et de sa mère Julia Domna.

Tingis (Tanger)

Thamusidia

Volubilis

MAURETANIA TINGITAN (Maurétanie Tingitane)

Cuicul

Cuicul (aujourd'hui Djemila, Algérie) fut probablement fondée sous le règne de Nerva, vers 98 apr. J.-C., pour accueillir des vétérans de l'armée. La ville se développa dans cette région prospère et abrita plus de 10 000 habitants. Sous le règne de Caracalla, une nouvelle place publique fut construite avec un temple dédié à la famille impériale des Sévères.

Les Vandales

En 429 apr. J.-C., les Vandales, conduits par Genséric, débarquent en Maurétanie Tingitane. Dix ans plus tard, ils s'emparent de Carthage, et en font la capitale de leur royaume en 442. Possédant l'Afrique et les deux Maurétanies, ils s'emparent des autres pays grands producteurs de blé : la Sicile et la Sardaigne. Maîtres de la Méditerranée, les Vandales conduisent des raids de pillage le long des côtes espagnoles, italiennes et grecques, saccageant complètement Rome durant 15 jours en 455 et rapportant à Carthage un énorme butin. À la mort de leur roi Genséric, le royaume vandale est le plus puissant du monde méditerranéen.

La place des Sévères est dominée par le temple septimien.

VANDALE ET « VANDALISME »

Le premier à employer avec le sens péjoratif moderne le mot « vandale » est Voltaire en 1734, à propos du très « impoli » roi de Prusse. Après la révolution française de 1789, des lois demandent la destruction des monuments et des œuvres d'art qui rappellent la royauté. Au bout de trois ans, les artistes manifestent leur désaccord, et l'abbé Grégoire, un révolutionnaire, publie un rapport sur les destructions de ce « vandalisme ». Depuis, le mot « vandalisme » est associé à l'idée de destruction.

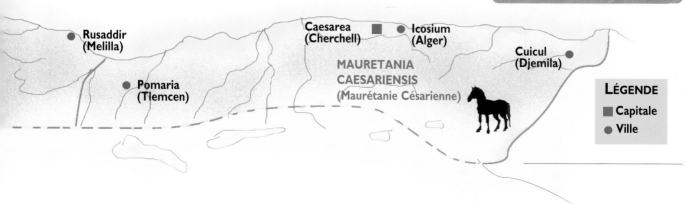

Rusaddir (Melilla)

Caesarea (Cherchell) ■ Icosium (Alger)

Cuicul (Djemila)

Pomaria (Tlemcen)

MAURETANIA CAESARIENSIS (Maurétanie Césarienne)

LÉGENDE
■ Capitale
● Ville

La fin de l'Empire romain

À sa mort en 395, Théodose partage l'Empire entre ses fils. Honorius devient l'empereur d'Occident, avec pour capitale Ravenne, et Arcadius l'empereur d'Orient à Constantinople. Moins d'un siècle plus tard, l'empire d'Occident disparaît sous les invasions barbares.

La bataille

Le 20 juin 451, le général Aetius s'oppose aux Huns avec une armée constituée de soldats romains et d'alliés, Wisigoths, Francs et Burgondes. La bataille se déroule entre Troyes et Châlons, à Duro Catalaunum, d'où son nom des « champs Catalauniques »). Théodoric Ier, le roi wisigoth de Toulouse, y est tué, et les Francs conduits par Mérovée, le grand-père de Clovis, sont quasi exterminés. Aetius et ses alliés n'ont pas vraiment remporté la bataille, mais Attila et ses troupes se retirent. Cette bataille fut l'une des plus importantes de l'Occident.

Le dernier empereur romain d'Occident

En 455, Valentinien III est assassiné par deux lieutenants d'Aetius. À partir de cette date et jusqu'en 476, dix empereurs aux pouvoirs très réduits vont se succéder. En septembre 476, le tout jeune empereur Romulus Augustule est destitué par Odoacre, roi des Hérules, un peuple germanique. Odoacre se proclame roi d'Italie et renvoie les insignes du pouvoir impérial d'Occident à l'empereur d'Orient Zénon. L'empire romain d'Occident laisse la place à divers royaumes.

Cc : champs Catalauniques (bataille de 451).
To : Toulouse, capitale du royaume wisigothique.
Ca : Carthage, capitale du royaume vandale.
Ra : Ravenne, capitale de l'Empire romain occidental.
Co : Constantinople, capitale de l'Empire romain oriental.

- Huns
- Vandales
- Wisigoths
- Ostrogoths
- Burgondes
- Alains
- Suèves

●Co

375 apr. J.-C. : les Huns, nomades des steppes du Caucase commandés par Attila, envahissent les terres des Ostrogoths, ou Goths de l'Est, qui se déplacent vers l'ouest.

Depuis 383 : les Wisigoths, ou Goths de l'Ouest, vivent en Thrace avec l'accord des Romains. Ils envahissent l'Italie en 401 et Alaric pille Rome en 410. Ils se stabilisent en Aquitaine en 418, avec Toulouse comme capitale.

406 apr. J.-C. : les Alains, les Vandales et les Suèves franchissent le Rhin et le Danube. Alains et Vandales vont d'abord en Espagne d'où ils seront chassés par les Wisigoths. Les Vandales partent fonder leur royaume en Afrique du Nord. Les Suèves se réfugient à l'ouest, en Galicie et au Portugal.

407 apr. J.-C. : les Burgondes passent le Rhin. En 437, chassés par les Huns, ils sont installés par Aetius, gouverneur de la Gaule, en Sapaudia, future Savoie, et autour du lac de Genève en 443. Ils s'installent à Lyon en 461.

Pour en savoir plus

Combien de temps régnèrent Tibère, Néron ou Hadrien ? Combien de centimètres mesure un pied romain ? Quel jour romain sommes-nous ? Quand vécurent Pompée, Tacite, Hannibal… ? Voici les réponses à ces questions ainsi que quelques légendes passées dans l'Histoire.

258 Les hommes politiques

260 Le calendrier

261 Les mesures

262 Personnages célèbres

264 Des légendes pour l'Histoire

L'histoire de Rome

VIIIe siècle av. J.-C. : Étrusques sur le Palatin.

753 av. J.-C. : Fondation de Rome par Romulus.

509 av. J.-C.-27 av. J.-C. : République

504 : Prise de Rome par l'Étrusque Porsenna.

390 : Sac de Rome par Brennus.

264-241 : Première guerre punique. La Sicile devient la première province romaine.

149-146 : Troisième guerre punique. Défaite et destruction de Carthage.

90 : Tous les Italiens deviennent citoyens romains.

73-71 : Révolte de Spartacus.

58-50 : César conquiert la Gaule.

44 : 15 mars, assassinat de César.

31 : 2 septembre, victoire d'Octave sur Antoine près d'Actium.

27 av. J.-C.-193 apr. J.-C. : Haut-Empire

27 : 16 janvier, Octave reçoit le titre d'Auguste.

33 : Mort de Jésus.

64 : Incendie de Rome.

73 : Prise de Massada.

79 : 24 août, éruption du Vésuve. Destruction de Pompéi et d'Herculanum.

118 : Début de la construction du Panthéon à Rome.

122-128 : Construction du mur d'Hadrien.

177 : Martyre de chrétiens à Lyon (sainte Blandine).

193 apr. J.-C.-476 apr. J.-C. : Bas-Empire

212 : Édit de Caracalla. Citoyenneté romaine pour tous les habitants libres de l'Empire.

247 : 21 avril, célébration du premier millénaire de Rome.

271 : Construction du mur d'Aurélien autour de Rome.

312 : 27 octobre, bataille du pont Milvius près de Rome.

313 : 13 juin, édit de Milan, liberté de culte pour les chrétiens.

324 : Fondation de Constantinople sur le site de Byzance.

327 : Construction de la basilique Saint-Pierre à Rome.

395 : Partage de l'Empire romain.

406 : Les Burgondes, Vandales, Wisigoths, Ostrogoths et Suèves pénètrent en Gaule.

410 : 24-27 août, sac de Rome par Alaric (Wisigoths).

451 : 20 juin, Aetius bat les Huns aux champs Catalauniques.

455 : Mai, prise de Rome par les Vandales.

465 : Naissance de Clovis, fils de Childéric Ier.

476 : Septembre, Odoacre destitue Romulus Augustule. Fin de l'empire romain d'Occident.

Les hommes politiques

Les plus anciens dirigeants de Rome appartiennent en partie à la légende. Ce sont des rois.

La République

Après 509 av. J.-C., Rome est dirigée par deux consuls, élus pour une année, et par le Sénat. Lorsque Rome est menacée, un magistrat particulier, le dictateur, est choisi parmi les consuls et prend la direction des affaires pour une courte période. Jules César est le plus connu.

L'Empire

À partir de 27 av. J.-C., un seul homme possède la quasi-totalité des pouvoirs : c'est l'empereur. Jusqu'en 476 apr. J.-C., soit durant 500 ans, près de 80 empereurs se succéderont : plus de 40 mourront assassinés ou se suicideront. Parfois l'empereur s'associe avec un corégent : un fils, un frère...

-27-+14 AUGUSTE (Octave) 40 ans 7 mois

14-37 TIBÈRE 22 ans 6 mois

138-161 ANTONIN LE PIEUX 22 ans 8 mois

37-41 CALIGULA 3 ans 10 mois

161-180 MARC AURÈLE 19 ans

41-54 CLAUDE 13 ans 8 mois

161-169 LUCIUS VERUS 8 ans

238 GORDIEN Ier/GORDIEN II 3 semaines
238 BALBIN ET PUPIEN 3 mois
238-244 GORDIEN III 5 ans 6 mois

54-68 NÉRON 13 ans 7 mois

177-192 COMMODE 15 ans

244-249 PHILIPPE L'ARABE 5 ans 7 mois

68-69 GALBA 7 mois
69 OTHON 3 mois
69 VITELLIUS 11 mois

193 PERTINAX 3 mois
193 DIDE JULIEN 2 mois
193-194 PESCENNIUS NIGER 18 mois
195-197 CLODIUS ALBINUS 15 mois

248 PACATIEN Quelques semaines
248 JOTAPIEN Quelques semaines
249-251 TRAJAN DÈCE 1 an 9 mois
251-253 TRÉBONIEN GALLE 2 ans
253 ÉMILIEN 3 mois

69-79 VESPASIEN 10 ans

193-211 SEPTIME SÉVÈRE 17 ans 9 mois

253-260 VALÉRIEN 6 ans 9 mois

79-81 TITUS 2 ans 2 mois

81-96 DOMITIEN 15 ans

253-268 GALLIEN 15 ans

96-98 NERVA 1 an 7 mois

198-217 CARACALLA 19 ans

268-270 CLAUDE II 17 mois
270 QUINTILLE 3 mois

98-117 TRAJAN 19 ans 6 mois

209-212 GETA 2 ans 3 mois
217-218 MACRIN 14 mois
218-222 ÉLAGABAL 3 ans 9 mois

270-275 AURÉLIEN 5 ans
275-276 TACITE 7 mois
276-282 PROBUS 6 ans 5 mois

117-138 HADRIEN 20 ans 11 mois

222-235 ALEXANDRE SÉVÈRE 13 ans

235-238 MAXIMIN Ier 3 ans 3 mois

282-283 CARUS 10 mois
283-285 CARIN 20 mois

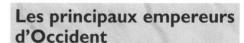

Gouverner seul ou à plusieurs

À partir de 286, Dioclétien divise les responsabilités de gouvernement de l'Empire en créant deux zones géographiques. Chacune est dirigée par un Auguste associé à un César. Ces quatre dirigeants forment la tétrarchie. Par la suite, selon les périodes, le pouvoir sera ainsi partagé ou aux mains d'un seul empereur.

19 ans **MAXIMIEN** 286-305

284-305 **DIOCLÉTIEN** 20 ans 5 mois

CONSTANCE Ier CHLORE 305-306 1 an 3 mois

305-311 **GALÈRE** 6 ans

MAXENCE (usurpateur à Rome) 306-312 6 ans

308-324 **LICINIUS** 16 ans

18 ans **CONSTANTIN Ier** 306-324

324-337 **CONSTANTIN Ier** (seul) 13 ans

337-340 **CONSTANTIN II** 2 ans 6 mois

337-350 **CONSTANS** 12 ans 6 mois

337-361 **CONSTANCE II** 24 ans 1 mois

350-353 **MAGNENCE** (usurpateur) 3 ans 6 mois

360-363 **JULIEN II** 3 ans 3 mois

363-364 **JOVIEN** 8 mois

11 ans 9 mois **VALENTINIEN Ier** 364-375

364-378 **VALENS** 14 ans 4 mois

16 ans **GRATIEN** 367-383

379-394 **THÉODOSE Ier** 15 ans

5 ans **MAXIMUS** (usurpateur) 383-388

16 ans 6 mois **VALENTINIEN II** 375-392

2 ans 1 mois **EUGÈNE** (usurpateur) 392-394

394-395 **THÉODOSE Ier** (seul) 1 an

Les principaux empereurs d'Occident

À sa mort en 395, Théodose partage définitivement l'Empire entre ses fils : Honorius reçoit la partie occidentale et Arcadius l'Orient. L'empire romain d'Occident s'achèvera avec Romulus Augustule, destitué par les barbares en 476. L'empire romain d'Orient, ou empire byzantin car Byzance (Constantinople) est sa capitale, durera jusqu'en 1453. Les principaux empereurs d'Occident sont les suivants.

393-423 **HONORIUS** 30 ans 7 mois

423-425 **JEAN** (usurpateur) 2 ans

425-455 **VALENTINIEN III** 29 ans 5 mois

455 **PETRONIUS MAXIMUS** 2 mois

455-456 **AVITUS** 1 an 3 mois

457-461 **MAJORIEN** 4 ans 4 mois

461-465 **SÉVÈRE III** 4 ans

467-472 **ANTHEMIUS** 5 ans 3 mois

472 **OLYBRIUS** 6 mois

473-474 **GLYCÈRE** 1 an 3 mois

474-475 **JULIUS NEPOS** 1 an 2 mois

475-476 **ROMULUS AUGUSTULE** 10 mois

Le calendrier

Ce calendrier permet de donner la date comme un Romain.
Les jours ne sont pas numérotés de 1 à 31 comme à notre époque. Une date romaine se donne par rapport aux trois jours fériés de chaque mois : les calendes (Cal.) ; les nones (Nones) ; les ides (Ides).

> En latin, une date s'écrit en abrégé. Par exemple :

Quelques exemples

Une date romaine indique le nombre de jours avant le jour férié qui arrive. Ainsi, pour un Romain, notre 10 février est le 4e jour avant les ides de février.

Le 1er jour avant un jour férié s'appelle toujours « veille » (*pridie*) : notre 6 juillet est la veille des nones de juillet.

Un jour supplémentaire est placé, tous les quatre ans, le sixième jour avant les calendes de mars (le 23 février). Il s'appelle *ante diem bis sextum* ; d'où le nom d'année « bissextile » ces années-là.

> *a.d. IV Kal. Mart.*, se lit *ante diem quartiliis Kalendas Martias*, soit « le 4e jour avant les calendes de mars » : notre 26 février.

> *Prid. Kal. Jan.*, se lit *Pridie Kalendas Januarias*, soit « la veille des calendes de janvier » : notre 31 décembre.

Jour	JANV.	FÉV.	MARS	AVRIL	MAI	JUIN	JUIL.	AOÛT	SEPT.	OCT.	NOV.	DEC.
I	Cal.	Cal.	Cal.	Cal.	Cal.	Cal.	Cal.	Cal.	Cal.	Cal.	Cal.	Cal.
2	IV	IV	VI	IV	VI	IV	VI	IV	IV	VI	IV	IV
3	III	III	V	III	V	III	V	III	III	V	III	III
4	Veille	Veille	IV	Veille	IV	Veille	IV	Veille	Veille	IV	Veille	Veille
5	Nones	Nones	III	Nones	III	Nones	III	Nones	Nones	III	Nones	Nones
6	VIII	VIII	Veille	VIII	Veille	VIII	Veille	VIII	VIII	Veille	VIII	VIII
7	VII	VII	Nones	VII	Nones	VII	Nones	VII	VII	Nones	VII	VII
8	VI	VI	VIII	VI	VIII	VI	VIII	VI	VI	VIII	VI	VI
9	V	V	VII	V	VII	V	VII	V	V	VII	V	V
10	IV	IV	VI	IV	VI	IV	VI	IV	IV	VI	IV	IV
11	III	III	V	III	V	III	V	III	III	V	III	III
12	Veille	Veille	IV	Veille	IV	Veille	IV	Veille	Veille	IV	Veille	Veille
13	Ides	Ides	III	Ides	III	Ides	III	Ides		III	Ides	Ides
14	XIX	XVI	Veille	XVIII	Veille	XVIII	Veille	XIX	XVIII	Veille	XVIII	XIX
15	XVIII	XV	Ides	XVII	Ides	XVII	Ides	XVIII	XVII	Ides	XVII	XVIII
16	XVII	XIV	XVII	XVI	XVII	XVI	XVII	XVII	XVI	XVII	XVI	XVII
17	XVI	XIII	XVI	XV	XVI	XV	XVI	XVI	XV	XVI	XV	XVI
18	XV	XII	XV	XIV	XV	XIV	XV	XV	XIV	XV	XIV	XV
19	XIV	XI	XIV	XIII	XIV	XIII	XIV	XIV	XIII	XIV	XIII	XIV
20	XIII	X	XIII	XII	XIII	XII	XIII	XIII	XII	XIII	XII	XIII
21	XII	IX	XII	XI	XII	XI	XII	XII	XI	XII	XI	XII
22	XI	VIII	XI	X	XI	X	XI	XI	X	XI	X	XI
23	X	VII	X	IX	X	IX	X	X	IX	X	IX	X
24	IX	VI	IX	VIII	IX	VIII	IX	IX	VIII	IX	VIII	IX
25	VIII	V	VIII	VII	VIII	VII	VIII	VIII	VII	VIII	VII	VIII
26	VII	IV	VII	VI	VII	VI	VII	VII	VI	VII	VI	VII
27	VI	III	VI	V	VI	V	VI	VI	V	VI	V	VI
28	V	Veille	V	IV	V	IV	V	V	IV	V	IV	V
29	IV		IV	III	IV	III	IV	IV	III	IV	III	IV
30	III		III	Veille	III	Veille	III	III	Veille	III	Veille	III
31	Veille		Veille		Veille		Veille	Veille		Veille		Veille

Les mesures

À Rome, les poids et mesures de référence sont conservés dans le temple de Castor et Pollux, et un magistrat vérifie la conformité de ceux employés par les professionnels. À l'origine, comme dans beaucoup de civilisations, les Romains se servent des parties du corps pour la création des mesures de longueur : les doigts, le pouce, le pied, le pas...

Capacité des solides et des liquides	
Capacité des solides (grains...)	**Capacité des liquides**
Hemina (hémine = 1/32 *modius*) : 0,274 l	*Sextarius* (setier = 1/48 *quadrantal*) : 0,547 l
Sextarius (setier = 1/16 *modius*) : 0,547 l	*Congius* (conge = 1/8 *quadrantal*) : 3,283 l
Semodius (1/2 *modius*) : 4,377 l	*Urna* (urne = 1/2 *quadrantal*) : 13,132 l
Modius : 8,754 l	**Quadrantal** (ou *amphora*, amphore) **: 26,263 l**
	Culleus (tonneau = 20 *quadrantal*) : 525,27 l
En gras l'unité	

Superficie

Quadratus pes (1 pied carré) : 0,086 m²
Decempeda quadrata (= 10 p x 10 p = 100 p²) : 8,66 m²
Jugerum (arpent = 240 p x 120 p = 28 800 p²) : 25 ares
Centuria (= 100 *heredia*) : 50 ha

Poids

Uncia (once = 1/12 livre) **: 27,28 g**
Sous-multiples :
semuncia (1/2 once) : 13,64 g
scrupulum (1/24 once) : 1,14 g
Multiples :
quincunx (5) : 136,4 g
bes (8) : 218,24 g
dextans (10) : 272,8 g

Libra ou *as* (livre = 12 onces) : 327,45 g
Sous-multiples :
semis (6 onces) : 163,7 g
triens (1/3 = 4 onces) : 109,1 g
quadrans (1/4 = 3 onces) : 81,8 g
sextans (1/6 = 2 onces) : 54,57 g

En gras l'unité

Longueur

Digitus (doigt ou pouce) : 1,84 cm
Palmus (palme = 4 doigts) : 7,36 cm
Pes (pied) : 29,6 cm
Palmipes (20 doigts) : 36,80 cm
Cubitus (1 coudée = 24 doigts) : 44,16 cm
Gradus (1 pas simple) : 72,4 cm
Passus (1 pas double = 5 pieds) : 1,48 m
Mille passuum (mille = 1 000 pas) : 1 480 m

Personnages célèbres

PLUTARQUE
vers 46-126 apr. J.C.

D'origine grecque, citoyen romain et prêtre d'Apollon à Delphes, Plutarque est connu pour ses biographies de Grecs et Romains célèbres.

OVIDE
43 av. J.-C.- vers 17 apr. J.-C.

Ovide étudia à Rome. Très attiré par la poésie, il devint aussi un avocat réputé. Il finit sa vie à Tomis (Constanta, Roumanie), exilé par l'empereur Auguste, peut-être pour l'immoralité de certains de ses écrits.

CICÉRON
106-43 av. J.-C.

Orateur, avocat et philosophe, Cicéron sauva Rome d'une conjuration politique et défendit les valeurs de la république avec Pompée contre César, puis contre Antoine. Ce dernier le fit assassiner, et exposa sa tête et ses mains au Forum. On connaît de lui de nombreux ouvrages : histoire, philosophie, discours, et presque un millier de lettres. Ses réflexions ont influencé plusieurs générations de penseurs.

AUSONE
310-395 apr. J.-C.

Poète gallo-romain né à Bordeaux où il est grammairien puis rhéteur. Il fut nommé à Trèves précepteur de Gratien, fils de l'empereur Valentinien. Ses œuvres nous renseignent sur la vie en Gaule romaine à la fin du IVe siècle.

SÉNÈQUE
1 av. J.-C-65 apr. J.-C.

Philosophe, avocat et sénateur, il resta pendant 10 ans le précepteur de Néron. Ses leçons de morale finirent par agacer Néron qui lui demanda de se suicider.

TACITE
55-120 apr. J.-C.

Orateur et historien, il fut l'auteur de livres d'histoire sur les événements de la fin du Ier siècle apr. J.-C. et d'un livre sur la Germanie.

AGRIPPA
64-12 av. J.-C.

Octave (futur empereur Auguste) et Agrippa, nés la même année, étaient des amis d'enfance. Agrippa devint un de ses plus grands généraux aux nombreuses victoires, terrestres et navales, comme celle d'Actium. Il refusa trois triomphes pour ne pas s'élever au-dessus d'Octave, ce qui montre son grand dévouement. Il épousa Julie, fille d'Octave, devenu l'empereur Auguste. Il mourut à l'âge de 52 ans. Ses cendres étaient conservées dans le mausolée d'Auguste.

VIRGILE
vers 70-19 av. J.-C.

L'œuvre majeure de ce protégé d'Auguste et de Mécène, L'Énéide, ne fut publiée qu'après sa mort. C'est l'histoire d'Énée qui, parti de Troie en flammes, arrive jusqu'à la côte italienne et dont les descendants seront les fondateurs de Rome.

STRABON
60 av. J.-C.-20 apr. J.-C.

Historien et géographe grec, il fait la synthèse dans les 17 livres de sa Géographie de toutes les connaissances, géographie, mœurs, histoire et économie, des pays connus à l'époque.

COLUMELLE
Ier siècle apr. J.-C.

Originaire d'Espagne, ce propriétaire terrien a rédigé un traité d'agriculture de 12 livres où tous les aspects du travail à la ferme sont décrits.

POMPÉE 106-48 av. J.-C.

Issu d'une famille noble, général, consul en 70 av. J.C., il pacifia l'Espagne, mit fin avec Crassus au soulèvement de Spartacus, élimina les pirates en Méditerranée, pacifia l'Orient contre Mithridate. Gendre de César et d'abord son allié, il s'opposa à lui lorsque César devint hors-la-loi en franchissant le Rubicon avec ses légions. La guerre entre les deux généraux éclata, César battit Pompée à Pharsale en 48 av. J.-C. Réfugié à Alexandrie, il fut tué par Ptolémée XIII, frère et époux de Cléopâtre.

MITHRIDATE VI
Règne de 120 à 63 av. J.-C.

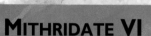

Puissant roi d'Asie, c'était un ennemi acharné des Romains qu'il désirait chasser d'Orient. Il s'allia aux pirates de Cilicie, puis à certaines cités grecques. Vaincu par Pompée, il voulut s'empoisonner, mais n'y arriva pas : il s'était immunisé en en prenant une petite dose chaque jour. Il se fit donc poignarder par un esclave.

PLINE L'ANCIEN 23-79 apr. J.-C.

D'abord officier de cavalerie, puis commandant de la flotte de Misène et proche des empereurs Vespasien et Titus, Pline fut aussi un des plus grands érudits de l'Antiquité. Il est l'auteur d'une *Histoire naturelle* en 37 livres. Il mourut durant l'éruption du Vésuve qu'il était allé observer.

HANNIBAL
vers 247-183 av. J.-C.

Son père Hamilcar a installé en Espagne une forte présence carthaginoise, disposant de territoires, de richesses minières et de mercenaires celtibères… Hannibal avait 9 ans lorsque son père lui proposa de partir avec lui en Espagne, et il fit alors le serment de toujours haïr les Romains. Commandant des armées, il assiégea en 219 av. J.-C. Sagonte, alliée des Romains, et déclencha ainsi la deuxième guerre punique. Après de grandes victoires en Italie, les renforts souhaités n'arrivant pas, il dut battre en retraite. Sa défaite à Zama, en 202 av. J.-C., mit fin à la deuxième guerre punique. Pourchassé par les Romains, Hannibal préféra s'empoisonner alors qu'il allait être arrêté.

VITRUVE Ier siècle av. J.-C.

Cet architecte et ingénieur a décrit dans ses 10 livres les techniques, les proportions des monuments publics et privés, les engins de travaux… Cet ouvrage inspirera beaucoup les architectes de la Renaissance aux XVe et XVIe siècles.

TITE-LIVE
59 av. J.-C.-17 apr. J.-C.

Tite-Live est né à Padoue. Proche de l'empereur Auguste, il devint le précepteur du futur empereur Claude. Il fut l'auteur d'une *Histoire romaine* en 142 livres, allant des origines de Rome jusqu'à son époque. Seulement 35 livres nous sont parvenus.

GALIEN DE PERGAME 131-201 apr. J.-C.

Il reste un des plus célèbres médecins. Il soigna les empereurs Marc Aurèle et Commode. Il est l'auteur de plus de 400 ouvrages en grec sur l'hygiène de vie et la médecine.

MÉCÈNE
Vers 70-8 av. J.C.

Chevalier romain, originaire d'Étrurie, conseiller d'Auguste et protecteur des lettres et des arts.

Des légendes pour l'Histoire

OBJETS SACRÉS

La légende raconte que…
les Vestales conservaient divers
talismans dans le *pinus*, une partie
secrète du temple de Vesta. Parmi
eux, les dieux Pénates et le
Palladium apportés de Troie par
Énée. Le Palladium était une
statue de Pallas tombée du ciel à
Troie, et qui protégeait la ville
tant qu'elle était dans ses murs.

DES LIVRES PRÉCIEUX

La légende raconte que… une vieille étrangère
alla trouver Tarquin le Superbe pour lui
vendre neuf livres d'oracles sacrés. Comme le
prix était considérable, le roi se moqua d'elle.
Alors, elle en mit trois au feu et renouvela
l'offre, les six restant au même prix. Tarquin
rit encore plus, et la vieille femme en brûla
trois autres, vendant les trois derniers toujours
au même prix. Tarquin, intrigué, les acheta, et
la vieille femme disparut. Ces « livres Sibyllins »
furent conservés dans le temple de Jupiter.
Lorsque Auguste devint grand pontife, il
rassembla tous les recueils de prophéties,
plus de 2 000 ouvrages, et les fit brûler. Il ne
conserva qu'une partie des livres Sibyllins qu'il
enferma dans deux armoires dorées, sous la
statue d'Apollon. Quinze prêtres en avaient la
garde, ils étaient consultés en cas de prodiges
ou de circonstances graves pour Rome.

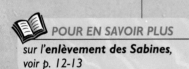

POUR EN SAVOIR PLUS
sur l'**enlèvement des Sabines**,
voir p. 12-13

TRAÎTRESSE OU HÉROÏNE ?

La légende raconte que… après l'enlèvement de leurs filles, les Sabins encerclèrent Rome pour
les récupérer. C'est Tarpéia, la fille du commandant des Romains, qui leur ouvrit la porte. Dès
l'entrée des Sabins, elle leur demanda sa récompense : « Je veux ce que vous portez au bras
gauche. » En effet, leur bras gauche était orné de lourds bracelets d'or. Mais pour punir
Tarpéia de sa trahison, ils lui jetèrent leurs boucliers, qu'ils portaient aussi à ce bras… et la
malheureuse périt écrasée. Le nom de « roche Tarpéienne » fut donné à la crête rocheuse du
Capitole d'où l'on précipitait les condamnés à mort. Une autre version affirme que Tarpéia a
demandé les boucliers afin de désarmer les Sabins face aux Romains. Et c'est vrai que sur sa
tombe on faisait des sacrifices, comme à une héroïne…

CASTOR ET POLLUX

La légende raconte que… en 499 av. J.-C., une bataille opposait Romains et Latins. Le général des Romains fit le vœu d'élever un temple à Castor si sa cavalerie était victorieuse. Deux cavaliers inconnus apparurent sur le champ de bataille, puis sur le Forum où ils abreuvèrent leurs chevaux à la fontaine de Juturne. Ils annoncèrent la victoire et disparurent aussitôt. Le temple de Castor fut construit à côté de cette fontaine. Les historiens romains ont certainement imaginé cette histoire pour expliquer la présence sur le Forum d'un temple dédié à Castor, un dieu d'origine grecque : en effet, aucune divinité étrangère ne pouvait être installée à l'intérieur du *pomoerium*.

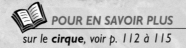

POUR EN SAVOIR PLUS
sur le **cirque**, voir p. 112 à 115

BOUCLIER CÉLESTE

La légende raconte que… du temps du roi romain Numa, un bouclier tomba du ciel. Numa en fit faire 11 copies pour tromper d'éventuels voleurs. La garde des 12 boucliers sacrés fut confiée aux Saliens, les prêtres qui ouvraient et fermaient la saison de la guerre.

DE L'ŒUF AU CIRQUE

La légende raconte que… Castor et Pollux, aussi appelés les Dioscures, sont nés dans des œufs, suite aux amours de Zeus déguisé en cygne pour séduire leur mère Léda. En Grèce, Pollux devint le protecteur des lutteurs, et Castor celui des jeux hippiques. Représentés sur les monnaies de la République romaine, ils sont reconnaissables à leurs bonnets coniques en forme de coquille d'œuf. En hommage à Castor, protecteur des jeux hippiques et des cavaliers, ce sont des œufs qui sont utilisés pour compter les tours des chevaux dans le cirque.

POUR EN SAVOIR PLUS
sur le **pomoerium**, voir p. 10-11, 38-39, 48-49, 70-71

Index

A

Acteur 67, 110, 111
Affranchi 41, 60, 61, 65
Agriculture 134, 135, 168, 169
Agrippa 132, 226, 262
Agrippine 60, 234, 237
Alésia 28, 210
Alimentation 80, 81, 82, 83, 171
Alphabet 99
Antoine 30, 132, 243, 246, 252
Apollon 105, 143, 161, 216, 264
Aqueduc 46, 47, 51, 126, 180, 228
Ara Pacis 43
Arc de triomphe 45, 190, 217
Archimède 27
Assemblée 20
Attila 254, 255
Augure 38, 40, 42, 93, 151, 213
Auguste 30, 31, 34, 43, 49, 75, 91, 93, 112, 126, 132, 157, 184, 185, 189, 198, 214, 220, 224, 228, 229, 236, 246, 247, 249, 258, 264
Auspices 38, 42, 151, 213
Aventin 11

B

Basilique 41, 133
Bibliothèque 45, 136, 242, 243
Bijoutier 176
Blanchisserie 171
Boulanger 173
Boutique 170, 171
Bûcheron 179
Bulla 66, 67, 68

C

Cadran solaire 158, 159
Caelius 11, 186
Calendrier 156, 260
Camp romain 206, 207
Capitole 11, 14, 15, 25, 32, 39, 40, 74, 141, 142, 143, 264
Capri 224, 225
Caracalla 65, 76, 233, 258
Cardo 38, 39, 40
Carthage 26, 27, 214, 228, 240, 249, 251, 253
Castor et Pollux 75, 113, 261, 265
Celtes 16, 25, 222, 228

Censeur 23
Céramique 172, 249
Cérès 145, 160
Césarion 29, 246
Chaise curule 15, 22, 23, 30, 93, 150
Champ de Mars 21, 49, 71, 213, 217
Charpentier 179
Chasse 86, 89, 118, 119
Chaussure 95, 202
Chevalier 57, 176
Chrétien 41, 154, 155
Cicéron 33, 101, 127, 132, 262
Circus Maximus 112, 113, 132, 133, 141, 184, 217
Cirque (jeux du) 76, 86, 89, 112, 113, 114, 115, 116, 117, 118, 119, 120, 121, 154, 155, 160, 161, 265
Citoyen 56, 57, 64, 65, 92, 220
Claude 60, 83, 119, 166, 167, 230, 233, 234, 237, 252, 258
Cléopâtre 29, 30, 212, 243, 246, 247, 252
Cohorte prétorienne 198, 200
Coiffure 94, 95
Colisée 116, 117, 186, 187
Colonne Trajane 190, 191, 208, 209, 238
Columelle 86, 263
Comédie 110
Comice 20, 21, 22, 23, 31
Comices centuriates 20, 22, 23, 56
Comices curiates 20, 56
Comices tributes 20, 22, 23, 57
Constantin 155, 239, 259
Consul 15, 23, 31
Corporation 177
Course (de chevaux) 87, 90, 112, 113, 114, 115, 187, 213, 265
Crassus 63, 126
Crésus 75
Cuisine 80, 81, 89
Curiaces 13
Curie 13, 33, 40, 41, 42
Cybèle 153, 160

D

Décimation 63
Decumanus 38, 39, 40
Deuil 71
Diane 143
Dictateur 23, 29, 216
Divorce 69

E

Eau 46, 47
École 67
Égouts 14, 15, 47
Élevage 88, 89, 135
Énée 28, 29, 76, 145, 146, 242, 264
Engins de construction 178, 179
Engins de guerre 27, 211, 214, 215
Esclave 41, 59, 60, 61, 62, 63, 65, 93, 96, 134, 135, 141, 216, 227
Esculape 104, 105
Esquilin 11, 71, 186
Étrusques 11, 14, 16, 17, 18, 19, 24, 25, 38, 39, 43, 47, 74, 98, 99, 108, 120, 151, 222, 232
Évergétisme 125, 240

F

Fibule 176
Flamine 14, 150
Fondation 10, 38, 39
Forum 39, 40, 41, 44, 234
Forum romain 32, 33, 40, 47, 51, 265

G

Galien de Pergame 263
Garum 79, 84, 85, 164, 228
Gaulois 24, 28, 29, 61, 86, 161, 232, 233, 234, 235
Génie 146, 147
Gladiateur 44, 62, 116, 117, 118, 119, 120, 121
Graffiti 84, 100
Grande Grèce 18
Grecs 16, 18, 19, 24, 74, 98, 99, 102, 104, 108, 109, 122, 159, 180, 189, 194, 210, 222, 226, 232, 240, 241
Guerre punique 26, 27, 161, 213, 214, 224, 226, 251

H

Habitation 126, 127, 130, 131, 134, 135
Hadrien 49, 94, 123, 136, 137, 159, 187, 188, 229, 230, 231, 240, 241, 244, 258
Hannibal 26, 224, 228, 263
Haruspice 151
Herculanum 192, 222, 223
Hippocrate (serment d') 105
Horaces 13
Horloge 158
Horoscope 159
Hypocauste 124

I

Île Tibérine 11, 105
Imperium 14, 20, 23, 216
Incendie 126, 127, 167, 184, 185, 187, 243
Insula 126, 127, 128, 129
Isis 152, 247

J

Jésus-Christ 152, 154, 242
Jeu 66, 90, 91
Jouet 66, 90, 91
Jugurtha 251
Jules César 28, 29, 30, 34, 76, 77, 86, 91, 116, 144, 156, 157, 161, 202, 210, 232, 234, 235, 246, 252, 258
Junon 39, 40, 74, 142, 160
Jupiter 14, 15, 39, 40, 141, 142, 160, 161, 189, 217

L

Lares 69, 130, 146, 147
Latins (peuple des) 11, 13, 24, 28, 98, 99, 222, 265
Latrines 129, 170
Légionnaire 78, 198, 199, 200, 201, 202, 203, 204, 205, 206, 207
Lémure 147, 161
Licteur 15, 22, 23, 30, 150
Limes 221, 236, 238, 248
Livie 132, 225
Louve 10, 16, 174, 175

M

Magistrat 20, 22, 23, 30, 31, 41, 42, 76, 93, 151, 160
Fibule 176
Maladie 104, 105, 167
Mânes 147
Marc Antoine (voir Antoine)
Marc Aurèle 154, 190, 191, 240, 251, 258
Marché 40, 44, 61, 164
Marine 214, 215
Mars 10, 141, 144, 160, 213
Mausolée 49
Mécène 186, 263
Médecin 58, 104, 105, 177
Mercure 145
Milliaire 33, 51
Mime 110, 111
Mine 168, 169, 229, 247

Minerve 39, 40, 143, 160
Mithra 152, 224
Mithridate VI 263
Mort 48, 49, 70, 71, 160
Mur d'Hadrien 231
Muraille 15, 48, 49
Musique (instruments de) 174, 175
Mystères 153

N

Naumachie 119
Navigation 164, 165, 166
Neptune 144, 248
Néron 60, 97, 114, 115, 118, 154, 167, 186, 187, 190, 191, 234, 237, 258

O

Octave (voir Auguste)
Oies du Capitole 25
Ordre (architecture) 180, 181
Orfèvre 176
Ovide 147, 262

P

Paestum 18
Palais 132, 133, 186, 187
Palatin 11, 40, 132, 133, 160, 186
Panthéon 43, 181, 188, 189
Pantomime 110
Patricien 56, 57, 223, 248
Pêche 88, 161
Pénates 146, 264
Pérégrin 60, 61, 220
Peutinger (carte de) 53
Phéniciens 226
Philippe Ier 76, 245, 258
Piazza Armerina 227
Plébéien 56, 57, 93
Pline l'Ancien 84, 85, 87, 88, 97, 123, 263
Plutarque 63, 262
Police 185
Pomoerium 10, 11, 22, 23, 38, 39, 45, 48, 71, 184, 216, 265
Pompée 29, 63, 109, 118, 244, 246, 263
Pompéi 68, 81, 84, 116, 125, 153, 192, 194, 222, 223
Pontife 31, 150

Poste impériale 53
Pouzzoles 116, 166, 167, 225
Préfet 31, 200
Pyrrhus 24

Q

Quirinal 11, 141

R

Regia 15, 32, 33
Rémus 10, 16, 28, 144, 160, 174
République 15, 20, 21, 57, 76, 132, 135
Roche Tarpéienne 264
Romulus 10, 12, 13, 16, 28, 132, 141, 144, 160, 161, 174, 258
Rostres 33
Royauté 12, 13, 14, 15, 34

S

Sabines (enlèvement des) 12, 13, 113, 160, 264
Sabins 11, 13, 264
Sacrifice 14, 42, 148, 149, 151, 160, 161, 213, 217
Samnites 24, 222, 223
Scipion l'Africain 26
Sel 78
Sénat 21, 30, 31, 40, 76, 150, 160, 212, 216
Sénateur 14, 31, 40, 79, 93
Sénèque 88, 124, 128, 186, 262
Servius Tullius 15, 140, 258
Spartacus 62, 63, 126
Strabon 262
Style (peinture) 192, 193
Suovetaurile 22, 23, 148, 149

T

Tacite 116, 149, 262
Tactique de combat 212, 213
Tailleur de pierre 179
Tarpéia 13, 140, 264
Tarquin l'Ancien 14, 15, 161, 258
Tarquin le Superbe 15, 258, 264
Tarquinia 14
Thermes 46, 47, 122, 123, 124, 125, 230
Thermopolium 80, 171
Tibère 136, 151, 169, 225, 227, 235, 244, 258
Tibre 11, 13, 16, 17, 166, 167

Tite-Live 227, 263
Toge 15, 30, 67, 92, 93, 160, 216
Toilette 96, 125
Tombe 48, 49, 70, 71, 185, 209
Tragédie 110
Trajan 31, 34, 118, 167, 208, 209, 229, 238, 247, 250, 258
Tribu 56, 57
Tribun 23, 31, 201
Triomphe 15, 216, 217
Troc 74
Trophée 212

V

Vaisselle 82, 83
Vénus 144
Vercingétorix 28, 29, 251
Verrerie 172
Vesta 13, 145, 161
Vesta (temple de) 15, 32, 42, 43, 146, 161, 264
Vestale 10, 32, 145, 150, 151, 160, 161, 264
Vésuve 62, 63, 82, 222, 223
Via Sacra 32, 217
Vigile 167, 184
Villa Hadriana 136, 137
Viminal 11
Vin 83, 85
Virgile 101, 103, 262
Vitruve 44, 108, 263
Voie romaine 50, 51, 52, 53
Vote 20, 21, 56, 59
Voûte 181
Vulcain 145, 161

Z

Zodiaque 159

Crédit photographique

AKG Paris
P. 10 (h) : Louve, bronze étrusque, Musée capitolin, Rome, Italie – Pirozzi. P. 14 : Bouche de la vérité, Santa Maria in Cosmedin, Rome, Italie – Rabatti, S. Domingie. P. 119 (hd) : Naumachie dans un amphithéâtre romain. P. 230 (b) : Roman bath, Bath, Grande-Bretagne – Keith Collie. P. 235 (bd) : Porte noire, Trèves, Allemagne – Hilbich. P. 240 (bg) : Antinous, musée de Delphes, Grèce – John Hios. P. 246 (b) : théâtre de Kom al-Dekka, Alexandrie, Égypte – Werner Forman.

Bridgeman/Giraudon
P. 12-13 : The Sabine Women, 1799, David Jacques Louis, Louvre, Paris, France. P. 28-29 : Vercingétorix se rendant à César, 1886, Henri Motte, musée Crozatier, Le-Puy-en-Velay, France. P. 68 (hg) : Portrait of a couple, thought to be Paquio Proculo and his wife, Ier siècle, Musée archéologique national, Naples, Italie. P. 102 : Portrait of a young girl, Galerie nationale de Capodimonte, Naples, Italie. P. 110 (h) : Préparatifs pour un spectacle, mosaïque, Musée archéologique national, Naples, Italie – D. Corrigé. P. 146 (h) : Lare, bronze, Musée archéologique national, Naples, Italie – Lauros Giraudon. P. 146 (b) : Laraire, haut-relief fresque, Ier siècle av. J.-C., maison des Vettii, Pompéi, Italie. P. 147 (h) : Lare, bronze, Musée archéologique national, Naples, Italie. P. 148-149 (b) : Sacrifice des suovetaurile, bas-relief, pierre, musée du Louvre, Paris. P. 153 (d) : Initiation aux mystères dionysiaques, fresque, villa des Mystères, Pompéi, Italie. P. 154-155 : Triumph of the faith, Thirion Eugène Romain, collection privée – Phillips, The International Fine Art Auctioneers. P. 192 (h) : Fresque de la villa de P. Fannius, Boscoreale, Musée archéologique national, Naples, Italie. P. 208 (d) : Colonne Trajane, marbre, forum de Trajan, Rome, Italie. P. 222 : Dream in the ruins of Pompeii, Curzon Paul Alfred, musée Salies, Bagnères-de-Bigorre, France. P. 226 (b) : Temple de la Concorde, Agrigente, Sicile – Peter Willi. P. 231 (b) : Mur d'Hadrien, Grande-Bretagne.

Cat's collection
P. 62 (bg) : Spartacus. P. 114 : Ben Hur. P. 115 : Ben Hur. P. 118-119 : Gladiator. P. 237 : Gladiator.

René Cubaynes
P. 196 (hg, bd). P. 204 (g). P. 204-205 (h). P. 206 (hg).

Francis Dieulafait
P. 7 (md). P. 55 (bg). P. 71 (h, mh). P. 76 (md, b). P. 77 (hd, b). P. 218 (md). P. 236 (bg). P. 238 (m, bg). P. 249 (bd).

Claude Domergue
P. 163 (md). P. 168 (bg). P. 168-169.

École nationale supérieure des beaux-arts, Paris
P. 124-125 : Les Thermes de Dioclétien, perspective intérieure restaurée. P. 186-187 : Temple de Vénus et de Rome.

Fond : Jean Elsen s.a. – Numismates, Bruxelles
P. 76 (mg).

Éditions Errance/J. C. Golvin
P. 39 (b). P. 44-45. P. 45 (hd). P. 49 (bd). P. 51 (hd). P. 52 (bg). P. 166-167. P. 232 (b). P. 234 (b). P. 235 (hg).

Jean-Paul Espaignet
P. 172 (hg).

B. Guillemard
P. 9 (mg). P. 18 (b). P. 47 (hd). P. 89 (m). P. 242 (b).

Leemage
P. 10 (bg et à g. dans bandeau titre) : Urne funéraire étrusque en forme de cabane, collection privée – Costa. P. 16 (b) : Acrotère étrusque en terre cuite, Musée national étrusque de la villa Giulia, Rome, Italie – Fototeca. P. 16-17 : Sarcophage en terre cuite du VIe siècle, dit « Les époux », provenant de Cerveteri (ancienne Caere), Musée national étrusque de la villa Giulia, Rome, Italie – Costa. P. 18 (h) : Vase en forme de tête de femme de l'atelier de poterie Charinos, Musée national, Tarquinia, Italie – Costa. P. 45 (b) : Arc de Constantin, Forum romain, Rome, Italie – Jemolo. P. 71 (b) : Columbarium, tombeau de Pomponis Hylax – Costa. P. 126-127 (fond) : Maquette de la Rome antique, Musée national de la civilisation romaine, Rome, Italie – Costa. P. 151 (hd) : Maison des vestales, Forum romain, Rome, Italie – Jemolo. P. 152 (hg) : Bas-relief représentant le sacrifice de Mithra, Musée capitolin, Rome, Italie – Costa. P. 152 (m) : Ictus, le poisson, symbole chrétien, IIe siècle – Costa. P. 177 (bd) : Place des corporations, Ostie, Italie. P. 245 (hd) : Le Khazneh, Pétra, Jordanie.

Milan/D. Chauvet

P. 26 (h). P. 58-59 (fond). P. 72 (bg, md). P. 73 (h, mg, bg, bd). P. 75 (b). P. 76 (hg). P. 78-79. P. 81 (bd). P. 83 (bd). P. 84 (g). P. 85 (d). P. 86. P. 87. P. 88. P. 89 (h). P. 90 (hg). P. 92 (h). P. 93 (bd). P. 95 (hg, md). P. 97 (hd). P. 102-103. P. 103 (h, m). P. 105 (hd). P. 106 (hg). P. 107. P. 118 (hg). P. 120. P. 125 (hd, mg). P. 138 (hg). P. 147 (bd). P. 157 (hd). P. 162 (md). P. 163 (bg). P. 175 (md). P. 176 (bg). P. 195 (hg, bd). P. 196 (hd, bg). P. 202 (hg). P. 203 (hd, md). P. 206 (hhg, hd)). P. 207. P. 218 (hd, bg, bd). P. 240 (m). P. 241 (hd). P. 248 (bg). P. 249 (hd).

Milan/P. Terrancle

P. 48 (hg). P. 56 (hg). P. 100 (fond). P. 101 (fond). P. 218 (mg). P. 219 (bd). P. 233 (h). P. 244.

Musée de Millau

P. 162 (mg). P. 172 (mg, bd).

Musée des Beaux-Arts de Lyon

P. 28 (hg) : © Studio Basset.

Musée Saint-Raymond, musée des Antiques de Toulouse

P. 8 (md) : Ch. Nourrit. P. 13 : Ch. Nourrit. P. 21 : Ch. Nourrit. P. 29 (h, b) : Ch. Nourrit. P. 30 (hg) : J. Rougé ; (mg, md) : Ch. Nourrit. P. 31 : Ch. Nourrit. P. 35 : Ch. Nourrit. P. 54 (md) : J. Rougé. P. 70 (h, b) : J. Rougé. P. 71 (mb) : Ch. Nourrit. P. 72 (hd) : J. Hocine. P. 74 (m, b) : Ch. Nourrit. P. 75 (hg, hd) : Ch. Nourrit. P. 91 (hd, hg) : Ch. Nourrit. P. 95 (md) : J. Hocine. P. 104 (hg) : J. Hocine. P. 105 (hg) : J. Hocine. P. 108 (h) : J. Hocine. P. 110 (m) : J. Hocine. P. 111 (m) : J. Hocine. P. 139 (mg) : J. Hocine ; (bg, mb) : Ch. Nourrit. P. 140 (h) : Ch. Nourrit. P. 150 (hg) : Ch. Nourrit. P. 153 (g) : J. Hocine. P. 162 (mm) : J. Hocine. P. 167 (md) : Ch. Nourrit. P. 175 (mg) : J. Hocine. P. 186 (hg) : Ch. Nourrit.

Musée Saint-Raymond, musée des Antiques de Toulouse/photos J. F. Peiré

P. 7 : (bd). P. 138 (bg). P. 148 (mg). P. 172 (md). P. 191 (hd). P. 200 (hg). P. 208 (mg). P. 218 (md). P. 219 (hd). P. 225 (bg). P. 229 (hd). P. 256 (md). P. 258 (g, d).

RMN

P. 16 (g) : Guerrier avec un bouclier, bronze étrusque, Louvre, Paris, France – Hervé Lewandowski. P. 24 (g) : Guerrier samnite, bronze, art italiote, Louvre, Paris, France – Hervé Lewandowski. P. 66 (b) : Sarcophage de M. Cornelius Status, milieu du IIe siècle, sculpture marbre époque romaine, Louvre, Paris, France. RMN-Chuzeville.

Pierre Sorgues

P. 30-31 (fond). P. 100 (h). P. 155 (hd). P. 190 (hg). P. 190-191.

STC Ville de Toulouse – Musée des Augustins

P. 30 (b) : Daniel Martin, 2201.

Henri Stierlin

P. 59 (m). P. 82 (bg). P. 94 (hg). P. 96 (hg). P. 97 (mg). P. 111 (bd). P. 113 (bd). P. 132-133. P. 137 (hd). P. 194 (h, b). P. 208 (hg). P. 223 (hd). P. 224 (b). P. 225 (hd). P. 227 (hd). P. 228 (b). P. 238-239 (b). P. 243 (h). P. 247 (h). P. 250-251 (b). P. 251 (hd). P. 252 (b). P. 253 (h).

Remerciements

Les traductions des textes latins des pages 61, 63, 84, 100, 115, 116, 119, 121, 124, 129, 149 sont reproduites avec l'aimable autorisation de monsieur Alain Canu.

Les objets représentés sur les pages 7, 13, 21, 29 (h, b), 30 (hg, mg, md), 31, 35, 54 (md), 70 (h, b), 71 (mb), 72 (hd), 74 (m, b), 75 (hg, hd), 91 (hd, hg), 95 (md), 104 (hg), 105 (hg), 108 (h), 110 (m), 111 (m), 138 (bg), 139 (mg, bg, mb), 140 (h), 148 (mg), 150 (hg), 153 (g), 162 (mm), 167 (md), 172 (md), 175 (mg), 186 (hg), 191 (hd), 200 (hg), 208 (mg), 218 (md), 219 (hd), 225 (bg), 229 (hd), 256 (md), 258 (g, d) sont conservés au musée Saint-Raymond, musée des Antiques de Toulouse. Les photographies sont reproduites avec l'aimable autorisation de monsieur Daniel Cazes, conservateur en chef du musée.

Les objets représentés sur les pages 162 (mg), 172 (mg, bd) sont conservés au musée de Millau ; les photographies sont reproduites avec l'aimable autorisation de Monsieur le Conservateur.

L'objet représenté page 28 (hg) est conservé au musée des Beaux-Arts, à Lyon ; la photographie est reproduite avec l'aimable autorisation de Monsieur le Conservateur.

Les objets représentés sur les pages 74 (hd, bd), 84 (g), 85 (d), 90 (hg), 95 (mg, bd), 103 (b), 105 (hd), 107 (mh), 125 (hg, hd), 162 (hd), 175 (md), 196 (h, b), 202 (hg), 203 (hd, md, bd), 204 (g), 204-205, 206 (hg, hd), 207 (d), ont été aimablement prêtés par monsieur René Cubaynes, de la VIII Augusta.

Les objets représentés sur les pages 72 (md), 92 (hd), 93 (bd), 97 (hd), 176 (b) ont été aimablement prêtés par madame Nelly Combes, de la VIII Augusta.

La rondelle de bois des pages 102-103 a été aimablement prêtée par monsieur Paul Marie.

Crédit illustration

Hélène Appel-Mertiny
P. 97 (b).

Jean-Paul Espaignet
P. 20. P. 24-25. P. 34. P. 35. P. 42 (bg). P. 79 (h). P. 84 (h). P. 85. P. 118 (h). P. 132 (bg). P. 150-151 (fond). P. 156-157. P. 158-159. P. 159 (b). P. 163 (bd). P. 164-165 (carte). P. 166 (hg). P. 180-181 (b). P. 184 (bg). P. 188 (bg). P. 190-191 (b). P. 198-199. P. 200-201. P. 212 (hg). P. 220 (hg). P. 222 (hg). P. 223 (b). P. 224 (hg). P. 224-225 (fond). P. 226 (hg). P. 226-227. P. 228 (hg). P. 229. P. 230 (hg). P. 231. P. 232 (hg). P. 233 (b). P. 234 (hg). P. 236 (hg, bd). P. 238 (hg). P. 238-239. P. 240 (hg). P. 241. P. 242 (hg). P. 243. P. 244 (hg). P. 245 (b). P. 246 (hg). P. 247. P. 248 (hg, b). P. 250 (hg). P. 250-251 (fond). P. 252 (hg). P. 252-253. P. 254-255 (carte).

Anne Eydoux
P. 139 (hd). P. 152 (md).

Mati
P. 13. P. 15 (m). P. 17. P. 21 (hg). P. 31. P. 56. P. 57 (hd). P. 64. P. 69 (b). P. 71. P. 74-75. P. 76. P. 77 (md). P. 79 (h). P. 81. P. 85 (b). P. 87. P. 89. P. 90-91. P. 95 (h). P. 99. P. 100-101. P. 104. P. 111. P. 115. P. 123. P. 129 (b). P. 141 (h). P. 150 (bg). P. 160 (bg). P. 161 (bg, bd). P. 169 (hd). P. 174 (b). P. 175 (b). P. 176 (hg). P. 185 (bd). P. 186 (b). P. 187. P. 205 (bd). P. 213 (bd). P. 237 (b). P. 251.

Frédéric Pillot
P. 97 (m).

Alexandre Roane
P. 157 (b).

Christian Verdun
P. 5. P. 6. P. 7. P. 9 (bg). P. 32-33. P. 36 (md). P. 37 (bg). P. 42 (hg). P. 42-43. P. 43. P. 106 (bg). P. 107 (bd). P. 108-109. P. 112-113. P. 116-117. P. 122-123. P. 130-131. P. 136-137. P. 186-187 (fond). P. 188-189.

Nathaële Vogel
P. 6. P. 7. P. 8 (hg, bg, bd). P. 9 (hd, md). P. 10 (à dr. dans bandeau titre). P. 11 (h, b). P. 14 (h). P. 15 (h, b). P. 19. P. 20. P. 21 (b). P. 22-23. P. 24 (fond, h). P. 25. P. 26-27. P. 27. P. 36 (mg, bg). P. 37 (hd, bd). P. 38. P. 38-39. P. 40-41. P. 46-47. P. 48-49. P. 50. P. 50-51. P. 52 (h). P. 52-53. P. 53. P. 54. P. 55. P. 57 (m). P. 58 (bg). P. 60. P. 61. P. 62 (hg, hd). P. 63. P. 65. P. 66. P. 67. P. 68-69 (fond). P. 68 (b). P. 69 (h). P. 70 (m). P. 72. P. 73. P. 74 (hg). P. 77 (mg). P. 78. P. 79 (hd, b). P. 80. P. 80-81. P. 82-83. P. 88 (h). P. 90 (h, m). P. 91 (m). P. 92-93. P. 94. P. 95 (b). P. 96-97. P. 98. P. 105. P. 106 (hd, md, mg, bd). P. 107 (hd, mg, md, bg). P. 116 (h). P. 119 (bd). P. 120-121. P. 124. P. 126. P. 126-127. P. 128-129. P. 129 (h). P. 131 (md). P. 134-135. P. 138. P. 139 (md, mg, bd). P. 140-141. P. 142-143. P. 144-145. P. 148-149. P. 150 (bd). P. 151. P. 154. P. 158 (bg). P. 159 (hd). P. 160-161 (fond). P. 162. P. 163 (h, mg, md). P. 164 (bg). P. 165 (d). P. 166 (bg). P. 168 (hg). P. 170-171. P. 173. P. 174 (hg, hd, m). P. 175 (hg, hd). P. 176-177. P. 177 (hd). P. 178-179. P. 180 (hg, m). P. 181 (hg). P. 182-183. P. 184-185. P. 192-193. P. 195. P. 196. P. 197. P. 202. P. 203. P. 204. P. 205 (m). P. 206-207. P. 209. P. 210. P. 211. P. 212 (bg, hd). P. 213 (hd, m). P. 214-215. P. 215. P. 216. P. 216-217. P. 218. P. 219. P. 220-221. P. 254-255. P. 256. P. 259 (hd). P. 262-263 (fond). P. 264-265 (fond).